Sepp / Wildermuth (Hg.)

—

Konzepte des Phänomenalen

Orbis Phaenomenologicus

Herausgegeben von
Kah Kyung Cho (Buffalo), Yoshihiro Nitta (Tokyo) und Hans Rainer Sepp (Prag)

Perspektiven. Neue Folge 22

Konzepte des Phänomenalen

Heinrich Barth – Eugen Fink – Jan Patočka

Herausgegeben von
Hans Rainer Sepp und Armin Wildermuth

Königshausen & Neumann

Der Buchumschlag zeigt das Bild „Polygone" (2006) von Meinolf Wewel.

Bibliografische Information der Deutschen Bibliothek

Die Deutsche Bibliothek verzeichnet diese Publikation in der Deutschen Nationalbibliografie; detaillierte bibliografische Daten sind im Internet über <http://dnb.ddb.de> abrufbar.

© Verlag Königshausen & Neumann GmbH, Würzburg 2010
Gedruckt auf säurefreiem, alterungsbeständigem Papier
Umschlag: skh-softics / coverart
Bindung: Verlagsbuchbinderei Keller GmbH, Kleinlüder
Alle Rechte vorbehalten
Dieses Werk, einschließlich aller seiner Teile, ist urheberrechtlich geschützt.
Jede Verwertung außerhalb der engen Grenzen des Urheberrechtsgesetzes ist
ohne Zustimmung des Verlages unzulässig und strafbar. Das gilt insbesondere
für Vervielfältigungen, Übersetzungen, Mikroverfilmungen und die Einspeicherung
und Verarbeitung in elektronischen Systemen.
Printed in Germany
ISBN 978-3-8260-3900-3
www.koenigshausen-neumann.de
www.buchhandel.de
www.buchkatalog.de

Inhalt

Inhalt

Zur Einführung

Das Denken von Heinrich Barth (1890-1965), dem Bruder des Theologen Karl Barth, steht in einer sachlichen Nähe zur Phänomenologie, namentlich zu den Deutungen, die Eugen Fink (1905-1975) und Jan Patočka (1907-1977) zum Problem des Erscheinens vorgelegt hatten. Wie Fink und Patočka rang auch ihr um eine halbe Generation älterer Zeitgenosse Barth um eine Neubestimmung des Phänomenbegriffs und bezog dabei auch zu Husserls und Heideggers Konzepten des Phänomenalen kritisch Stellung. Umso mehr verwundert es, dass das Denken Heinrich Barths bisher von phänomenologischer Seite kaum aufgenommen wurde.

Einen ersten Schritt, ein Gespräch zwischen den Philosophien von Eugen Fink, Jan Patočka und Heinrich Barth zu initiieren, unternahm die Tagung, die am 2. und 3. April 2004 am Prager *Centrum fenomenologických bádání* (CFB) in Zusammenarbeit der Heinrich Barth-Gesellschaft mit dem Jan Patočka-Archiv Prag und dem Eugen Fink-Archiv Freiburg veranstaltet wurde. Der vorliegende Band versammelt die für den Druck überarbeiteten Texte, die aus diesem Anlass vorgetragen wurden. Der dokumentarische Anhang ergänzt die Interpretationen mit zwei bislang unveröffentlichten Studien Heinrich Barths, „Entwurf zu einer Philosophie des wirklichen Seins" aus dem Jahr 1939 und „Zum Problem der phänomenalen Gegenständlichkeit" von 1951/1952.

Armin Wildermuth gibt im Folgenden einen einführenden Überblick über Heinrich Barths Philosophie der Erscheinung, während Hans Rainer Sepp vom Gesichtspunkt der Phänomenologie aus einen Blick auf Barths philosophischen Ansatz wirft.

Armin Wildermuth

Heinrich Barth

Es mag ein vorerst ganz äußerlicher Anlass sein, dass die Philosophie Heinrich Barths mit der Phänomenologie in Verbindung gebracht wird. Das Problem der „Erscheinung" oder des „Phänomens" spielt bei ihm wie auch in der phänomenologischen Bewegung eine zentrale Rolle. Es ist also zu vermuten, dass eine Philosophie der Erscheinung, wie sie Barth vorlegte, und die Phänomenologie, wie sie sich heute als eine der wichtigsten Philosophien der letzten 100 Jahre darstellt, eine intentionale Gemeinsamkeit aufweisen dürften. Dieser Vermutung steht aber die äußerst skeptische und distanzierte Haltung Barths gegenüber, die er zeitlebens der Phänomenologie entgegenbrachte. Zudem ist das Werk, das unter dem Titel *Philosophie der Erscheinung* veröffentlicht wurde, von ihm selbst als „Problemgeschichte" aufgefasst worden. Damit ist auch gesagt, dass das Problem der Erscheinung nicht als neue Philosophie verstanden werden soll, vielmehr als hermeneutische Arbeit, die ein bereits schon immer im Spiel befindliches Problem eigens namhaft machen sollte. Es geht um die großen Entscheide und Entfaltungen in der bisherigen Philosophie, die alle eine bestimmte Weise der Erscheinungs-Begegnung in sich verarbeitet haben. Wie grundsätzlich Barth diese Aufgabe auffasste, zeigt sich darin, dass seine Problemgeschichte mit der Analyse Hegels abschließt. Weder lebensphilosophische, neukantianische oder phänomenologische Ansätze gewinnen in seiner fundamentalen Perspektive irgendwelches Gewicht. Dabei bezeichnet er sich einmal nicht ohne Ironie und Humor als „Nachzügler der Marburger Schule". Dies muss erläutert werden.

Es ist offensichtlich, dass wir zwei Denkperioden in Barths Philosophie berücksichtigen müssen. Eine kurze Darstellung soll dies vergegenwärtigen:

1. Die erste Periode reicht bis zum Beginn der Dreißigerjahre des letzten Jahrhunderts und ist gekennzeichnet durch das, was Barth selbst „Kritischen Idealismus" nennt. Er ist mit seinem Bruder Karl Barth beteiligt an der Grundlegung der sog. „dialektischen Theologie"; seine philosophischen Essays zeigen eine Nähe zur Theologie, aber vor allem weisen sie sich aus durch die strenge Durchführung der transzendentalen Vernunftbesinnung, wie sie Hermann Cohen und Paul Natorp lehrten; deren „Ursprungsphilosophie" wird ihm zum archimedischen Punkt. Die Philosophien Platons und Kants werden neu durchdacht; gestützt auf deren Einsichten wird ihm die Priorität des „Logos" zum Leitfaden seiner sich entwickelnden Philosophie. Höhepunkte dieser Periode sind – neben vielen höchst kritischen Rezensionen und Essays – das Werk *Die Seele in der Philosophie Platons* von 1921, der Vortrag „Gotteserkenntnis" von 1919 (Barth 1962) und das grundlegende, seinen beiden Brüdern gewidmete Werk *Philosophie der Praktischen Vernunft* im Jahre 1927.

2. Die zweite Periode wird publizistisch sichtbar noch während des Zweiten Weltkrieges mit dem Essay „Philosophie der Existenz" im Jahre 1942 (Barth 1967, 33-53) und nach dem Ende des Krieges mit dem 1. Band der *Philosophie der Erscheinung* im Jahr 1946. Im weiteren Verlauf seiner philosophischen Arbeit profiliert sich seine Philosophie als eine Existenzphilosophie, in der der Gedanke der Erscheinung eine systematische Entfaltung erfährt. Es ist der Einwand nicht gerade sinnvoll, dass Barth von einer transzendental begründeten Logos-Philosophie auf eine Philosophie der Erscheinung umgeschaltet habe. Nur dem erschließt sich die Erscheinungsphilosophie, der ihren existenziellen Bedeutungsgehalt berücksichtigt. Das letzte Kapitel seines Hauptwerkes *Erkenntnis der Existenz. Grundlinien einer philosophischen Systematik* (1965) belegt dies deutlich. Es kulminiert in der Aussage vom Primat der Existenz vor dem Sein. Rückblickend muss man also sagen, dass seine Philosophie der Erscheinung zugleich eine Philosophie der Existenz impliziert.

Nun scheint es mir angemessen, die vermeintliche Kluft zwischen diesen beiden Perioden, gekennzeichnet durch die Termini „Kritischer Idealismus" und „Philosophie der Existenz", und deren Überbrückung zu erläutern:

1. Die angebliche Kluft kann natürlich systematisch gedeutet werden. Doch dieser Deutung muss noch eine zeitgeschichtliche Ergänzung an die Seite gestellt werden. Eine nicht zu unterschätzende Rolle spielt die politische Entwicklung in Deutschland nach dem Jahr 1933. Sie bewirkt die Distanzierung des schweizerischen Philosophen von der damaligen deutschen akademischen Welt und den sich zerstörenden philosophischen Institutionen. Sein Bruder Karl, der einen Lehrstuhl für Theologie an der Universität Bonn innehielt, musste nach der „Theologischen Erklärung von Barmen" im Sommer 1935 Deutschland verlassen und kehrte in die Schweiz zurück. Durch sein Eintreten für bewaffneten Widerstand gegen das Hitlerregime und durch viele „Offene Briefe" versuchte er das nationalsozialistische Unheil zu bekämpfen, nicht nur nach außen, sondern auch gegen innen. Seine bewussten Provokationen trugen ihm sogar ein Redeverbot durch die schweizerische Regierung ein. Er bewegte sich trotzdem, dank seines Rufes als berühmter Theologe, in einem internationalen Umfeld. Besondere Sorge bereiteten ihm die Tendenzen einiger schweizerischer Politiker und Bevölkerungsgruppen, die durchaus geneigt waren, sich in die „Neuorganisation Europas" einzuordnen. Heinrich Barth, nicht so spektakulär wie sein Bruder Karl, reihte sich in dieser politischen und geistigen Situation der Schweiz in die Reihen des Widerstandes ein. Seine Vorträge und Zeitungsartikel konzentrierten sich auf die innere geistige Verfassung der schweizerischen Gesellschaft und auf den transzendentalen Sinn der Gemeinschaft (u. a. *Grundlagen der Gemeinschaft. Fragen und Antworten eines Schweizers* [Barth 1944]). In der durch die Kriegsdrohung intensivierten nationalen Besinnung, besonders zur Zeit der geistigen Isolation 1939-1945 und nach der militärischen Umzingelung der Schweiz nach der Kapitulation Frankreichs und nach der Besetzung auch Vichy-Frankreichs, kam es 1940 zur Gründung der „Schweizerischen Philosophischen Gesellschaft",

der Heinrich Barth in den Jahren 1956 und 1957 als Zentralpräsident vorstand. Abgrenzungen wurden allenthalben gezogen – Versuche, sich auf Eigenes zu besinnen und sich mit dem Gedanken vertraut zu machen, dass es, wie Karl Barth und der damalige General der schweizerischen Armee Henri Guisan sagten: um das Schicksal der Schweiz gehe. All dies, von jüngeren Generationen heute belächelt, blieben nicht ohne Spuren in Barths Philosophie. Dazu gibt es Hinweise.

2. Im Jahre des Beginns des Zweiten Weltkrieges 1939 formuliert Barth einen Text, den er nie veröffentlichte, aber programmatisch betitelte: „Entwurf zu einer Philosophie des ‚wirklichen' Seins". Es geht nicht um das „Zurück zu den Sachen", sondern um die „Wirklichkeit als solche", die doch immer das Zentrum aller ernsthaften Philosophie bildet. Eine „Wirklichkeitsphilosophie" scheint bereits, wie nebenbei, in einer Anmerkung in der *Philosophie der Praktischen Vernunft* postuliert worden zu sein (Barth 1927, 96, Anm. 1). Eine Herausforderung an alle bisherige Philosophie bildet nun der nicht mehr weiter rückführbare Bedeutungsgehalt der Erscheinung. Bereits erhielt diese Einsicht in das Wesen der Erscheinung in seinem Wuppertaler Vortrag von 1933 über den 2. Korintherbrief eine leitende Funktion, und im Wintersemester 1935/1936 konnte er den Satz formulieren: „‚Erscheinung' [...] wird uns in ästhetischer Erkenntnis gegenwärtig" (Barth 1939, 2). Die Bedeutung des „Entwurfs zu einer Philosophie des ‚wirklichen' Seins" von 1939 kann kaum unterschätzt werden. Er zeigt, dass Barth die neukantianischen Eierschalen abgelegt hat, einen rigorosen Neuanfang wagte, der allerdings schon lange vorbereitet war. Dieser Neuanfang war aber kein Bruch, sondern eine entschlossene Vertiefung seiner bereits erreichten Einsichten. Barth gewinnt nichts weniger als eine philosophische Position, die alle bisherige Philosophie auf den Prüfstand zu holen vermag. Diesen Erweis erbrachte er in seinem schon erwähnten Werk, das den schlichten Titel trägt: *Philosophie der Erscheinung. Eine Problemgeschichte.* Der 1. Band erschien im Jahre 1947. Im Vorwort beschreibt er seine zeitgeschichtlich bedingte Grundhaltung, in welcher er sein Werk erarbeitete: „Der verstorbene Eberhard Grisebach hat einmal dem Verfasser zu bedenken gegeben, dass am Ende des Krieges der Akademiker des unversehrten, neutralen Landes nicht mit leeren Händen dastehen dürfe. Der so Angesprochene, wohnhaft nicht weit von der Grenze dreier Länder, ist sich der geschichtlichen Lage, in der er seinen Studien obliegen durfte, stets bewusst geblieben." (Barth 1947, XIII f.) Wer es genau wissen will: sein Wohnsitz im rechtsufrigen Riehen bei Basel war 1,5 km von der deutschen und 3,2 km von der französischen Grenze entfernt.

3. Wie aber hängen der Barth des „Kritischen Idealismus" und jener der Philosophie des wirklichen Seins und der Erscheinung zusammen? Darüber gibt der Essay „Philosophie der Existenz" von 1941 Auskunft. Nicht um etwas Neues geht es Barth, vielmehr um die vertiefte Erfassung der eigenen Position, die er in der *Philosophie der Praktischen Vernunft* bereits erreichte. Sicher vollzieht er eine terminologische Neuformulierung, angepasst an die Sprache der „Existenzphilo-

sophie", die in der damaligen Gestalt der Werke von Martin Heidegger, Karl Jaspers und Gabriel Marcel vorlagen (Barth 1967, 38). Wie bereits der Terminus „Existenz" auf die scholastischen und islamischen Philosophien zurückverweist, ist der Bedeutungsgehalt einer ernsthaften Philosophie der Existenz mit den Grundentscheidungen, die der ganzen abendländischen Philosophie das Gepräge gaben, unlösbar verbunden. Aspekte, die durch die Übermacht ontologischer und rein theoretischer Weltinterpretationen verborgen oder nivelliert wurden, gerieten durch den Leitfaden der „Existenz", verstanden als „Existieren", in den Strahl einer eigenständigen Reflexion. Barth stellt sich bewusst in die ganze philosophische Tradition, und zwar mit der Intention, die großen metaphysischen Leistungen und deren Kritiken, wie sie die individualistischen, lebenspraktisch orientierten Denker vorbrachten, durch einen offenen „Systemgedanken" zu verbinden. Barth erinnert an Platon-Sokrates, er knüpft sogar an die dialogische Urform der athenischen Philosophie an. Die Philosophie Platons tritt in der Form von Dialogen, Aporien, Spekulationen und mit vielen Beschreibungen der persönlichen Reaktionen der Teilnehmer am Gespräch auf. Dabei wird deutlich: Der „abstrakte" Erkenntnisprozess des Einzelnen wird physiognomisch sichtbar. Eindrücklich bringt Heinrich Barth mit seiner Terminologie die zwei Aspekte der existierenden Denker – nämlich des Gnoseologisch-Ideellen und des Physiognomischen – zur systematischen Synthese, nämlich durch die zweifache Bestimmung des Menschen als „In-die-Erscheinung-Treten" und als „existentielle Erkenntnis". Dies muss noch verdeutlicht werden. Doch es mag vorerst genügen, wenn beigefügt wird, dass Heinrich Barth das Problem der Praktischen Vernunft, die Kant recht eigentlich als etwas Neues „entdeckt" haben soll (Barth 1927, 88), durch eine bis anhin nicht beachtete Präzision und Eigenständigkeit durchdachte. Dabei ließ Barth die Philosophien seiner Lehrer Cohen und Natorp weit hinter sich. Gehalt und Wirklichkeit der Praktischen Vernunft erläutert er anhand von Augustins Lehre von der Entscheidung (Barth 1935, bes. VII.) Kurz: Er versteht den Kant der „Praktischen Vernunft" und den Augustinus der Confessiones als Existenzphilosophen (Barth 1967, 37, Anm. 2 und 43, Anm. 1).

Natürlich kennt er die Ausdrücke „existenziell" und „Existenz" bereits von seinen Kierkegaard-Studien. Sie kehren bei Heidegger wieder, in neuer Weise anverwandelt. Die Auseinandersetzung mit Heideggers Daseinsanalyse, gerade mit dessen Gebrauch des Begriffs der Existenz, muss als wichtiges Moment in der Entwicklung von Barths Denken nach 1927 erachtet werden. Dafür sprechen schon seine damaligen Rezensionen wie auch die Abhandlung „Das Sein in der Zeit" von 1933 (Barth 1967, 8-25; dazu Hauff 1990). Einerseits entdeckt Barth, dass die „moderne Existenzphilosophie" die Verwirklichung des praktisch handelnden Menschen, das Denken im Vollzug der Lebenswelt, ja das Lebensereignis selbst, in den Mittelpunkt philosophischer Besinnung rückt, andererseits kritisiert er deutlich die nun allenthalben einsetzenden Fixierungen auf ontologische „Strukturverhältnisse" (Barth 1967, 42) und vor allem auch die dabei geübte neutralisierende und distanzierende Haltung des phänomenologischen Beobachters (Rezension von Heideggers Kantbuch, Barth 2006). Vor allem stößt er sich am Verlust der transzendentalen Dimension der Erkenntnis, so dass das Erkennen zu einem „Verhalten" oder zum „Existenzial des Verstehens" zusammenschrumpft. Dazu kommt, dass gerade der zentrale Bedeutungsgehalt der Existenz entschwindet und zu einem irrationalen Exponenten eines Hintergrund-Seins mutiert. Dagegen artikuliert er seine Opposition: Verwirklichung des Menschen oder der Existenz vollzieht sich in einem sinnlich erfahrbaren „Heraustreten", in einem „exsistere", und im Vollzug eines konstanten Aktualisierens aus dem Nicht-Sein in das Sein der Erscheinung. Darum also die Formel: Existieren ist „In-die-Erscheinung-Treten". Existenz darf aber nicht zu einem dunklen ontologischen Schatten werden, sondern ist in der Verwirklichung ihres Hervortretens sich selbst hell als Erkenntnis, und zwar in der besonderen, unvergleichbaren „Erkenntnis der Existenz", in „existentieller Erkenntnis".

Bei aller Kritik an Heidegger ist doch Gemeinsames zu entdecken, vor allem mit dem Werk *Sein und Zeit*. Grundsätzlich geht es auch Heidegger um den „Sinn von Sein" – doch der Gedanke des Seins saugt jenen des Sinns vollkommen auf. Nicht der Logos des Seins wird untersucht, vielmehr der Logos vom Sein her bestimmt. Er taucht vorerst auf als ein Modus des „In-der-Welt-Seins". Mit diesem Ansatz allerdings kann sich Barth relativ ins Vernehmen setzen, nimmt er doch mit der praktischen Vernunft seinen Ausgang ebenfalls von der nicht zu leugnenden „Lebenswirklichkeit". Wie Kierkegaard, Nietzsche, Dilthey, Avenarius, Simmel, Bergson, William James, Mach, Buber, Husserl, Wittgenstein u. a. geht die Existenzphilosophie aus von „dem" oder „einem" Unmittelbaren, Sichselbst-Gebenden, der theoretischen Reflexion Zuvorliegenden und sie Tragenden. Dass von der „Faktizität des Existierens" nicht abgesehen werden kann, ist allen diesen Denkern gegenwärtig. Doch das, was sich in diesem Frage-Horizont als Antwort anbietet, kann unterschiedlicher nicht sein. Alle diese Denker forcieren die Begegnung mit „der" oder einem Aspekt der Wirklichkeit. Diese Wirklichkeitssuche bildet das untergründige oder auch laut proklamierte Pathos ihrer philosophischen Forschungen – abgesehen davon, dass es auch Philosophen gibt, die die Philosophie in der wissenschaftlichen Erforschung der Wirklichkeit aufgehen lassen wollen.

Wie ist in diesem Kontext Heinrich Barth zu lokalisieren? Es wäre natürlich falsch, Barth auf den Rang eines Rezeptors der Philosophie Kants und dessen Interpretation durch Cohen und Natorp herunterzustufen. Von einer Einordnung in den sich auflösenden „Neukantianismus" kann mit Recht abgesehen werden. Dessen Fragestellungen haben nie die Ebene erreicht, auf der Barth bereits von Anfang an philosophierte. Viel mehr steht auf dem Spiel. Wollen wir uns doch folgende Einsichten vergegenwärtigen: Der Ort der Praktischen Philosophie liegt dort, wo sich „Verwirklichung" vollzieht (Barth 1927, 96), das Leben als Übergang vom Nicht-Sein zum Sein zu verstehen ist (ebd. 8), „‚Existenz' des Menschen [...] sein Heraustreten" bedeutet (ebd. 12), dass Sollen kein abstraktes

Prinzip ist, vielmehr eine eigene „praktische Wirklichkeit" darstellt (ebd. 216 ff.), wo es um die „konkrete, wirkliche Handlung" geht (ebd. 96), wo sich im Augenblick des wirklichen Sollens und Wollens sogar eine Anstrengung der „Muskeln und Sehnen" unvermeidbar ist (ebd. 101) und – hier finden wir sogar den später leitenden Gedanken –, wo das Geschehen der Handlung zum Phänomene wird, „indem sie in die Erscheinung tritt" (ebd. 272). Deutlicher ausgedrückt: „Handlung' tritt im Raume und in der Zeit in die Erscheinung. Indem sie sich vollzieht, wird sie zum phänomenalen Vorgang" (ebd. 282). Barths Denken setzt also ein inmitten der Lebenswelt, des Lebenszusammenhanges, im Augenblick des Lebensereignisses und im Kontext des Phänomenalen. Nichtsdestotrotz versucht er durch den Aufweis des Eigentümlichen der „atheoretischen" Praktischen Vernunft (ebd. 331) deren „vertikalen" und letztlich nichtbedingten Charakter bewusst zu machen. Er ist in einem guten Sinn „Lebensphilosoph" und kann den genannten Philosophen zugerechnet werden. Insofern er aber das Leben ansetzt in der aller Wissenschaft zuvorgehenden Ebene der Verwirklichung und einer ursprünglichen Teleologie, die eben den Sprung vom Nicht-Sein zum Sein reflektiert, bleibt er ein Transzendentalphilosoph. In dieser Kombination ist ihm höchstens noch Karl Jaspers ein adäquater Partner.

Seit dem „Entwurf" von 1939 sind die „Grundlinien" für Barths philosophische Systematik – nicht System! – festgelegt. Wie gezeigt, sind die Elemente, die sie bis zum Hauptwerk *Erkenntnis der Existenz* prägen, in der *Philosophie der Praktischen Vernunft* vorgegeben, ja sogar artikuliert. Praktische Vernunft ist existentielles Erkennen, in Erscheinung tretend in Willensakten, Entscheidungen, konkreten Handlungen und damit sich integrierend in die Wirklichkeit des Phänomenalen. Der Aktualisierungs- und Vollzugscharakter des praktischen oder deontologischen Erkennens wird in der Studie *Die Freiheit der Entscheidung im Denkens Augustins* von 1935 lapidar ausgedrückt: Existenz existiert in der Entscheidung (Barth 1935, 117). Dies will sagen, dass nicht zur Existenz das Entscheiden hinzukäme, vielmehr ist das Entscheiden derjenige Vollzug, worin und wodurch Existenz existiert. Praktisches Erkennen ist gefasst als stets augenblickliches „Existieren" und „Erscheinen", eben als In-die-Erscheinung-Treten.

Nun aber muss die Aufmerksamkeit auf das Problem der „Erscheinung" gelenkt werden. Sie ist, wie früher die Praktische Vernunft, in ihrem „Vollsinn" zu berücksichtigen. Dies bietet wegen ihrer in unserem Sprachgebrauch gewohnten Abwertung einige Schwierigkeiten. Erscheinung ist bei Barth verstanden als das Fundamentale, das nicht theoretisch „erklärt" werden kann. Erscheinung ist also primär gerade nicht Schein, Täuschung, Halluzination oder kantisch ausgedrückt: „bloße Erscheinung". Sie ist aber auch nicht ins Irrationale zurückzustoßen, ist sie doch das, das „sich zu erkennen gibt", ist sogar ein „Erstes und ein Letztes" (Barth 1947, XI). In ihrem ursprünglichen Vollgehalt ist sie nicht einmal „Phänomen". Erstaunen muss dies alle, die phänomenologisch denken. Barth fasst nämlich Erscheinung dynamisch als Ereignis des Erscheinens. Eine auf Dauer gestellte Erscheinung ist bereits eine Projektion ins Ontologische und

Theoretische. Neurologen, Physiker und Künstler wissen, dass keine Erscheinung „stillsteht" und bewegungslos ist, auch wenn es für eine bestimmte Dauer den Anschein haben mag. Die Philosophie artikulierte diese Einsicht einmal als *creatio continua*, d. h. dynamisch und zeitlich emergierend, sogar als „Schöpfung" von konstant Neuem. Auch in einem sich säkular vermeinenden Zeitalter macht dies noch Sinn, denn nicht einmal die alltägliche Anschauung der Dinge und Menschen kann auf verlässliche Identitäten zurückgreifen. „Erscheinung" ist also zu unterscheiden vom „Erscheinen der Erscheinung". Erst in diesem Ereignis des Erscheinens ist das Problem der Erscheinung adäquat zu erörtern, weil erst in diesem das Erkennen des Einzelnen involviert ist. Nichtsdestotrotz können wir von Erscheinungen und Phänomenen reden, wenn wir uns über deren Modi des Erscheinens klar geworden sind. Reden wir aber vom aktuellen Erscheinen der Erscheinung, so sind alle Modi existenzieller Erfahrungen, Hinblicknahmen und Perspektiven zu berücksichtigen, bis hin zu den je einzelnen, augenblicklichen, möglichen und wirklichen Existenzerfahrungen von dem, was erscheint. Selbst der Ruf einer Amsel kann einen existenziellen Schock auslösen, für einen bestimmten Menschen in einem bestimmten Augenblick (vgl. Jens Soentgen). So wird Erscheinung zum existentiellen Erscheinen, und Barth geht in seinen biblischen Exegesen noch weiter, insofern er die physiognomische Epiphanie göttlicher, d. h. transzendental-transzendenter Wirklichkeit kennt (Barth 1967, 238 ff., 246, 250, 315).

Die Erscheinung als solche ist der „Gegenpol zum Prinzipe der Begründung" (Barth 1965, 612). Dieses ist auch verstanden als die „zum Transzendentalen präzisierte Transzendenz" (ebd. 223). Das Transzendentale selbst bildet nun den Logos einer „anderen Ordnung" und ist, anscheinend paradox, nicht direkt erscheinend. Der Terminus „transzendentale Transzendenz" macht Schwierigkeiten. Er will vermeiden, dass eine letztlich doch räumliche und gegenständliche Allusionen erweckende „Transzendenz" ins Spiel kommt, wie es bei den üblichen Transzendenz-Konzeptionen der Fall ist (vgl. Barth 2004). Schließlich ist auch Transzendenz eine Weise der Erkenntnis, die sich auf Erscheinung bezieht und nicht von der Existenz zu trennen ist. Auch die Rede von einem transzendent-transzendentalen Logos ist leicht missverständlich, so als wäre er selbst außerhalb der Erkennbarkeit existent. Gerade das Gegenteil ist der Fall, insofern er der unvorgreifliche Ursprung aller Denk- und Erkenntnisakte ist und als solcher nicht wieder in den Kontext spezieller Erkenntnisse eingehen kann. Leicht entsteht dadurch eine Objektivierung „des Logos" oder „der Vernunft", so etwa auch in der *Kritik der reinen Vernunft* Kants (im Gedanken der Totalität oder Ganzheit der Vernunft), besonders aber auch im nachkantischen Idealismus, dem, wie Barth moniert, das Hauptmissverständnis der Ontologisierung der Vernunft und ihrer Bewegtheit zu Grunde liegt (Barth 1927, 89; 1959, 507–516). Nichtsdestotrotz macht sich in diesen Philosophien das dynamische Moment der emergierenden und erscheinenden Vernunft geltend, insofern in ihnen die Geschichte und auch das Unbewusste bedeutsam werden.

„Erscheinung' ist in ästhetischer Erkenntnis gegenwärtig", artikuliert Barth bereits in einer Vorlesung im Wintersemester 1935/1936 und führt diesen Gedanken in seinem „Entwurf" von 1939 weiter (Barth 1939). Diese Einsicht gewinnt eine feste Stelle in allen seinen systematischen Arbeiten zur Philosophie der Existenz, Epistemologie, Ästhetik, Staatsphilosophie und auch im Dialog von Philosophie und Theologie. Dies bedeutet, dass die ästhetische Erkenntnis weit über das hinausgeht, was unter Ästhetik gewöhnlich verstanden wird. Sie erweitert sich Barth zu einem spezifisch erscheinungsphilosophischen Erkennen, das auch das phänomenologische Erkennen unterläuft. Insofern er nämlich in der *Philosophie der Erscheinung* die maßgebenden Positionen der abendländischen Philosophie auf ihr Verhalten und Bewältigen der Erscheinungsproblematik untersucht, sind sowohl ästhetische, theoretische und existenzielle Gesichtspunkte berücksichtigt, und zwar immer so, dass sie daran gemessen werden, nicht nur wie sie „Erscheinung", sondern vor allem wie sie das „Erscheinen der Erscheinung", das Ereignis des Erscheinens, zur Geltung bringen, vernachlässigen oder auch negieren. Der leitende Gedanke universaler Erscheinungsbezogenheit durchwaltet dieses reichhaltige Werk. In allem Erkennen ist dem Verhalten zur Erscheinung nachzuspüren – auch dort, wo sie kaum erwähnt oder auf die unterste Stufe der Seinsregionen, wie z. B. im Neuplatonismus, versetzt wird. Ist sie zum Zentrum der philosophischen Systematik geworden, dann sind auch die konventionellen oder beliebten philosophischen Abgrenzungen zu relativieren. Warum aber soll diese eigentlich doch systematische Arbeit im Gewande einer „Problemgeschichte" dargestellt werden? Eine dürre abstrakte Systematik, die sich rein auf Verhaltensformen und Weisen des Erscheinens konzentrierte, würde das geschichtliche Moment vernachlässigen. Alle wesentlichen Positionen wie die eidetische Philosophie Platons, der aristotelische Substanzialismus, der Phänomenalismus, der scholastische Realismus und Nominalismus, das metaphysische Kontingenzdenken, das magische Weltbewusstsein u. a. sind in geschichtlichen Zusammenhängen erarbeitet, ja eigentlich entdeckt worden. Dass sie oft ihre geschichtliche Wirkungsmächtigkeit verloren, beeinträchtigt nicht ihren systematischen Bedeutungsgehalt, wie z. B. die scholastische Gotteslehre und ihre Transzendentalien. Barth hält fest, dass einmal erreichte Einsichten auf oft unkenntlich gewordene Weisen weiter entfaltet wurden und es einen ungeheuren Verlust bedeutet, wenn ganze Bereiche der Philosophiegeschichte aus den eingespielten akademischen Diskursen ausgeblendet werden. Es ist für ihn selbstverständlich, dass die ganze Philosophiegeschichte vergegenwärtigt werden muss und die hochstilisierten „Brüche" sich zumeist als irrelevant erweisen.

Nun bietet die Barthsche Philosophie der Erscheinung ein Bild mit zwei ungleichen Seiten, nämlich eine geschichtlich-erfüllte und eine systematisch-prinzipielle:

1. Die zweibändige *Problemgeschichte* entfaltet ein gewaltiges Panorama von Philosophien, in denen sich das Drama der Erfassung der nur prädikativ deutbaren Erscheinung abspielt; es handelt sich um das Grunddrama alles Erkennens,

das sich seit der griechischen Antike über die Jahrhunderte bis Hegel und Schelling abspielte und das bis heute nicht abgeschlossen ist; eine Fülle von Kategorien, Erkenntnisweisen, Transzendierungen, Interpretationen, Analysen und Verhaltensformen lassen sich eruieren. Es scheint, dass Barth durch seine Studien immer neue Einsichten und Entdeckungen gewann, die zu systematisieren wieder eine große Anstrengung erforderten; in seinem Hauptwerk *Erkenntnis der Existenz* ist dies nur in einem Aspekt gelungen. Die Geschichte des philosophischen Ringens um die Erscheinung stellt Barth durch seine Methode der „transzendentalen Rückfrage" dar. An ihrem Leitfaden vollzieht er eine unerbittliche Destruktion der ontologischen Grundannahmen.

2. Diesem Bild der Fülle und der geschichtlichen Wirklichkeit stehen eigentlich nur *Grundlinien einer philosophischen Systematik* gegenüber, so der Untertitel der *Erkenntnis der Existenz*. Barth ist sich bewusst, dass dies ein mühsamer Weg ist. So schreibt er einmal: „Die Frage nach den letzten Voraussetzungen führt unvermeidlich in ein Feld inhaltarmer, schwieriger Bestimmungen. Auch wir sehnen uns nach einer erfüllten, eidetisch gegliederten Erkenntnis zurück. Allein, wie im zweiten Weltkrieg, wird auch in der Philosophie der Weg zum Sieg durch die Wüste führen." (Barth 1967, 71) Der „Überblick", den Barth dem zweiten Band der *Philosophie der Erscheinung* anfügte (Barth 1959, 611-634), gibt sehr prägnant jene Grundlagen wieder, die seiner Arbeit das Gepräge verleihen. In *Erkenntnis der Existenz* sind sie ausführlicher dargestellt. Zentrum seiner problemgeschichtlichen Analysen und seines Systemgedankens bleibt das „Erscheinen der Erscheinung", das nicht dem Erkennenden gegenübersteht, sondern das ihm als Frage immer schon zugänglich und irgendwie auch bedeutsam ist. Ganz entschieden muss das Subjekt-Objekt-Schema zurückgewiesen werden, verdeckt es doch gerade das, worum es im Erkennen des Erscheinenden geht. Bestimmte Weisen des Erscheinens verlangen auch bestimmte Weisen des Erkennens. Dieser erkenntnisphilosophisch flexiblen Situation wird Barth mit seiner Umdeutung des Subjekt-Objekt-Denkens gerecht. Für das Moment des Subjektiven schlägt er die Formel vor: „Sich-zu-erkennen-Geben", und für das Moment des Objektiven: „Etwas, das sich zu erkennen gibt". Es fällt auf, dass kein Subjekt postuliert wird, das nachträglich in eine Erkenntnis-Aktion treten würde. Umgekehrt wird auch kein Ding oder Seiendes gesetzt, das von einer Subjekt-Instanz in die Fänge irgendwelcher fixierenden Theorien geraten soll. Um diesen Zusammenhang noch in seinem Vollsinn klarzulegen, ist von der Medialität des ganzen „Erkennens-und-Erscheinens-Ereignisses" auszugehen. Das Erscheinen der Erscheinung „manifestiert sich", ist Emergenz aus einer vertikalen Dimension und kann streng genommen auch nur „medial" ausgedrückt werden, wie die griechische Formulierung *phainesthai* es verdeutlicht. Es dürfte diese Dimension sein, auf die auch Jan Patočka mit der Einsicht in das „Erscheinen als solches" vorstößt. Er begreift dieses aber immer noch ontologisierend, insofern er sogar eine „Wissenschaft" erwägt, die sich dieses Aspektes annehmen könnte. Das „wirkliche Sein" von dem auszugehen ist (siehe Barth

1939 und 1959, 9), eben die Erscheinung, ist Problem, „offene Möglichkeit", kein *factum brutum*, und hat als solche keinen festen Charakter. Es ist nicht „fest-stellbar" wie eine „Tatsache" und präsentiert sich als ein *determinandum*, das eine Kontur erst erhalten muss. Darum ist alles, was sich als „Gegebenheit" aufspreizt, in seinen Konstitutionsprozess zurückzuversetzen, also zu „dekonstruieren" am Leitfaden der ins Unabsehbare führenden transzendentalen Rückfrage.

Barths Philosophie verlangt, trotz ihrer oft schwerfälligen Artikulation, das Wagnis eines Schwebezustandes, der – allerdings höchst bedingt – vergleichbar ist mit Konrad Fiedlers Akzeptanz der reinen Sichtbarkeit, der skeptischen Epoché Pyrrhons und der transzendentalen Husserls, des „esse est percipi" George Berkeleys, Hermann Cohens Umweg über das Nichts und sogar mit der Gelassenheit von Meister Eckhart und Heidegger. Diese sicher sehr unterschiedlichen Positionen verlangen Veränderungen in der theoretischen Erkenntnishaltung, die durch bloße narrative Rezeptionsphilosophien, wie sie heute gang und gäbe sind, nicht erreicht werden. Barth kennt den Rückgang in die Offenheit des Transzendentalen, das zwar als „Letztbegründung" aller Erkenntnisakte fungiert, aber – und dies kann nicht genug betont werden – „von anderer Ordnung ist". Dieser Rückgang ist radikaler als alle Zweifelsakte, Weltvernichtungsstrategien, Transzendierungen und mystischen Tiefgänge. Dieses Transzendentale ist der uneinholbare „Logos" und die nur als Idee der Erkenntnis fassbare „Vernunft". Es bildet aber auch das Telos der in ihrer Aktualisierung erscheinenden Existenz. Folgerichtig wird Existenz in ihrem Wesen verstanden als „existentielle Erkenntnis". Der Schwebezustand eröffnet eine fundamental andere Sicht. Sie eröffnet den Horizont der emergentialen Dynamik des „Erscheinens" und „Existierens". Um ihr gerecht zu werden, müssen alle Erkenntnisbestimmungen und ontologische Verfestigungen in Kategorien der Aktualisierung umgedeutet werden. So ist schon im Augustinusbuch vom „In-die-Erscheinung-Treten der Entscheidung" die Rede, denn es gibt kein primäres Ich oder Subjekt, das die Fähigkeit des Entscheidens besitzt. Allein der Vollzug des Entscheidens konstituiert ein Ich oder Subjekt, das sich auf ein Kontinuum von Akt-Vollzügen beziehen kann und darin seine Wirklichkeit gewinnt. Das Entscheiden vollzieht sich nicht in einem abstrakten oder seelischen Hintergrund, sondern im Bereich des Phänomenalen und Leiblichen.

Alles existentielle Erkennen entdeckt ein unaufhebbares Defizit, insofern es nie das stets vorausgesetzte und unvorgreifliche Transzendentale erfasst. Dies sind nicht zwei unterschiedliche Bewegungen, denn in jedem Akt der Welterschließung ist auch ein existentielles Moment enthalten, wie in jeder Existenzreflexion unweigerlich, durch Sprache und theoretische Begrifflichkeit bedingt, Momente der Erscheinung einbezogen sind. Darum ist Barths ganze Philosophie getragen von der transzendentalen Vision der Einheit von Erscheinen und Erkennen, wie sie auch das Denken Kants leitet, insofern es anerkennt, dass wir einen *intellectus originarius* trotz seines göttlichen Charakters durchaus denken können (Barth 1959, 449 ff.) und auch eine „intellektuelle Anschauung" nicht außerhalb erwägender Erkenntnis steht (ebd.). Protagoras und Platon im *Theaetet* (Barth 1947, 53 ff.) und später selbst Hegel in der *Phänomenologie* (vgl. „Die sinnliche Gewißheit") sahen sich mit dieser Erkenntnis-Utopie konfrontiert. Mit diesen Darlegungen wird zum mindesten darauf hingewiesen, dass Probleme der sog. Metaphysik durchaus auch im Bereich „nachmetaphysischer" Philosophie analysiert werden sollten.

Es mag nun den Anschein haben, dass Barth mit seinen problemgeschichtlichen Analysen und mit den Grundlinien seiner philosophischen Systematik eigentlich nur große Forschungsfelder eröffnet habe. So bemerkt Paul Gürtler: „Barths Denken, das den loci classici der abendländischen Philosophie treu bleibt, würde an dialektischer Schärfe, an Farbe gewinnen, wenn seine Hinweise zu Physiognomik, zur Sprache oder Kunst ausgeführt werden könnten." (Gürtler 148) Diese Anregung verdient es, ernst genommen zu werden, auch wenn sie den wie auch immer zu begrenzenden Bereich „der Philosophie" überschritten. Mit der Eröffnung einer Dialektik, die Barth nur im Ansatz zeigt, könnten durchaus philosophisch fundierte Forschungen in Gang kommen. So dürfte das Nie-Aufgehende jeder bestimmenden Erkenntnis das Antriebsmoment dieser Dialektik bilden, auch die in jeder spezifischen Erkenntnisdimension ausgeschiedenen oder anverwandelten Momente – so z. B. im Theoretischen das Ästhetische und Existenzielle. Für die Grundlagenforschung der Naturwissenschaften relevant könnte auch die Reflexion auf die Elimination des immer augenblicklichen Erscheinens der Erscheinung durch das theoretische Denken sein, im Weiteren auch die aller Naturwissenschaft vorausliegende Emergenz der Erscheinungen aus ihrem Nicht-Sein ins Sein. Gibt es nicht noch eine andere Geschichte als jene der Geschichtswissenschaft, wenn der kontingente Charakter alles Erscheinens der Existenzen bedacht wird? (Barth 1959, 537-573). In der Kunstreflexion kann auf verschiedene Ansätze verwiesen werden, so z. B. bei Carlo Huber, Hans Rudolf Schweizer, Michael Bockemühl, Armin Wildermuth, Eva Schürmann und unanhängig von Barth auf Johannes Meinhardt.

*

Die vier der in diesem Band Heinrich Barth gewidmeten Beiträge erhellen einige Aspekte seiner Philosophie deutlicher, als es in diesen einleitenden Darlegungen der Fall sein konnte.

Jens Soentgen stellt sich der Konfrontation von Barths Erscheinungsphilosophie mit der Phänomenologie. Anhand des Unterschieds von Erscheinung und Phänomen kann die Differenz ermessen werden, die diese beiden Philosophien trennt, obgleich der Begriff der Erscheinung in beiden im Mittelpunkt steht. Das Trennende hilft aber auch, das Gemeinsame hervortreten zu lassen. Dass einem naturwissenschaftlich Geschulten die rigorosen Verdikte gegenüber dem existentiell blinden Denken der Wissenschaft zur Kritik herausfordern, ist verständlich. Dennoch streicht Soentgen die Tatsache positiv heraus, dass Barth zu einer

Kosmologie vorstößt. Bei den Phänomenologen ist dies selten der Fall, mit Ausnahmen von Heideggers spärlichen Ansätzen und besonders von Eugen Finks kosmologischer Philosophie. Der Autor ergänzt seine Ausführungen mit einem Exkurs zu Hermann Schmitz, der in einer Rezension sehr kritisch zu Barth Stellung bezog. Er drückt zudem sein Bedauern aus, dass zwischen den wenigen Philosophen, die sich einem phänomens- und naturnahen Denken widmen, das Interesse an der Herausarbeitung von Gemeinsamkeiten wenig ausgebildet zu sein scheint.

Harald Schwaetzer legt eine interpretierende Darstellung von Barths *Philosophie der Praktischen Vernunft* von 1927 vor. Dieses Werk ist, wie oben beschrieben, der ersten Periode des Barthschen Denkens zuzuordnen. Der Verfasser gibt der Philosophie Barths unverkennbar ein neukantianistisches Gepräge und skizziert sie als eine zur Spekulation neigende Logos-Philosophie, die sich eigentlich gut in die Denkschemata der damaligen Diskussionen einordnen lassen könnte. Insofern der transzendental-transzendente Aspekt des „Logos" abgeschwächt und ihm eine dynamisch-ontologische Potenz zugesprochen wird, kommt es zu einer geradezu positiven Logosphilosophie, die in gewissen Barthschen Formulierungen angelegt zu sein scheint, aber bei manchen Interpreten der Barthschen Philosophie Kritik erwecken dürfte. Einer der Verdienste dieses Beitrages liegt in der vielschichtigen Diskussion mit den bis anhin doch recht spärlichen Auseinandersetzungen mit Barths Philosophie. Obgleich das dargestellte Werk Barths dem „Kritischen Idealismus" (eigener Prägung!) verpflichtet ist, versucht der Autor, die umfassenderen Einsichten der späteren Philosophie Barths in diese früheren Argumentationen mit einzubeziehen. Als Ergänzung zu diesem Beitrag ist die im gleichen Jahr erarbeitete Darstellung desselben Werkes durch Kirstin Zeyer zur Lektüre zu empfehlen, die den Bezug Barths zur „sog. Marburgerschule" argumentativ nachkonstruiert und vor allem die deontologische Wirklichkeit zur Geltung bringt, die für Barth einen eigenständigen Seinsbereich darstellt (Zeyer 2004).

Christian Graf skizziert in seinem Artikel, der bewusst eine phänomenologische Zuhörerschaft erreichen will, einen Grundriss der gesamten Barthschen Philosophie. Vor allem wird die an sich prekäre Stellung Barths herausgearbeitet, in der sich sowohl der universelle Rationalismus als auch die Rationalismuskritik vereinen. Dies kann nur erreicht werden, wenn der Gedanke des „offenen Systems" ernst genommen wird. Die Offenheit muss sich auch auf das Begreifen der Hauptinstanzen der Barthschen Philosophie beziehen, nämlich auf „Existenz" und „Erscheinung". Daher rücken keine abgeschlossenen Erkenntnisse in den Mittelpunkt. Vielmehr ist die Frage oder das konstante Weiterfragen das, was Existieren und Erscheinen im Sinne einer Inklusion ursprünglich aufeinander bezieht. Barth geht es um die Klärung dieser ursprünglichen Inklusion auf allen Stufen und in allen Dimensionen des letztlich medial verstandenen Erkennens. Gegenüber der Phänomenologie wird in abgewogener Distanzierung Stellung bezogen. Im Grunde genommen ist bei Barth auch der Phänomenologe, der die

Epoché vollzieht, in die Bewegtheit des Existierens einbezogen und kann sich – eben: als existierende und dadurch erscheinende Instanz – keineswegs in sich verdoppeln und eine abgehobene Beobachter-Position einnehmen. Eine Phänomenologie, die sich auf die doch irgendwie immer schon konstituierten „Phänomene" bezieht, ist nach dem Barthschen Ansatz durchaus möglich, doch nach der Ansicht des Autors nicht mehr als Philosophie, sondern eher als Form von Wissenschaft zu begreifen.

Armin Wildermuth unterzieht das letzte, das 10. Kapitel von Barths *Erkenntnis der Existenz* einer näheren Analyse. Der Titel dieses Kapitels ist von gewichtiger Bedeutung, geht es doch um die Priorität der Existenz vor dem Sein und damit auch vor dem Kosmos. Das scheint weit über das hinauszugehen, was Kant mit dem Primat der Praktischen über die Theoretische und Ästhetische Vernunft aussagte. Freilich zieht Barth hier Konsequenzen aus Einsichten, die schon seine *Philosophie der Praktischen Vernunft* leiteten, vor allem aus der Erkenntnis der Eigenwirklichkeit der deontologischen Tendenz. Barth nimmt die Konfrontation mit der Naturphilosophie und Naturwissenschaft auf, was von den gängigen Existenzphilosophien stets vermieden wurde. In verschiedenen Schritten wird der „Ort der Konvergenz von Existenz und Kosmos" in transzendentaler Rückfrage anvisiert. Von ihm aus ergibt sich nun die Einsicht in einen „existentiellen Kosmos", wie er sich in Ansätzen bei Platon, vor allem auch bei Paracelsus, Jakob Böhme, Bovillus u. a. abzeichnet und sich vor allem durch ästhetische, existenzielle und transzendierende Erfahrungen aufdecken lässt. Darum stellen sich die Fragen nach der Pluralität der „Universen" und ob wir heute nicht in einem falschen bzw. durch Theorien sich verschließenden Universum leben. Hier sind Gedanken zu erörtern, die auch von Jan Patočka und Eugen Fink aufgeworfen wurden.

Literatur

Barth, H. (1919): „Gotteserkenntnis", in: *Vorträge an der Aarauer Studentenkonferenz 1919*, Basel; neu aufgelegt in: *Anfänge der dialektischen Theologie*, Teil I, hg. von J. Moltmann, München 1962, 221-255.
- (1921): *Die Seele in der Philosophie Platons*, Tübingen.
- (1927): *Philosophie der Praktischen Vernunft*, Tübingen.
- (1935): *Die Freiheit der Entscheidung im Denken Augustins*, Basel (= A).
- (1939): „Entwurf zu einer Philosophie des ‚wirklichen' Seins", Maschinenmanuskript.
- (1944): *Grundlagen der Gemeinschaft. Fragen und Antworten eines Schweizers*, Winterthur.
- (1947): *Philosophie der Erscheinung. Eine Problemgeschichte*, 1. Teil: Altertum und Mittelalter, Basel.
- (1959): *Philosophie der Erscheinung. Eine Problemgeschichte* 2. Teil: Neuzeit, Basel.
- (1965): *Erkenntnis der Existenz. Grundlinien einer philosophischen Systematik*, Basel.
- (1967): *Existenzphilosophie und neutestamentliche Hermeneutik. Abhandlungen*, in Verb. m. H. Grieder u. A. Wildermuth hg. v. G. Hauff, Basel.

- (2004): „Thesen: Das Problem des Transzendentalen" [Sommersemester 1956], in: *Bulletin der Heinrich Barth-Gesellschaft Basel*, Nr. 11, 44-56.

- (2005): „Thesen: Grundlagen der philosophischen Systematik" [Sommersemester 1959], in: *Bulletin der Heinrich Barth-Gesellschaft*, Nr. 13.

- (2006): „Martin Heideggers Buch ‚Kant und das Problem der Metaphysik' (1930)", in: *Bulletin der Heinrich Barth-Gesellschaft*, Nr. 14, 27-38.

Gürtler, P. (1976): *Der philosophische Weg Heinrich Barths. Transzendental begründete Existenzialphilosophie als Basis für das ökumenische Problem*, Basel.

Hauff, G. (1990): „Ursprung und Erscheinung. Zu Heinrich Barths Vermächtnis", in: Hauff, Schweizer u. Wildermuth (Hg.) (1990), 21-95.

Hauff, G., H. R. Schweizer u. A. Wildermuth (Hg.) (1990): *In Erscheinung Treten. Heinrich Barths Philosophie des Ästhetischen*, Basel.

Soentgen, J. (2001): „Der Ruf der Amsel", in: *Bulletin der Heinrich Barth-Gesellschaft*, Nr. 5, Basel, 7-23.

Zeyer, K. (2004): „Heinrich Barths Grundlegung der praktischen Vernunft", in: *Bulletin der Heinrich Barth-Gesellschaft*, Nr. 11, 6-30.

Hans Rainer Sepp

Heinrich Barth und die Phänomenologie

‚Phänomenologie' ist als Bezeichnung für diejenige philosophische Strömung, die sich im 20. Jahrhundert bis heute unter diesem Namen entwickelt hat, irreführend. Weder gibt es ,die' Phänomenologie, noch ist ,Phänomenologie' eine Theorie, die sich dem, was erscheint, widmet. Phänomenologie ist nicht lediglich Erscheinungslehre, verstanden als Erfassung phänomenaler Gegebenheiten, sondern der Versuch, Erscheinen selbst zu problematisieren. Um das Erscheinen zum Problem zu machen, genügt es nicht, auf einen Bereich des Phänomenalen als eine nicht weiter fragliche Positivität zu verweisen. Vielmehr geht es gerade darum, diese Positivität in Frage zu stellen. So hat Phänomenologie es mit dem Erscheinen in dem Sinn zu tun, dass sie nach den Bedingungen seiner Möglichkeit fragt, nach dem, wie Erscheinen selbst zu bestimmen ist. Das ist die eigentlich philosophische Frage, die Phänomenologie umtreibt, und die möglichen Antworten auf sie splittern ,die' Phänomenologie von vornherein zu Phänomenologien auf. Phänomenologie realisiert sich damit als ein sich fortentwickelndes Gefälle von Versuchen, eine Antwort auf jene Grundfrage dadurch zu geben, dass sie sich in eine offen endlose Mannigfaltigkeit ausdifferenziert, wobei jeder Ausprägung in diesem Gefälle ihre im Prinzip relationale absolute Rechtmäßigkeit zukommt – absolut, sofern jede dieser Positionen in einer nicht austauschbaren und nicht weiter rückführbaren existenziellen Urerfahrung ihrer Stifter gründet. Auch hier gilt, dass das Wahre nur das Ganze ist – ein Ganzes jedoch, das nicht in einer von vornherein de-finierten und somit definitiven Form verfestigt und als solches gedacht werden darf, das jemals zu einem faktischen Abschluss gebracht werden könnte. So ist es gerade die in faktischen phänomenologischen Positionen ebenso gründende wie sie zugleich transzendierende Entfaltung des Phänomenologischen selbst, die noch mit in das Thema phänomenologischer Arbeit gehört.

Vor diesem Hintergrund ist es fruchtbar zu zeigen, ob und gegebenenfalls wie sich die Philosophie Heinrich Barths einem solchen sich entfaltenden Relief zuordnen lässt. Damit soll Barth nicht im Vorhinein zu einem Phänomenologen stilisiert werden. Das Verhältnis seines Denkens zum Tableau der Phänomenologien gälte es erst zu erweisen. Nur eines ist klar: Es ist nicht damit getan, Parallelen und Unterschiede aufzuzeigen, die zwischen seinem Denken und bestimmten Vertretern der frühen Phänomenologie – etwa Edmund Husserl und Martin Heidegger, Eugen Fink und Jan Patočka – bestehen mögen; man müsste, um zu einigermaßen soliden Urteilen zu kommen, das phänomenologische Denken *cum grano salis* in seinen weltweiten Ausmaßen mitheranziehen, also z. B. nicht nur die jüngeren und jüngsten Entwicklungen der Phänomenologie in

Frankreich, sondern ebenso die Traditionen außereuropäischer Länder wie etwa vor allem Japans. Denn all das ist Phänomenologie heute faktisch.

Hinzu kommt, dass es für die Entwicklung und das Selbstverständnis der Phänomenologie in ihren pluralen Erscheinungsformen höchst fruchtbar ist, insbesondere ihre Ränder und das, was über diese hinausliegt, ins Auge zu fassen. In gewissen, sehr begrenzten Kontexten mag es nützlich sein, sich mit Zentren zu befassen, obwohl es fraglich ist, ob es solche überhaupt gibt. Auch die faktischen Ursprünge helfen da nicht weiter: Denn liefert die Phänomenologie Husserls oder diejenige Heideggers oder diejenige von Alfred Schütz oder von Maurice Merleau-Ponty den verbindlichen Maßstab? In einem rein philosophischen Sinn führen solche Absichten, eine allverbindliche, ‚reine' Lehre herausstellen zu wollen, in Sackgassen, in Ödland. Im Sinne der phänomenologischen und philosophischen ‚Sache' weitaus anregender ist es, über Zäune zu blicken, ja zu springen, Herausforderungen anzunehmen, die aufgrund anderer existenzieller Urerfahrungen zu Antworten zwingen, und auf diese Weise den Motor der Phänomenologischen Bewegung am Laufen zu halten.

Einen solchen Stachel mag die Philosophie Heinrich Barths bereithalten. Sie verfügt nicht nur über hinreichend Distanz, sondern auch Nähe zum Grundanlass phänomenologischen Denkens, über das Erscheinenlassen selbst Auskunft zu geben. Dies zu klären, markiert eine umfassende Aufgabe, die hier nicht geleistet werden kann. Auf den wenigen Seiten dieses zweiten Teils der Einführung können nur schlaglichtartig einige besonders in den Blick fallende Gesichtspunkte erhellt werden. Wir beziehen uns dabei ausschließlich auf das späte Hauptwerk von Barth, *Erkenntnis der Existenz* von 1965.[1] Gerade dieses Werk beschreibt in einem ebenso unspektakulären wie sicheren und konsequenten Gang den innigen Bezug des Erscheinens auf die sich darin aktualisierende Existenz, *ohne* die Frage nach dem Transzendentalen und der Transzendenz auszusparen. Schon in diesem Ansatz zeichnet sich der „systematische" Anspruch ab, den der Untertitel des Werks nennt: *Grundlinien einer philosophischen Systematik.*

Was das Erscheinen betrifft, so charakterisiert es Barth – analog zu vielen Vertreterinnen und Vertretern der Phänomenologie – als einen Zwischenbereich: Erscheinung ist nicht Erscheinen von solchem, das sich entzieht, also gerade nicht erscheint, „ist nicht der oberflächenhafte Exponent einer hinter ihr liegenden Wirklichkeit" (107), sondern Wirklichkeit ist nur in und mit ihr. Erscheinung ist „zwischen eine vorgegebene Realität und ein vorgegebenes Ich gleichsam hineingestellt" (108 f.) – *gleichsam*, da in ihrem Bezug auf dieses Zwischen ‚Realität' und ‚Ich' in ihrer Bedeutung nachhaltig modifiziert werden. Somit könnte dieses Zwischen als ein Ab-solutes bezeichnet werden, ähnlich wie Merleau-Ponty den Chiasmus von Subjektivität und Welt auffasst oder wie ihm Heideggers In-der-Welt-sein entspricht, d. h. als ein Bereich, der die Bühne allen

---

[1] Sämtliche im Folgenden in Klammern angegebenen Seitenzahlen beziehen sich auf dieses Werk.

Geschehens abgibt und angesichts dessen es nicht mehr sinnvoll ist, ihn als ein solches Zwischen anzusetzen, das zwischen zwei festen Pfeilern, „Ich" und „An-sich", verankert wäre, so als könnte man von den angeblichen Verankerungen auf dieselbe Weise sprechen wie von dem Feld in ihrer Mitte. Und doch ist es ein ‚Zwischen', in dem, wie Autoren wie etwa Fink oder Jean-Luc Marion zeigen, Anderes ‚ankommt', ein Zwischen, das noch in einer Spannung zu solchem steht, das über es hinaus ist und doch nur von diesem Zwischenbereich selbst her er-fahren werden kann.

Das Zwischen fasst Barth als Existenz, und betont sogleich, dass Existenz nur das ist, was je als der einzelne Mensch in Erscheinung tritt. Das Radikale an Barths Ansatz zeigt sich gleich hier: Die Verfasstheit des Menschen wird aus seiner Mitte heraus einsichtig gemacht, ohne Rückbezug auf eine von ihrem Thema sich distanzierende transzendentale Analyse oder ontologische Ausle-gung. Der Mensch ist *Individuum*, sofern er in die Erscheinung tritt und darin seine Begrenzung erfährt. Er ist „Begrenztes" (324), aber als ein Wesen, das nicht von außen eingeschränkt wird, sondern das gleichsam seine Grenze *exis-tiert*. Indem der Mensch solcherart der „unterscheidenden Begrenzung" unter-steht, verwirklicht sich mit ihm das „Ästhetische" (309). Das Ästhetische bedeu-tet – worauf oben schon Armin Wildermuth hinwies – für Barth folglich nicht ‚schöner Schein', nicht einmal nur schlichte Sichtbarkeit, sondern solche Sicht-barkeit, die sich im existierenden Akt des Selbst-Erscheinens selbst zur Darstel-lung bringt. „Erscheinung als solche steht im Zeichen des ‚Bildes'." (318) Auch dies bedeutet nicht, dass dasjenige, was erscheint, ein Abbild von solchem sei, das sich gerade nicht zeigt. Aus dem Wort ‚Bild' ist vielmehr die Wortgruppe ‚bilden', ‚Gebilde', ‚Bildung' herauszuhören. ‚Bild' meint hier die Selbstentfal-tung des je eigenen Selbst in seiner Grenze, das durch diese Entfaltung erst seine Kontur gewinnt und hält. Man könnte hier von einer Autogenese sprechen, wie sie Heinrich Rombach in seiner „Hermetik" darlegt – dies freilich vor dem Hin-tergrund einer Ontologie, einer Strukturontologie (Rombach 1983).

Wenn Barth erwähnt, dass der Mensch als ein „sich bildendes Gebilde" be-gegne (319), wird man vor allem an den Zusammenhang von ‚Bild' und ‚Bildung' erinnert, der Finks Werk durchzieht. Die letzten zehn Seiten von Finks Disser-tation, die einer Analyse des Bildes gewidmet sind, stellen so etwas wie die Keimzelle seines später entwickelten „kosmologischen" Denkens dar (Fink 1966). Der Grundgedanke ist: Ich erfahre im Selben (Bild) das ganz Andere zu ihm (die reale Welt) auf eine Weise, dass Selbst und Anderes weder radikal ge-trennt noch miteinander verbunden sind. Sie sind nicht radikal getrennt, weil ich in der Einstellung auf das Bild die Welt nicht in dem Maße vergesse, dass das Bild gänzlich mein Bezugsfeld ausmachen würde; Bild-Welt und reale Welt ge-hen jedoch auch nicht so ineinander über, dass letztere horizontmäßig in ersterer vorgezeichnet wäre – es gibt hier kein vermittelndes Band der Horizontverwei-sung. Wir haben es also mit einem echten Paradox zu tun. Ersetzt man ‚Bild' durch ‚Spiel' (das wir je selbst sind), so gelangt man zur Formel „Spiel als Weltsymbol", wie der Titel von Finks dreißig Jahre später publiziertem Hauptwerk lautet (Fink 1960). Das Spiel ist Symbol, nämlich *symbolon*, Bruchstück, man könnte auch sagen ‚Grenze' – Grenze, in die der Mensch ‚auf Erden' durch sein Erscheinen gekommen ist. Mit seinem Erscheinen ‚verweist' er über seinen binnenweltlichen Umkreis hinaus auf Welt selbst als kosmisches Geschehen – jedoch in einer Art Nicht-Verweisung, negativer Verweisung: Die Bruchlinie des *symbolon* zeigt nur an, dass das Spiel, der Mensch, *nicht alles* ist. Das Andere erscheint nur im Negativ. Dieser Befund des *nicht alles* ist die Bedingung der Möglichkeit dafür, dass der Mensch kein festgelegtes Wesen ist, sondern der (Selbst-) Bildung offen steht, deren Prozess er darin verankert, dass er ihn auf den Weltgrund bezieht – also das *nicht* positiv auszufüllen sucht. Dies gelingt stets – nämlich in dem Sinn, dass man solches tun *kann* –, und gelingt zugleich nie in dem Sinn, dass solche ‚metaphysischen Erzählungen' das träfen, worüber sie befinden und von dem sie annehmen, es als es selbst geben zu können. Mit dem *nicht alles* denkt Fink aber auch eine Figur, die ebenfalls auf ein absolutes Zwischen bezogen bleibt und zugleich das ganz Andere zu diesem Zwischen so mitdenkt, wie es sich nur in diesem selbst zeigt – eben negativ.[2]

Diese Linie phänomenologischen Denkens, die so nicht bei Heidegger und Merleau-Ponty zu finden ist, die eher auf Emmanuel Levinas, Michel Henry und Jean-Luc Marion vorweist, besitzt eine Entsprechung bei Barth, und zwar zum Ausdruck gebracht in seiner Formel vom „transzendental transzendierenden Ursprung der Existenz" (189). Barth betont, dass das *dass* vor dem *was* komme, der „Akt" vor seinem Inhalt, das ex-sistere der Existenz vor dem über die Gegenwart hinaus eingefrorenen Etwas, das die Tendenz besitzt, zu einer allzeitlichen Entität zu gerinnen – also das „‚Erscheinen' der Erscheinung" vor dem „*Sein'* der Erscheinung" (153). Den Vorzug des Akthaften, Noetischen, vor dem Aktinhalt, dem Noematischen, betont auch Michel Henry gegenüber Husserl, wenngleich Henry mit dem Gedanken einer „absoluten Selbstaffektion" noch die Bewegung ‚vor' dem Eintritt des Subjekts ins Ekstatische der Existenz zu erfassen sucht. „Den Akt oder das Ereignis der Existenz oder des In-die-Erscheinung-Tretens" bestimmt Barth als ein „Eintreten von dem, was ‚nicht ist', in das, ‚was ist'" – „eben als ein Eintreten in die Erscheinung" (118). Das jeweilige Noch-nicht-Sein fasst Barth terminologisch als das „Sein-Sollende" (119), das nicht ein Telos einfach vorzeichnet, sondern dieses *ist* und in seinem Sinngehalt zur „Entscheidung" drängt. Parallel dazu bestimmt Fink den negativen Status des Menschen des näheren als einen auf ein jeweiliges „Ideal" bezogenen, wobei auch hier der Idealbezug in einer spezifischen Negativität *ist*, sozusagen ‚existiert wird'. Er ist *negativ*, weil er (noch) unerfüllt ist, aber er *ist* in seiner Weise des (noch) Nicht-Erfülltseins. Hier spiegelt sich dieselbe Struktur wider, die jenes

---

[2] Bei Barth heißt es analog: „Es geht in unserer Beziehung zum Kosmos nicht um eine Alternative zwischen Alienation und Affinität. Innerhalb des durch Existenzbezogenheit gekennzeichneten Raumes der Affinität begegnet uns Alienation." (678)

Ausgreifen auf ein (noch) Anderes im Selben betrifft – ein Ideal ist für Fink immer „Weltideal", ist eine Konkretisierung des binnenweltlichen Ausgriffs auf Welt selbst. Diese Struktur kann *Transzendenz* in einem radikalen Sinn genannt werden – was Fink, im Gegensatz zu Barth und zu Levinas, jedoch nicht so ausdrückt. Die radikale Bedeutung dieses Begriffs besteht darin, dass mit ihm nicht mehr ein Überstieg über das Erscheinungsfeld ausgesagt ist, sondern die Tatsache selbst, *dass* wir in der Tendenz leben, im Erscheinungsfeld über es hinaus gerichtet zu sein. Sofern diese Tatsache unsere Existenz bestimmt, ist sie eine dem transzendierenden Ausleben der Existenz vorgängige, mithin transzendentale, ja sie ist der Inbegriff des Transzendentalen, das, den konkreten Vollzug des Existierens in der Weise jeweiliger transzendierender Aktualisierung ermöglichend, selbst – wie Armin Wildermuth oben betont – „nicht direkt erscheinend" und damit „stets vorausgesetzt und unvorgreiflich" ist. Der Begriff der Transzendenz ist bei Barth daher selbst ein transzendentaler und Existenz in ihrem Ursprung somit „transzendental transzendierend".

Barth entwickelt ein Beschreibungskonzept, das konzis und mit wenigen zentralen Begriffen die Genese des Transzendierens aus seinem transzendentalen Ursprung fasst: „Darin, daß die Existenz in die Erscheinung tritt, vollzieht sich die Manifestation jener Bedeutung des Telos, die [...] die ‚Bestimmung des Menschen'" ist (186). Das Ereignis der Existenz, ihr jeweiliges In-die-Erscheinung-Treten, bedeutet *Manifestation*: Existenz ist Offenbar-Werden, sie wird (sich selbst) offenbar – Barth spricht diesbezüglich von „Erkenntnis" – durch ihr und in ihrem Bezogensein auf den je spezifischen Sinn ihres jeweiligen Telos, das sich in einem damit enthüllt und der Existenz ihr individuelles Gepräge, Gebilde, verschafft – auch dies in naher Verwandtschaft zu dem, wie Fink den Grundcharakter der Idealbildung als Menschenbildung denkt. Seit Yorck von Wartenburg besitzt die Rede von ‚Manifestation' einen autogenetischen Beiklang[3] – als Titel für die Art und Weise, wie das Leben sich in sich selbst konfiguriert. Auch dies wäre ein Indiz dafür, dass Barths Existenzphilosophie, wie Armin Wildermuth oben andeutet, durchaus auch in einer Nähe zur sogenannten Lebensphilosophie steht – wie diese eine wichtige Vorgängerin auch für das phänomenologische Denken darstellt. Bei Henry ist es die „absolute Selbstaffektion" als „Selbstmanifestation", die Subjektivität generiert.

Barth bezeichnet die Manifestation als „ein Sich-zu-erkennen-Geben ‚existentieller Wahrheit'" (188) und drückt damit aus, dass sich der Mensch in seinem transzendental ermöglichten Transzendieren als dieser je bestimmte, zu dem er auf diese Weise wird, *erweist*. Das Bedeutsame ist, dass hiermit beschrieben ist, wie der Vorgang des Transzendierens, die (fortlaufende) Bildung des Menschen und sein je aktuales Erscheinen – und letzteres im Doppelsinn von Auftreten und (sich) zu Erkennen-Geben – in eins erfolgen und dass gerade dies die trans-

---

[3] Yorck spricht von „Lebensmanifestation" (Dilthey u. Yorck v. Wartenburg 1923, 203).

zendentale Verfassung der Existenz ausmacht. Wenn Barth schreibt: „In der Aktualisierung der Erkenntnis ‚gibt sich etwas zu erkennen'" (588), dann ist damit ein Zweifaches angedeutet: zum einen, dass das Erscheinungsfeld nicht in einen Subjekt- und einen Objektpol auseinanderfällt, und zum anderen, dass das ‚Etwas' nicht von Gnaden einer konstituierenden Subjektivität oder eines Daseinsentwurfs ist. Die „Manifestation von etwas", schreibt Barth, „bedarf keines ‚Subjektes', von dem sie in Szene gesetzt wird" (588 f.). Allerdings bedarf die Manifestation von Etwas der generellen Struktur der Manifestation als des Sich-zu-erkennen-Gebens existenzieller Wahrheit. Wenn diese ganze Struktur als ‚Manifestation' bezeichnet werden kann, vermag Barth zu Recht zu sagen, dass Manifestation selbst Ausdruck ist für den „transzendental transzendierenden Ursprung der Existenz".

„Vom Telos in Anspruch genommen" und „in der Ausrichtung auf es ihren Sinn" findend (189), nennt Barth ein „Stehen in der Wahrheit" (230). Nimmt man hinzu, dass für Barth der Transzendenzbezug der Existenz stets die Aktualisierung angesichts einer Krisis, einer „kritischen Lage", bedeutet, da mit der Entscheidung des Sein-Sollenden Existenz selbst insofern auf dem Spiel steht, als diese ihr Telos *ist*, wird damit ein ursprünglicher Raum für Freiheit und Verantwortung aufgedeckt. „In der Erkenntnis ihrer kritisch existentiell verstandenen Begrenzung soll [Existenz] ihre Bestimmung erfragen, ihrer Bestimmung gerecht werden." (502) Die Möglichkeit zu jeglicher (auch zu verantwortender) Vergewisserung des eigenen Orts besteht – und ist ebenso gefordert – im Kontext derjenigen Bestimmung, die mir mein transzendental transzendierender Ausgriff eröffnet und mit der Eröffnung zugleich begrenzt, und erst mit solcher Vergewisserung vollendet sich diese Bestimmung als die auf Wahrheit bezogene „existenzielle Entscheidung" (231). Barths Feststellung, „in dem Maße ihrer Aktualisierung existentieller Erkenntnis ist die Entscheidung ‚frei'" (571), besagt dann, dass die Aktualisierung allererst den Raum für Entscheidungen freigibt und so selbst als das *principium* der Freiheit gelten kann. Damit ist ein Sachverhalt angesprochen, den Patočka als ein „Leben in der Wahrheit" beschreibt: Leben vollzieht nicht nur sein Wahrsein, sondern verhält sich auch erkennend zu ihm – *in* ihm selbst (vgl. Patočka 1988). Denn wie Patočka betont auch Barth, dass der Umgang mit Wahrheit in der Existenz selbst, in ihrem Selbstbezug, zu erfolgen habe und nicht aus einer Zuschauer-Position über die distanzierende Entfaltung einer Philosophie als „universaler Wissenschaft" resultiere, wie Husserl dies entwickelte (vgl. 594).

Der Vollsinn des transzendental transzendierenden Ursprungs ergibt sich bei Barth erst dann, wenn auf seine Zeitlichkeit geachtet wird. Existenz wird jedoch nicht durch eine vorgegebene zeitliche Struktur geprägt, sondern stiftet umgekehrt Zeitlichkeit – durch ihren transzendental transzendierenden Charakter. Sich aktualisierende Existenz besagt Aktualisierung im zeitlichen Sinn: Solange Existenz *existiert*, aktualisiert sie; und solange sie aktualisiert, entspringt damit in eins Existenz in ihrem transzendental transzendierenden Vollzug. In einer gewissen Ähnlichkeit mit Husserls Konzept des *nunc stans* impliziert bei Barth die „ewige Zeit", die Stetigkeit des Existierens, als „transcendens" die transzendentale Voraussetzung für die Auffaltung der zeitlichen Relationen des Künftigen, Gegenwärtigen, Vergangenen als *fiendum – fieri – factum* (287). Doch anders als bei Husserl gibt es bei Barth nicht zwei Lebensdimensionen des Subjektiven – mundane *und* transzendentale – Subjektivität, sondern existierende Subjektivität ist transzendental verfasst als transzendental transzendierende. Aus diesem Grund besteht für Barth auch nicht ein Kontinuum der transzendental sich konstituierenden Zeitlichkeit im transzendentalen Zeitbewusstsein. Er denkt vielmehr eine Kontinuität in bezug auf die ins Dunkel entschwindenden Geschehnisse (die „unbewußt ereignende Erinnerung" [451]), deren kontinuierlicher Verlauf durch die Diskontinuität ihrer Weckungen gebrochen wird, so dass das „Sinngeschehen" nicht linear verläuft, sondern eine „unübersehbare Komplexion von bewußten und unbewußten existentiellen Ereignissen" darstellt (462). Das aber bedeutet, dass dort, wo Wachheit herrscht, die Manifestation existenzieller Wahrheit nicht als Akzidens zu einer Substanz ‚Individuum' hinzukommt, sondern Existenz selbst tritt als „dieses Individuum" immer wieder „‚von neuem' in die Erscheinung". Da hier keine Kontinuität, vorliegt, kann dies jeweils Neue auch „auf keine Antezedentien zurückgeführt werden" (595), so dass „in jeder neuen Gegenwart der Mensch neu in die Existenz tritt" (596).

Das Verhältnis von *ego* und *alter ego* bringt Barth ebenfalls in eine griffige Formel, die sich konsequent aus seinem Ansatz ergibt. Wie die frühe Phänomenologie (Husserl, Edith Stein) betont auch er den in sich zwiespältigen Charakter der Gegebenheit des Anderen für mich, dessen subjektives Leben von mir nicht direkt erfahren, sondern, wie Husserl formuliert, nur „appräsentiert" zu werden vermag. Barth drückt dies sogleich auch in einem Kontext der zu verantwortenden existenziellen Wahrheit aus: Für die Aktualisierung der Existenz des Anderen bin ich „nicht unmittelbar verantwortlich", wenngleich „‚seine' Existenz mich ‚etwas angeht'" (372). Den Grund dafür, dass ich, obzwar ich nicht der Andere sein kann, doch auf ihn bezogen bleibe, erblickt Barth in der Grundstruktur der Existenz, die im Verhältnis zum Anderen (wie auch schon zu sich selbst) durch eine strukturelle Nähe *und* Distanz ausgezeichnet ist: Einerseits tritt der Andere mir „als existierender Mensch entgegen, dessen Existenz in derselben existenziell-aktuellen Frage steht wie die meinige" (374 f.); andererseits ist die *ego* und *alter ego* „verbindende Transzendenz ihnen so ferne [...] wie die – ihnen gemeinsame – transzendentale Voraussetzung ihrer Existenz" (376). Gemeinsam ist die Anlage des transzendental transzendierenden Vollzugs; different aber die Weise, wie dieser Vollzug sich jeweils *in actu* realisiert (in erster Linie auch hier das *dass* und über dieses dann das *was*) und den einzelnen Menschen zu dem jeweiligen Gebilde dieses je bestimmten ‚Individuums' formt. Vergesse ich diese Differenz, ja erhebe ich in Möglichkeiten meiner Existenz „einen mehr oder weniger latenten Anspruch auf die Absolutheit der Transzendenz" (517), dann bemesse ich alles nach der Maßgabe meines Stils des Transzendierens; in dem Zuge, wie ich das Konto meiner Freiheit überziehe, raube ich dem Anderen die seinige. Für Barth ist dies in erster Linie ein ‚Sehfehler‘, ein „Versehen" (518), eine „Verblendung" (519), der Zug einer „Idolatrie" (517). Hier scheint nochmals der erwähnte Bild-Begriff durch, von dem Barth Gebrauch macht: Zu einem Bild und Gebilde kommt es nur dort, wo Existenz sich ihrer Grenze bewusst bleibt, d. h. jenen negativen Zug, das Andere im Selben etc. bewahrt und in diesem Sinn, wie Fink und Marion (Marion 1981) es ausdrücken, das Bild *durchlässig* sein lassen; während im anderen Fall Existenz überall nur wieder auf sich selbst stößt, also im selbstgesetzten Idol eingeschlossen bleibt. Den Anderen zu verstehen, bedeutet für Barth mithin, die Freiheit dafür zu übernehmen (die im Aktualisieren meiner Existenz eröffnet wird, sofern ich im Aktualisieren das Aktualisierte nicht absolut setze), seine „Existenz in ihrem In-die-Erscheinung-Treten" zu erkennen (392).

Wirft man einen Blick auf Barths Konzept im Ganzen, so ist das Besondere an ihm, dass eine Grundaussage über menschliche Existenz – Existenz ist in ihrem aktualisierenden Vollzug transzendental transzendierend – alle weiteren wesentlichen Aspekte erschließt. Darin liegt ein Vorzug gegenüber der in der Differenz des Husserlschen und Heideggerschen Standpunkts zutage tretenden Schwierigkeit: Auf das Auseinanderklaffen von Transzendentalität und Mundanität bei Husserl, bedingt durch die Etablierung des phänomenologischen Zuschauers, reagierte Heidegger mit einer Streichung des Transzendentalen und einer Implementierung des phänomenologischen Blicks in einen ‚hermeneutischen Mitgang‘ mit dem sich vollziehenden Leben, wobei im Rückgriff auf Aristoteles diese Art der ursprünglich von Dilthey inspirierten Hermeneutik ihre ontologische Prägung erfuhr. In dieser Hinsicht könnte man, wie Barth dies auch anmerkt, der Ontologisierung der Existenz ebenso wie der Institution des transzendentalen Zuschauers eine Entfernung von dem zu beschreibenden Faktum menschlicher Existenz vorwerfen.

Fink wollte die Differenzkraft, die in Husserls Scheidung von Transzendentalität und Mundanität zum Ausdruck kommt, nicht vorschnell preisgeben, zugleich aber Heideggers Immanenzdenken zum Vorbild nehmen, um die Ansetzung einer außerweltlichen Instanz, wie sie aus der Institution des transzendentalphänomenologischen Zuschauers resultiert, zu vermeiden. Das Ergebnis ist jenes Konzept, das radikale Differenz in einem homogenen Raum so denkt, dass dieser Raum, die menschliche Existenz, in ihm selbst das absolut Andere zu ihm in Negation enthält. Diese Denkfigur findet sich beispielsweise auch bei Nishida Kitaro, der sie mit der Wendung „absolut widersprüchliche Selbstidentität" zum Ausdruck bringt (vgl. Nishida 1999). Sie findet sich aber eben auch bei Heinrich Barth als das Grundmuster seines Denkens. Ähnlich wie Nishida, aber im Unterschied zu Fink, setzt Barth auch die Instanz des Transzendentalen wieder in ihr Recht – nun aber verwandelt im Kontext einer Existenzphilosophie, die das in seinem Ursprung unzugängliche Transzendentalsein als den *actus* der Existenz und ihrer Selbsterhellung ansieht und nicht erst einem philosophischen

Konzept entspringen lässt. Anders aber auch als Henry behält Barth die Spannung zur ‚Welt' bei – Exteriorität wird nicht auf die Leistung einer (wenngleich leiblich verfassten) transzendentalen Subjektivität begrenzt (Henry 2002) –, ohne die Überwindung der Subjekt-Objekt-Dichotomie preiszugeben. Mit Patočka verbindet Barth den Bezug des ‚Erscheinungsfeldes' auf ein je individuelles Erleben und – daraus folgend – den Einbezug der Problematik von Freiheit, existenzieller Wahrheit und Verantwortlichkeit, mit einem Wort die Stiftung des Zusammenhangs von Phänomenalität – Geschichtlichkeit – Solidarität.

Somit ist bei Barth Vieles da, was einzelne phänomenologische Positionen jeweils schwerpunktmäßig entfalten und dabei nur zu oft der Tendenz verfallen, ihren Stil des Entfaltens und ihre Ansatzpunkte für das einzig Maßgebende zu erachten. In den Horizont des Phänomenologischen gestellt, würde dies aber bedeuten, dass Barths Philosophie ebenso als eine ‚Arbeitsphilosophie' genommen werden könnte, wie es phänomenologische Forschung im Grunde genommen sein will, und damit fortsetzbar, ausfüllbar, beispielsweise in Hinblick auf eine Phänomenologie der Leiblichkeit. Bei all dem bliebe Barths Denken aber das, was es in sich selbst ist: konkret und exakt. In dieser klaren Konkretheit steht Barth einzig da.

*

Je zwei Beiträge in diesem Band befassen sich mit dem Konzept des Phänomenalen bei Eugen Fink und Jan Patočka, während sich ein abschließender Beitrag über Patočka auf die französische Phänomenologie der Gegenwart bezieht. Guy van Kerckhoven untersucht Finks Bestimmung des Phänomens in Abhebung von Husserl, und Jakub Čapek behandelt Finks spezifische Bestimmung des Erscheinens als Schein. Bestimmt die Arbeit von Christian Rabanus die Phänomenologien Patočkas und Husserls als solche, die einander hinsichtlich ihrer Konzepte des Phänomenalen ergänzen, vertritt Helga Blaschek-Hahn die Auffassung, dass Patočka nicht nur eine neuartige Auffassung des Erscheinens, sondern auch der Subjektivität vorgelegt habe. Dies nimmt Karel Novotny zum Anlass, um zu zeigen, dass eine bestimmte Art der affektiven Subjektivität, die bei Husserl noch im Blick war, bei Patočka aber in den Hintergrund tritt, erst in der jüngeren französischen Phänomenologie wieder Beachtung findet.

Wie van Kerckhoven in seiner Studie „Vorfragen zum Phänomen-Begriff" ausführt, ist schon für den frühen Fink Erscheinen ein Grundgeschehen, welches das Seiende selbst und als solches betrifft, und nicht ein Datum eines intentionalen Bewusstseins. Husserls Leitbegriff der phänomenologischen Methode, die ‚Sache selbst', basiere auf ungeklärten Voraussetzungen und enthalte Vor-Entscheidungen, die selbst nicht im Bereich der Methode liegen. So erblickt Fink ein Vorurteil von Husserls phänomenologischer Deskription darin, dass eine schlichte Gegebenheit vor allem denkenden Urteilen als vorprädikative Grundlage ausdrückender Urteile angenommen wird. Da für Fink die Phänomenalität der Phänomene nicht selbst eine phänomenale Gegebenheit ist, überspringt

Husserls Phänomenologie das Problem des *Erscheinens* des Erscheinenden. Um dieses Erscheinen in den Blick zu bekommen, ist eine Verrückung der phänomenologischen Einstellung nötig. Eine solche von Fink bis zur äußersten Grenze der Phänomenologie Husserls vorangetriebene Verrückung stellt die Entzugsphänomene heraus, die der Phänomenalität der Phänomene eigenwesentlich sind und hinterrücks die intentionale Analytik prägen. Indem für Fink der eingeräumte Raum und die Weile der Zeit das Ding als ein erscheinendes bedingen, bilden sie die Mitte des Erscheinens, die vom menschlichen Aufenthalt, soweit er weltoffen existiert, ausgehalten wird. ‚Erscheinen' bedeutet für Fink somit nicht nur das Sich-Darstellen im spezifischen Sinne des Sich-Zeigens, sondern das Aufgehen des Seienden, das Hervorkommen in das Offene zwischen Himmel und Erde.

Der sich mit Finks Bestimmung des Scheins beschäftigende Beitrag von Čapek zeigt, dass Fink die Minimalbestimmung der Phänomenologie, Phänomen sei kein bloßer Schein, keineswegs teilt. Was die Phänomenalität der Phänomene sowie der Grundphänomene des menschlichen Daseins angeht, würde sich Fink dieser Bestimmung anschließen, nicht aber in den Fällen wirklicher Unwirklichkeit. Letztere, etwa der Schein des Spiels, seien vielmehr als positiv und nicht als abgeleitet im Vergleich zu solchem zu denken, welches das Primäre und Wahre wäre. Zum einen ist es möglich, so Čapek, zwischen Erscheinung und Schein zu unterscheiden. Die Erscheinung ist immer Erscheinung von etwas und bestimmt das Verhältnis von Erscheinung und Wirklichkeit. Der Schein als positiver soll hingegen nicht auf ein anderes, sondern auf sich selbst aufmerksam machen – beim Spiel geht es nicht darum, was wirklich ist, sondern darum, den Spielenden zu bezaubern: Der Schein ist auf Wirkung angelegt. Daraus ergibt sich zum anderen eine zweite Unterscheidung: Erscheinung bewegt sich im Spielraum von Wirklichkeits- oder Wahrheitsverhältnissen, positiver Schein treibt sein Spiel im Feld von Macht- oder Wirkungsverhältnissen. Demzufolge sind nicht nur Erscheinung und Schein, Wahrheit und Wirkung zu unterscheiden; überdies gilt, dass der Streit zwischen Erscheinung und Schein, zwischen Wahrheit und Illusion nicht etwas ist, das überwunden werden müsste, sondern einen unhintergehbaren Sachverhalt markiert. Sind Wirkung und Wahrheit zwei selbständige Phänomene, so bestehen zumindest auch zwei Welterfahrungen, auf die man sich beziehen kann, ohne sie in ein System des Welt-Alls eingliedern zu können. In dieser Denkfigur macht sich Finks Anspruch eines nicht-metaphysischen Denkens geltend.

Auch wenn Husserl Sichtbarkeit nicht explizit zum Thema gemacht hat, findet sich in seinem Werk doch genügend Material, um Grundzüge einer Phänomenologie der Sichtbarkeit zu skizzieren. Rabanus bezieht sich in seinem Artikel über „Sichtbarkeit und Erscheinung" auf Husserls Vorlesungen zur „Idee der Phänomenologie" von 1907, die Patočka in den siebziger Jahren einer Kritik unterzog. Dabei gelangt Patočka über eine Ablehnung von Husserls Konstitutionsgedanken zu einem erneuerten Erscheinungsbegriff, dem *Erscheinen als sol-*

chem. Während Husserl aber die subjektunabhängigen Aspekte der Sichtbarkeit zu wenig berücksichtigt hat, scheint Patočka die subjektive Perspektive des Erscheinens zu sehr zu vernachlässigen. Indem er die subjektive Sichtweise ablegte und versuchte, das Ganze der Erscheinungsstruktur in den Blick zu bekommen, radikalisierte Patočka die Haltung der Epoché, um das Phänomenale und die Struktur der Phänomenalisierung nicht aus der Perspektive des betrachtenden Subjekts zu bestimmen. Daher bezieht er sich auf einen von Husserls Auffassung unterschiedenen Begriff der Selbstgegebenheit, der die Erscheinungscharaktere stärker in der Gegenständlichkeit verwurzelt. Das aber hat zur Folge, dass sich Husserls und Patočkas Überlegungen nicht nur nicht widersprechen, sondern einander dadurch ergänzen, dass beide aus unterschiedlichen Perspektiven das gleiche Problem untersuchen.

Demgegenüber führt der Beitrag von Helga Blaschek-Hahn aus, dass Patočka mit dem Konzept des Erscheinens als solchen in gewisser Hinsicht eine Überholung des Husserlschen Ansatzes gelang. Er legte eine neuartige Sphäre frei, die er nicht als Seins-, sondern als phänomenale Sphäre, als eine Sphäre des Erscheinens, auffasste. Blaschek-Hahn untersucht diese Entfaltung einer asubjektiven Phänomenologie von Patočkas Frühwerk der dreißiger Jahre bis hin zum späten Werk der siebziger, um auf diese Weise Ansatzpunkte für ein kritisches Weiterdenken auch über Patočka hinaus anzudeuten. Bereits in einem frühen Manuskript arbeitet Patočka, inspiriert von Bergson, einen aisthetischen Zugang zur Gegenständlichkeit via Sinnlichkeit heraus: eine neue transzendentale Dimension, die sich dem Gegensatz von subjektiv und objektiv entzieht. Der abschließende Blick auf Texte aus den siebziger Jahren führt deshalb zur Eingangsthese zurück, die von Patočka lebenslang gesuchte neuartige Subjektivität sei zumindest in Grundzügen mit dem Erscheinen als solchem identisch, habe also mit Subjektivität im traditionellen Sinne nur noch den Namen gemeinsam. Um die tatsächliche Neuartigkeit von Patočkas Ansatz zu unterstreichen, könne man hier, so die Autorin, durchaus mit Heinrich Rombach von einem konkreativen Strukturgeschehen sprechen.

Karel Novotný analysiert in seinem Ausführungen zum „Problem der Gegebenheit des Erscheinens" Patočkas spätes Konzept der Phänomenalität vom Gesichtspunkt der Frage nach der Gegebenheit des Erscheinens aus, der zugleich einen Bezugspunkt zu Phänomenalitätskonzepten der Gegenwart bildet. Novotný erinnert zunächst an die Kritik des Subjektivismus, wie sie Patočka in einem durch den frühen Heidegger geprägten Kontext formuliert, und deutet dann einige der Konsequenzen an, die sich daraus für sein Konzept der Phänomenalität ergeben. Anschließend geht er einem Gedankengang nach, in dem das Erscheinen als solches zum Hauptthema der Phänomenologie avanciert. Gerade infolge der Kritik am Subjektivismus, die von der Evidenz des Selbstgegebenen im Sinne eines anschaulich gegenständlich Gegebenen ausgehen will, gelangt Patočka jedoch zu einer Phänomenalitätsauffassung, in der das Erscheinen nur mittels einer apriorischen Struktur fassbar wird. Daraus resultiert ein formaler

Transzendentalismus, dessen zentrales Thema – entgegen Patočkas eigenem Anliegen – nicht mehr das Erscheinen selbst ist, sondern dieses nur als Form, als ein Apriori oder als die „Weltform der Erfahrung", berücksichtigt. Das Erscheinen wird so bei Patočka nur eingeschränkt zum Thema und eine ganze Dimension, die das Erscheinen als Erleben bei Husserl noch aufweist, vernachlässigt. Demgegenüber wäre das Erscheinen auf vor- und nicht-intentionale Elemente hin zu analysieren, so wie dies in der gegenwärtigen Phänomenologie in Frankreich unternommen wird. Gehen auch Autoren wie Michel Henry oder Marc Richir – der im Anschluss an Merleau-Ponty von einer Ambiguität des Sich-Zeigens spricht – in Bezug auf Patočkas Position wie auch im Verhältnis zueinander sehr unterschiedlich vor, lässt sich Patočkas Konzept doch in einem Kontext situieren, in dem gegenwärtige Phänomenologie zur Problematik der Phänomenalität Stellung nimmt.

Literatur

Barth, H. (1965): *Erkenntnis der Existenz. Grundlinien einer philosophischen Systematik*, Basel.

Dilthey, W. u. P. Yorck von Wartenburg (1923): *Briefwechsel zwischen Wilhelm Dilthey und dem Grafen Paul Yorck von Wartenburg 1877-1897*, Halle.

Fink, E. (1960): *Spiel als Weltsymbol*, Stuttgart.
- (1966): „Vergegenwärtigung und Bild. Beiträge zur Phänomenologie der Unwirklichkeit", in: ders.: *Studien zur Phänomenologie 1930-1939 (Phaenomenologica*, Bd. 21), Den Haag. 1-78.

Henry, M. (2002): *Inkarnation. Eine Philosophie des Fleisches*, aus d. Frz. v. R. Kühn, Freiburg/München [*Incarnation. Une philosophie de la chair*, Paris 2002].

Marion, J.-L. (1981): „Idol und Bild", aus d. Frz. v. L. Wenzler, in: B. Casper, *Phänomenologie des Idols*, Freiburg/München, 107-132 [„Fragments sur l'idole et l'icône", 1979].

Nishida, K. (1999): „Ortlogik und religiöse Weltanschauung" [1945], in: ders.: *Logik des Ortes. Der Anfang der modernen Philosophie in Japan*, übers. u. hg. v. R. Elberfeld, Darmstadt, S. 204-284 [jap.: „Bashoteki ronri to shukyoteki sekaikan", japanische Gesamtausgabe der Werke Nishidas, Bd. 11, 371-464].

Patočka, J. (1988): *Ketzerische Essais zur Philosophie der Geschichte und ergänzende Schriften*, hg. v. K. Nellen u. J. Němec, Stuttgart.

Rombach, H. (1983): *Welt und Gegenwelt. Umdenken über die Wirklichkeit: Die philosophische Hermetik*, Basel.

Forschungen

„Krisis aller Gegebenheit"
Die Erscheinung im Zeichen der Frage

Christian Graf

Vorbemerkung

Der Titel dieses Vortrags ist in erster Linie geeignet, den zweiten, kürzeren Teil, weniger den Hauptteil meiner Darlegungen zu umschreiben. Es schien im Rahmen des Prager Kolloquiums sinnvoll, zunächst eine systematische Einführung in die Philosophie Heinrich Barths zu geben, damit deren spezifischer Erscheinungsbegriff vor dem Hintergrund ihrer allgemeineren Motive und Fragestellungen erst Profil zu gewinnen vermag. Einer solchen Einführung, die sich im übrigen auf phänomenologisch geprägte Rezipienten ausrichtet, ist deshalb der Hauptteil des Vortrags gewidmet.

Philosophie und Wirklichkeit

Die folgende Charakterisierung des Barthschen Denkens nimmt sich zum Leitfaden die *Frage nach dem Verhältnis von Philosophie und Wirklichkeit.* Philosophie zielt auf allgemeingültige Aussagen. Sie gerät damit notwendigerweise in eine gewisse *Gegenstellung* zum Besonderen, Individuellen, Konkreten, zu demjenigen also, was wir gemeinhin „Wirklichkeit" nennen. Ich unterscheide *zwei fundamentale Weisen,* wie Philosophie sich auf Wirklichkeit beziehen kann.

Der *erste Typus* ist primär auf seine innere Schlüssigkeit, auf durchgehende Logizität der Gedankenbildung ausgerichtet. Der Umstand, dass „Wirklichkeit" in dem angedeuteten Sinn hier weitgehend *außerhalb* bleiben muss, kann dabei Anlass zu gegenläufigen Auffassungen geben. Das Ausgeschlossene wird *entweder* für minderwertig gehalten und darf dieser Einschätzung gemäß mit gutem Gewissen übergangen werden; *oder* – und das ist die moderne Variante des ersten Typus – das Ausgeschlossene soll – gerade zum Zeichen seiner Hochschätzung – gleichsam vor philosophischer Zudringlichkeit geschützt werden. Hier wäre an Wittgensteins Diktum zu erinnern: „Wovon man nicht sprechen kann, darüber muß man schweigen" (Wittgenstein 1984, 85). Auch Kants Selbsteinschränkung der theoretisch-spekulativen Vernunft in seiner ersten *Kritik* ist *dann* in einem ähnlichen Licht zu sehen, wenn man davon absieht, dass diese Begrenzung keinem Irrationalen, sondern der praktischen *Vernunft* Platz schafft.

Zusammenfassend also lässt sich sagen: Der erste Typus des philosophischen Umgangs mit Wirklichkeit existiert in *zwei Spielarten*, einer traditionell-rationalistischen und einer modern-rationalitätskritischen Spielart. Dass ich beide überhaupt ein und demselben Typus zuordne, mag überraschen. Die Gemeinsamkeit besteht aber darin, dass in beiden Fällen Wirklichkeit als das Konkrete, Besondere, Individuelle nicht eigentlich zum Thema wird. Im ersten Fall wird sie es faktisch nicht, im zweiten soll sie es gar nicht werden.

Der *zweite Typus* macht sich demgegenüber zum Anwalt des Wirklichen. Er stellt sich gegen den Universalitätsanspruch der Ratio und beruft sich auf Gegeninstanzen. Die Geschichte der großen philosophischen Systeme wird begleitet von einer immer wieder neu sich artikulierenden Rationalitäts*kritik*, und so manche moderne Philosophie verschreibt sich ganz dem Bemühen, das von der rationalistischen Tradition Ausgeschlossene zu rehabilitieren: Lebensphilosophie, Aufwertung der Gefühle und Stimmungen, konkrete Subjektivität, Leiblichkeit, Individualität, Alterität. Diese wenigen Stichworte mögen hier genügen.

Wirklichkeit wird hier aber nicht nur zum Thema. Der zweite Typus des philosophischen Umgangs mit Wirklichkeit, den ich herausstellen möchte, erhält vor allem dadurch seine Konturen, dass er sein *eigenes Verfahren* im Sinne einer *Mimesis an das Wirkliche* zu konzipieren sucht. Seine Kritik richtet sich gegen die Systemkonstruktionen, gegen die abgehobenen Gedankenspiele einer selbstgenügsamen Ratio. Er versucht sich im Gegenzug dem Konkreten zu öffnen, indem er das philosophische Denken auf eine rezeptive Haltung verpflichtet. Das ideale Paradigma für diesen Typus ist deshalb die Phänomenologie in allen ihren Spielarten. Durchwegs kommt hier der *Beschreibung* eine wichtige Rolle zu, und gelegentlich werden die Grenzen zur Literatur und Dichtung auch bewusst überschritten, wie beim späten Heidegger.

Stellen wir uns die beiden Typen noch einmal klar vor Augen: Der *erste* überlässt die Wirklichkeit sich selber, entweder weil er ihr Problem geringschätzt oder sich ihm nicht gewachsen fühlt. Der *zweite* hingegen gleicht seiner Intention nach einem Schwamm, der sich mit Wirklichkeit vollsaugen möchte.

Vielleicht hat der eine oder die andere unter meinen Lesern inzwischen im Stillen versucht, den beiden Typen weitere Namen zuzuordnen. Brisant wird die Frage der Zuordnung im Falle *Hegels*. Allem Anschein nach verkörpert er die perfekte Synthese beider Weisen, sich philosophisch zur Wirklichkeit zu verhalten. Man steht hier einerseits vor einer unerhört ausgeklügelten systematischen Konstruktion, die noch immer die akademische Welt in Atem hält; und hat es andererseits mit einer schlechthin integrierenden Denkbewegung zu tun, die jede Berufung auf eine Wirklichkeit außerhalb als Naivität und mangelndes Verständnis erscheinen lässt. Es ist kaum zu bestreiten, dass jede Hegel-Kritik, auch wenn sie noch so berechtigt erscheint, bis heute damit kämpfen muss, intellektuell nicht hinter dem Kritisierten zurückzustehen.

Doch ich strapaziere Ihre Geduld: Von zwei Typen war die Rede, einige Namen wurden ihnen zugeordnet, und schließlich habe ich gar noch eine dritte Position jenseits der etablierten Typologie besetzt; noch immer aber ist der Name Heinrich Barth nicht gefallen! Wo sollte für ihn noch ein Platz zu finden sein?

Heinrich Barth verbindet mit Hegel, dass auch sein Denken durch eine *Integrationsbewegung* gekennzeichnet ist, die der systematischen Gedankenentfaltung vertraut. Der fundamentale Unterschied ist jedoch, dass Barth in aller Schärfe zwei Arten der Einheit unterscheidet: auf der einen Seite die *systematische Einheit* als diejenige Einheit, die sich in einem philosophischen System verkörpert; auf der anderen Seite die *transzendentale Einheit des Logos*, die niemals – und sei es auch metaphorisch im selbst schon eher unkörperlichen Medium des philosophischen Gedankens – „verkörpert" werden kann.

Wenn hier das Wort „transzendental" fällt, so ist unverzüglich eine zweifache Klarstellung angezeigt. 1. „Transzendental" hat bei Barth nichts mit einer Auszeichnung der Subjektivität zu tun. 2. Im aktuellen Zusammenhang genügt es vollkommen, wenn mit dem Terminus *ein* Aspekt seiner natürlich umfassenderen und komplexeren Gesamtbedeutung in den Vordergrund rückt: „transzendental" meint vorläufig „transzendent" in einer rein negativen Bedeutung, also: „nicht immanent", „keiner menschlichen Erkenntnis verfügbar", „durch kein System einholbar" etc.

Die systematische Einheit steht für Barth in einem höchst spannungsvollen, keineswegs kontinuierlichen Verhältnis zur transzendentalen Einheit des Logos. Die erstere kann nicht als ahnende Vorausnahme, als Vorschein der letzteren aufgefasst werden. So verstanden stellte sie vielmehr eine illegitime Antizipation von Versöhnung dar. Anders als bei Adorno, der hier anklingen mag, führt dieser Gedanke bei Barth keineswegs zu einer Verabschiedung von System und Ausrichtung auf Einheit. Eine Systematik, wie sie Barth propagiert, muss jedoch *offen* bleiben, d. h., die Einheit, auf die sie sich ausrichtet, bleibt stets *Aufgabe* und wird stets nur *im Medium der Frage* fassbar.

Den beiden unterschiedlichen Einheiten entsprechen *zwei verschiedene Weisen der Integration.* Die rationalistische Integrationsbewegung im Rahmen der großen klassischen Systeme wird von Barth in einem Sinne kritisiert, der mit der Stoßrichtung der modernen Kritik am Einheitsdenken parallel geht. Die traditionellen Totalitätssysteme scheitern sowohl jeweils an bestimmten internen Problemen wie auch aneinander, sofern ein jedes universal sein will (H. Barth 1935/1936, 31). Das gilt auch für Hegel, der in dieser Perspektive nicht über den klassischen Rationalismus hinauskommt. Die *Frage* greift über jedes gegebene System hinaus; auch sie kann sich auf „Vernunft" berufen; sie ist insofern „vernünftige Frage". Somit gibt es für Barth definitiv *keine universale Philosophie*;

universal ist hingegen *der Logos als transzendentale Voraussetzung aller vernünftigen Frage.*

Die Integrationsbewegung, welche einer Systematik eignet, die sich an der transzendentalen Einheit des Logos orientiert, muss nun näher betrachtet werden. Namentlich gilt es Acht zu haben auf ihre Weise des Umgangs mit den Gegeninstanzen, die gegen den Vernunftuniversalismus ins Feld geführt werden. Während dieser Einspruch im Fall des Hegelschen Systems allenfalls als Motor einer Dialektik fungiert, deren Resultat von vornherein mehr oder weniger feststeht, nimmt Barth ihn ungleich ernster, indem er ihn als *Krisis des Vernunftbegriffs* versteht. Dass dies etwas ganz anderes bedeutet, als was wir von Hegel kennen, wird an folgendem deutlich: *Barth stellt sich mit der thematischen Ausrichtung seiner Philosophie voll und ganz auf die Seite der Rationalitätskritiker.* Die beiden Grundbegriffe seiner Philosophie lauten „Existenz" und „Erscheinung". „Erscheinung" umfasst in gewissem Sinne das Existenzproblem, insofern mit ihr sowohl menschliche wie kosmische Wirklichkeit gemeint ist. Barths philosophische Bemühung gilt durchwegs dem Problem der Wirklichkeit, der Erscheinung, der Existenz und deren Inschutznahme gegen rationalistische Vereinnahmung. Als Vorläufer seiner Existenzphilosophie nennt Barth wiederholt Namen wie Pascal, Hamann und Kierkegaard, Denker also, die sich mit großer Leidenschaft gegen die jeweils in ihrer Zeit vertretene Form einer universalen Vernunft gewandt haben.

Barth hält den Einspruch gegen die großen Vernunftsysteme für tief berechtigt, allerdings nur, sofern er sich nicht gegen die Vernunft als solche kehrt. Auf beiden Seiten, auf der Seite der Rationalisten wie derjenigen der Kritiker der Ratio, besteht die Gefahr, Vernunft als fest umrissene, gegebene Größe vorauszusetzen. Genau darin liegt nach Barth der *Fehler.* Vernunft als solche ist *keine feste Größe.* Wie sollte es uns möglich sein, ihre Grenzen zu erkennen? Nur einer Vernunft, deren Begriff stets offen gehalten wird, dürfen wir „Einheit" zuerkennen. Die moderne Pluralisierung von Rationalitätsformen ist, als die eine Seite der Medaille, ganz in Barths Sinn; nur plädiert er dafür, dass wir auch die andere Seite nicht aus dem Auge verlieren.

Die Kritik der Vernunftskeptiker kann nicht von außen an die Vernunft herangetragen werden; sonst begeht man den eben angedeuteten Fehler. Es muss sich um eine Form von *immanenter Kritik* handeln. Bei der Suche nach einem letztbegründenden Prinzip aller Erkenntnis ist sie als Krisis des Vernunftbegriffs wirksam; das heißt, dass durch sie jeder einmal gefasste Vernunftbegriff vor die Aufgabe seiner *Überwindung* gestellt wird. „Überwindung" bedeutet zugleich „Erweiterung", denn die Gegeninstanzen, auf die sich die Kritik beruft, werden umgekehrt durch ein verengtes Vernunftverständnis auf den Plan gerufen. Die Vernunft als solche muss so gedacht werden, dass sie die Bedeutung dieser Gegeninstanzen in sich aufnimmt und *bewahrt.* Vielleicht nirgends spitzt sich diese Krisis des Vernunftbegriffs so zu, wie angesichts der Willens- und Existenzproblematik. Indem auch diese Anfechtung der Ratio nur *innerhalb* des Rahmens der

Vernunft als solcher statthaben kann, zeichnet sich nun ab, dass mit der Erweiterung des Vernunftbegriffs auch eine ihn betreffende *Bedeutungsverschiebung* einhergeht: Das letzte Prinzip aller Erkenntnis kann kein theoretisch-neutrales Prinzip sein; es muss eine *existentielle Dimension* besitzen und fähig sein, auch die praktische Vernunft glaubwürdig zu begründen.

Ich rekapituliere: Die Barthsche Variante der Integrationsbewegung, die sich in Ausrichtung auf ein auch jedem System gegenüber radikal transzendent zu denkendes Prinzip vollzieht, ist gekennzeichnet durch eine interne Krisis, in der, modern gesprochen, „das Andere der Vernunft" seinen Anspruch geltend macht. Dieser Gegenanspruch kann nicht mit souveräner Geste erledigt werden; er bleibt gegenüber der stets drohenden Gefahr, die Einheit der Vernunft als immanent misszuverstehen, in Geltung. Er führt aber andererseits zu einer dreifachen Präzisierung der Aufgabe, wie die Vernunft als letztes Prinzip zu denken ist: *zum ersten* als jeder gegebenen Größe gegenüber transzendent, *zum zweiten* als schlechthin umfassend und *zum dritten* als Prinzip praktisch-existentieller Erkenntnis.

Von hier aus wird deutlich: Der klassische Rationalismus ist für Barth nicht darin anzufechten, dass er in der Vernunft ein universales Prinzip sieht. Im Gegenteil: Vernunft ist *noch wesentlich universaler* zu denken. – Wem hier noch immer das Schlagwort „Logozentrismus" auf der Zunge liegt, der sei nochmals daran erinnert, dass Barths Philosophie sich thematisch durchgehend, nicht nur am Rande, rationalitätskritischen Motiven verpflichtet weiß. Beide Seiten der philosophischen Ausrichtung gehören bei Barth zusammen, so ungewohnt dieser Gedanke heute erscheinen mag. Die Frage aber ist nun weiterzuverfolgen, *wie* diese beiden Seiten zusammengehören. Zu diesem Zweck kehre ich – nach der Abgrenzung von Hegel – zu den beiden anfangs unterschiedenen Typen zurück, die für zwei fundamentale Weisen des Umgangs der Philosophie mit dem Problem der Wirklichkeit stehen sollten. Wie ist Barth zu ihnen in ein Verhältnis zu setzen?

Heinrich Barth wird nicht müde zu betonen, dass jede Philosophie, auch die Existenzphilosophie, nicht anders könne, als in indirekter, uneigentlicher, neutralisierender Weise von ihrem Gegenstand zu sprechen. Sie ist in seinen Worten auf „oratio obliqua", auf Reflexion, beschränkt, ohne der Wirklichkeit, der Existenz frontal begegnen zu können. Lediglich einen „Schattenriss", eine „Projektion auf die Ebene des Seins" vermag sie zu bieten. Diese Selbstbeschränkung der Reichweite aller philosophischen Aussage, mit deren Anerkennung sich selbst Barths näheres Umfeld immer wieder schwer tut, rückt Barth scheinbar in die Nähe jener modernen Form des ersten Typus meiner Typologie, für die mir Wittgenstein als Beispiel diente: Das Wesentliche bleibt danach notwendig außerhalb der Philosophie. Es dennoch irgendwie in den philosophischen Diskurs hereinzuzwingen, käme einer Gewaltsamkeit gleich, die durch nichts zu rechtfertigen ist. Gleichzeitig scheint Barths Haltung eine Absage an die Orientierung des zweiten Typus zu bedeuten, sofern sich der diesem eignende quasi-faustische

Wirklichkeitsdurst dahingehend auswirkt, dass Philosophie *selbst* konkret und wirklichkeitsgesättigt zu werden strebt.

Doch es gilt die Unterschiede zu beachten. *Wittgenstein* überlässt die Wirklichkeit sich selbst. Er schweigt zu ihren Problemen, denn jedes Reden bedeutete eine ungebührliche Einmischung. *Barth* hingegen spricht – wenn auch in „indirekter Rede" – eigentlich von gar nichts anderem als von der Wirklichkeit. Ihr Problem bildet den fraglosen Fluchtpunkt aller seiner philosophischen Bemühung. Das Bild der *„Einmischung"* ist von Barth her gesehen unpassend: Es setzt voraus, dass die Philosophie als eine dem Leben fremde Ratio von außen an dieses herantritt und seine Kreise stört. Für Barth ist das Leben aber kein Irrationales. Existenz setzt er mit „existentieller *Erkenntnis"* gleich. Die Lebenswelt ist stets schon von philosophischen Elementen und Impulsen durchsetzt. Der akademischen Philosophie kommt die Aufgabe zu, dafür zu sorgen, dass diese Elemente und Impulse sich im Sinne eine Vertiefung und Bereicherung der Existenz auswirken, statt in ideologischer Befangenheit zu erstarren. Philosophie hat sich gegen das Leben zu verhalten als dessen Läuterung und Befreiung, oder – wie mein Ausdruck dafür lautet – als dessen *Freigabe*.

Und wie muss Philosophie beschaffen sein, um diese Aufgabe erfüllen zu können? Das Modell der sokratisch-platonischen Dialogik und Dialektik erweist sich hier so aktuell wie am ersten Tag. Der Anknüpfungspunkt liegt in der „Lebenswelt". Doch der Gedanke vertraut sich in seiner Entfaltung seinem eigenen Logos an; das bedeutet „Entfernung" von der Wirklichkeit, Erhebung über die Lebenswelt. Doch wer der Idee bzw. der Sonne ansichtig geworden ist, kehrt wieder zurück in die Höhle. Die Wirklichkeit wird nicht durch die philosophische Ratio *ersetzt*; vielmehr erfährt sie im Durchgang durch die letztere ihre Metamorphose. Sie wird – freigegeben.

In der Rezension von Heideggers Kant-Buch schreibt Barth: „Kants Gedankenführung in der Vernunftkritik ist bezeichnet durch Unterscheidung und Beziehung." (Barth 1930, 144) Unterscheidung und Beziehung – das tönt zunächst sehr unscheinbar. Welche Philosophie praktiziert nicht beides auf Schritt und Tritt? Wenn aber beide Richtungen in einer strengen Korrelation zueinander gedacht werden, innerhalb derer es töricht wäre, die eine gegen die andere ausspielen zu wollen, so ist damit etwas festgehalten, was sich keineswegs von selbst versteht. Kant hat theoretische und praktische Vernunft unterschieden; er hat sie aber auch aufeinander bezogen. Die nachfolgende Philosophie sah in der Unterscheidung eine Diastase, die es zu überbrücken und zu vermitteln gilt. Darin ist nicht nur ein Fortschritt zu sehen, sondern ebenso das Verkennen der Stärke eines Denkens, in dem weder Unterscheidung ohne Beziehung noch Beziehung ohne Unterscheidung bestehen kann. Die Stärke solchen Denkens dürfte darin liegen, dass einmal vollzogene Unterscheidungen in ihrer Trennschärfe durchgehalten werden können, ohne dadurch ihre Dynamik einzubüßen. Denn in der Reflexion auf die Beziehungen des Unterschiedenen zeigt sich die Unterscheidung selbst in immer neuem Licht.

Vor diesem Hintergrund ist nun auch Barths Denken mit seinen unverwischbaren Unterscheidungen zu sehen, bis hin zu jener fundamentalen Differenz von Existenz und philosophischer Reflexion. Warum wird es gerade dem Philosophen so schwer, diese Differenz anzuerkennen, die doch jedem Nicht-Philosophen unmittelbar einleuchtet? Geben wir es doch zu: Wenn wir über „die Wirklichkeit", das Problem der Wirklichkeit reflektieren, so sind wir der Wirklichkeit damit gerade sehr fern gerückt. Natürlich kann der Philosoph darauf hinweisen, dass auch sein Denken ein Akt des Existierens ist. Und es ist zu hoffen, dass ihm bei seiner Arbeit gelegentlich bewegende Einsichten geschenkt werden. Doch solches steht in keinem Gegensatz zur Behauptung jener Differenz. Wer hier einen Gegensatz konstruiert, der verwechselt eine Unterscheidung, die nur mit Beziehung zusammen besteht, mit einer *ontologischen Trennung*, gleichsam einer Grenzziehung zwischen zwei Gebieten. Wenn die Existenz als ein umzäuntes Gebiet vorgestellt wird, so ist freilich nicht einzusehen, wie der Philosoph gleichzeitig innerhalb und außerhalb stehen soll. Es wird einem dann eine Entscheidung nahegelegt: Welches ist das umfassendere Feld, das philosophische Denken oder die existentielle Lebenswelt? Und es liegt nun auf der Hand, wie die Antwort ausfallen muss: Die Lebenswelt ist der „Urboden" aller Wissenschaft und Philosophie. Damit wären wir beim späten Husserl angelangt.

Mit dem Namen Husserl ist das Stichwort gegeben für die nun genügend vorbereitete Thematisierung der Stellung Barths zur Phänomenologie. Zuerst gilt es, dieses Thema im Rahmen der uns bis anhin beschäftigenden Grundfrage nach dem Wirklichkeitsverhältnis der Philosophie aufzunehmen.

Die Phänomenologie diente mir als Paradigma für den zweiten Typus meiner anfangs eingeführten Typologie. Hervorgehoben habe ich in diesem Zusammenhang die besondere Zuwendung zur Wirklichkeit, das Bestreben, den Reichtum der Erscheinungen zu wahren und die Existenz in ihrer Konkretion zu begreifen. In der Ausrichtung zeigt sich also unverkennbar eine große Nähe zu Heinrich Barth. Doch welcher Weg wird in dieser Orientierung hier und dort beschritten? Wenn ich recht sehe, wird in aller phänomenologisch inspirierten Philosophie der *Beschreibung* ein privilegierter Status zuerkannt. Die Beschreibung soll als Gegenmittel gegen den schematisierenden Zugriff des konstruktiv-systematischen Denkens fungieren, indem sie nicht in die Phänomene eingreift, sondern sich diese in einer rezeptiven Aufmerksamkeit erscheinen lässt. Die Abwehr der Schematisierung und das Sich-erscheinen-Lassen – auch diese Anliegen finden wir bei Barth nachdrücklich vertreten. Doch wer bei ihm nach Beschreibungen sucht, wie man sie aus der phänomenologischen Literatur kennt, wird sich bald enttäuscht von ihm abwenden. Wie ist das zu verstehen?

Die Beschreibung lässt sich im Zusammenhang mit dem Begriff des „Gegebenen" problematisieren. Diesen Aspekt spare ich mir für den zweiten Teil meiner Studie auf. Jetzt soll etwas anderes ins Blickfeld gerückt werden. Mit der Beschreibung macht sich die Phänomenologie eine *bestimmte existentielle Haltung* zu eigen, eine Haltung, die ich als „rezeptive Aufmerksamkeit" bezeichnet habe. Von Barth her gesehen bedeutet das ein Zweifaches: *Zum einen* wird Philosophie damit auf eine, selbst allerdings weit verstandene *Methode* eingeschränkt. Für Barth hat sie über den Methoden, oder sagen wir besser: *zwischen* den Methoden zu stehen. Vorbildlich kann hier gerade dasjenige an *Platon* sein, was heute oft als Mangel an systematischer Durchbildung empfunden wird: das spannungsvolle Nebeneinander von *intuitivem* und *diskursivem* Erkenntnismodell, ebenso *unterschieden* wie auf einander *bezogen*. – *Zum andern* muss die Frage gestellt werden, ob die existentielle Haltung, welche die Phänomenologie in ihr Selbstverständnis und ihre Vorgehensweise integriert, nicht im selben Zug instrumentalisiert wird und dadurch zu etwas anderem mutiert. Die lebensweltliche Form der rezeptiven Aufmerksamkeit oder des Sich-erscheinen-Lassens ist anderes und mehr, als das, was in eine phänomenologische Forschung eingehen kann. Es wäre ein Missverständnis, wenn man in letzterer lediglich die *Disziplinierung* des Sich-erscheinen-Lassens sehen würde, jedenfalls solange man meint, das ursprüngliche Anliegen dieses Sich-erscheinen-Lassens unverkürzt zu bewahren. Von Disziplinierung dürfte dann die Rede sein, wenn damit ausdrücklich eingestanden wird, dass der Blick im Zuge der Anverwandlung des Sich-erscheinen-Lassens durch die Forschung aus methodischen Gründen eingeengt und dass damit genau jener Offenheit ein Stück weit Abbruch getan wird, die das Sich-erscheinen-Lassen ausmacht. Es wird somit deutlich, dass selbst noch Barths Weigerung, Philosophie auf Phänomenologie und Beschreibung zu verpflichten, im Zeichen der „Freigabe" von Wirklichkeit, Erscheinung und Existenz zu sehen ist.

Und nun muss ich, um mit dem Hauptteil meiner Studie zu einem Abschluss zu kommen, noch folgender Klarstellung Raum geben. Obwohl Barth in dieser Sache nicht explizit wird, meine ich nicht fehlzugehen, wenn ich sage: Barth hält eine *Erforschung* der Phänomenalität als solcher keineswegs für eine sei es illegitime, sei es obsolete Sache. Doch sie hätte bei ihm den Status einer Wissenschaft und wäre in seiner Sicht keine Philosophie. Die angedeuteten Gefahren, die er in einer entsprechenden Forschungsintention sieht, kämen erst dann zum Tragen, wenn sich solche Forschung als Philosophie missverstehen würde. Dieser kommt für Barth eine andere Aufgabe zu. Ich gehe zum zweiten, kürzeren Teil meiner Darlegungen über:

Erscheinung als „Gegebenheit" und als „Frage"

Aus der ungemein facettenreichen Diskussion zum Thema des Gegebenen greife ich hier einige wenige Aspekte heraus, die mir im Zusammenhang mit Heinrich Barth und der phänomenologischen Philosophie bedeutungsvoll erscheinen.

Der Begriff des Gegebenen wurde von verschiedener Seite einer radikalen Kritik unterzogen, bis hin zur Erklärung seiner vollständigen Illegitimität. Er wurde zusammengebracht mit der *Abbildtheorie* der Erkenntnis, nach der diese in der rein rezeptiven Kenntnisnahme von den Strukturen einer an sich seienden Welt besteht. Ein Grundbuch der Kritik solcher Abbildtheorie ist Richard Rortys *Der Spiegel der Natur* (Rorty 1981). Die Einsicht in das *produktive Moment* aller Erkenntnis lässt danach die Vorstellung, dass Erkennen in der Spiegelung schon gegebener Strukturen bestehe, und damit überhaupt den Begriff des Gegebenen als obsolet erscheinen.

Es zeigt sich jedoch, dass die ersatzlose Streichung der Position des Gegebenen auch keine Lösung des Problems darstellt. Ein radikaler Interpretationismus oder Konstruktivismus ruft Widerspruch hervor. Im Namen einer *Phänomenologie* des Erkennens muss dessen rezeptives Moment erneut zur Geltung gebracht werden; und auf dieser Linie ergibt sich dann auch eine Rehabilitation des Gegebenen.

Das wahrscheinlich immer noch dominierende Erkenntnismodell ist jedoch nicht monistisch angelegt (wie der Konstruktivismus), sondern *dualistisch*. Seine ungebrochene Faszination verdankt dieses Modell wohl dem Umstand, dass es *auf der einen Seite* Rückhalt in einer maßgeblichen traditionellen Erkenntnislehre seinen Rückhalt findet (nämlich in der Kantischen Lehre von den zwei Stämmen unseres Erkenntnisvermögens, Sinnlichkeit und Verstand), *auf der anderen Seite* sich mühelos anbinden lässt an die modernen Bestrebungen, Kognition anhand des Computermodells zu begreifen. Erkenntnis kommt in dieser Konzeption zustande durch das Zusammenwirken eines rezeptiven und eines produktiven Moments: Einerseits bloße *Registrierung der Daten*, die von außen ins System eingegeben werden, andererseits *Verarbeitung dieser Daten* zu demjenigen, was dann „Erkenntnis" heißt. Dieses Schema liegt in der Regel auch dort zugrunde, wo man sich schämt, die Computeranalogie explizit zu machen.

In diesem Dualismus findet das Gegebene seinen Platz, ohne dass ein Rückfall in die Abbildtheorie droht. Auch dies trägt wohl zu seiner Glaubwürdigkeit bei. Ich vertrete jedoch die These, dass er in Wahrheit eine fehlerhafte und zutiefst unfruchtbare epistemische Konstellation festschreibt, was sich unter anderem darin äußert, dass auch die monistischen Ansätze sich seinem Bann nicht entziehen können. Der Konstruktivismus bleibt dieser Konstellation verhaftet, weil er im Grunde in nichts anderem als der Verabsolutierung von einer ihrer beiden Seite besteht, der aktiv-produktiven Seite. Die phänomenologische Korrektur dieser Verabsolutierung ist damit schon vorprogrammiert.

Heinrich Barth entstammt einer Denktradition, die einen monistischen Ansatz vertrat: dem Marburger Neukantianismus. Auch hier wurde der eine der beiden „Stämme" der Erkenntnis, die Anschauung, kurzerhand gestrichen. Das produktive Denken kann *nichts außerhalb* seiner dulden, also auch kein Gegebenes. Wie ging Barth damit um? Indem er in seiner Entwicklung zunehmend die „Erscheinung" zum zentralen Begriff seines Denkens machte, schien er sich deutlich von seinen Lehrern abzusetzen und genau diejenige Position zu restituieren, welche die Marburger Schule eliminiert hatte. Eine solche Darstellung der Dinge hat natürlich ihr Richtiges. Es wäre aber völlig falsch, in Barths Denkentwicklung nur ein Mitgehen mit der allgemeinen Tendenz der Zeit nach dem Niedergang des Neukantianismus zu sehen, die dessen „Logizismus" mit der Zuwendung zum konkreten Phänomen auszugleichen bestrebt war. Ich darf hier an Barths rückhaltlose Bejahung der *Universalität des Logos* erinnern. Barth erkennt dem Marburger Erkenntnismonismus eine tiefe Berechtigung zu, ohne dessen Abwertung von Anschauung und Erscheinung mitzumachen. Er versteht es, auf den *Grundfehler* hinzuweisen, der den dualistischen wie den monistischen Ansatz präjudiziert: Aus einer Unterscheidung des Denkens wird ein *quasiontologischer Gegensatz* gemacht. Wie zwei Gebiete stehen sich die beiden gegensätzlichen Instanzen gegenüber. Damit wird dasjenige undenkbar, was hier gerade zu denken wäre: Sofern in der räumlichen Vorstellungsweise verblieben wird, müsste man ein *wechselseitiges Inklusionsverhältnis* annehmen. *Das Denken umgreift in gewisser Weise die Anschauung, wie umgekehrt die Anschauung in gewisser Weise das Denken umgreift. Barths Erscheinungsbegriff ist als Antwort auf diese Problematik zu verstehen.*

Erscheinung steht bei Barth zumindest für ein Zweifaches: Einerseits bildet sie den „Gegenpol zu allem Prinzipe der Begründung" (Barth 1959, 612); sie ist dasjenige, was sich niemals in einen Konnex von begrifflichen Bestimmungen aufheben lässt, und ist insofern *außerhalb* der begrifflichen Erkenntnis zu denken. Andererseits gibt es keine sinnfremde Erscheinung; als *Frage*, von der alle Erkenntnis ihren Ausgang nimmt, ist sie immer schon in den „Raum der Erkenntnis" einbezogen. Erkenntnis umgreift so gesehen die Erscheinung. – Jedoch muss hier sogleich eine gegenläufige Überlegung angestellt werden. Erkenntnis schämt sich bei Barth nicht ihrer impliziten optischen Metaphorik. Im Gegenteil: medial ausgelegt als Manifestation, Sich-zu-erkennen-Geben, bekundet sie ihre Nähe zur Erscheinung. Und indem Erkenntnis nicht ohne dieses manifestative Moment gedacht werden kann, umgreift die Erscheinung, als Inbegriff des Offenbarwerdens, Sich-Zeigens, ihrerseits die Erkenntnis.

Wie steht es innerhalb dieses Rahmens nun mit der „Gegebenheit"? Ein Gegebenes hat darin insofern keinen Platz, als es unweigerlich jenes unselige Gegenüber heraufbeschwört, von dem gerade Abstand zu nehmen ist. „Gegeben" ist etwas, was zunächst einmal vorliegt, bevor es dann von einer hinzutretenden Instanz einer Bearbeitung unterzogen werden kann. „Gegeben" weist zwar auf ein „Geben" zurück; dessen Bewegung ist aber schon zur Ruhe gekommen. Die neue Bewegung, die sich nun dem Gegebenen zuwendet, bleibt diesem äußerlich. – Erscheinung ist für Barth niemals ein Gegebenes, wohl aber ein *Sich-Geben*, das nicht auf ein schon konstituiertes Gegenüber trifft, das nur darauf wartet, die Gabe in ein Gegebenes zu verwandeln, um mit ihm nach Belieben schalten und walten zu können. Das Sich-Geben *schafft* sich sein Gegenüber erst. *Spontane Subjektivität findet in der Erscheinung ihren Ermöglichungsgrund.*

Wenn ich mich nun des Wenigen erinnere, was ich von Jan Patočka gelesen habe, so meine ich mich mit dem zuletzt vorgetragenen Gedanken durchaus in die Nähe dieses Philosophen begeben zu haben. Drei Aspekte erkenne ich dort wieder: *Erstens* die Kritik am Begriff eines Gegebenen, die Patočka anhand einer Kritik gewisser Elemente der Husserlschen Lehre durchführt (Patočka 1970/1971, 300-304). *Zweitens* die Überbietung der Gegebenheit durch den Verweis auf Erscheinung als ursprüngliche Sphäre des Sich-Zeigens, deren ganzes Wesen darin bestehe, anderes und sich selbst zu manifestieren (ebd. 302 f.). Erscheinung als solche ist also ein Geben und Sich-Geben, kein Gegebenes. Und *drittens*: Der Antisubjektivismus führt auch bei Patočka nicht kurzschlüssig in einen Objektivismus; vielmehr verfolgt er, wenn ich recht sehe, das Anliegen einer Neudeutung von Subjektivität, welche diese als gleichsam *in und durch Erscheinung gezeugt* zu interpretieren sucht (ebd. 308 f.).

Gerade angesichts solcher Nähe muss man, von Barth aus denkend, umso erstaunter sein, wenn nun die Erscheinung als Sphäre des Zeigens und Sich-Zeigens ihrerseits wieder zum *Untersuchungsfeld* (ebd. 282 f., 302) wird und das Bestreben dahin geht, ihre „*Gesetzmäßigkeiten*" (ebd. 278) zu erforschen. Wird in solcher Intention aus der Gabe des Gebens und Sich-Gebens nicht unversehens wieder ein Gegebenes? Patočka bestreitet zwar die Ablösbarkeit der Erscheinung als dem schlechthin Manifestativen vom einzeln Erscheinenden. Doch der ganze Zusammenhang der Erscheinung steht anscheinend einer wissenschaftlichen Inspektion seiner Strukturen offen. Er besitzt insofern ein autonomes Dasein, als es der Durchleuchtung durch den Forscher fähig ist. An dieser Konstellation wird auch dann nichts Wesentliches verändert, wenn die Forschung sich nicht als „Inspektion" oder „Durchleuchtung" versteht, vielmehr in einer sensibel-aufgeschlossenen *Haltung des Beschreibens* sich ihrem Gegenstand zuwendet. Auch dann tritt die Erkenntnis wie von außen an die zunächst einmal selbständig gedachte Erscheinung heran. Für Heinrich Barth entspräche dies wohl einer im wissenschaftlichen Rahmen durchaus legitimen Einstellung; doch die Aufgabe der Philosophie bestände für ihn darin, jederzeit das Als-ob bewusst zu halten, das in solcher Einstellung liegt. Erstlich und letztlich ist Erscheinung nichts, was einem Erkennen gegenüber liegt.

Abschließend einige Bemerkungen zur *Erscheinung als Frage*. Wie weit trägt dieses Paradigma? Offensichtlich sind seine Grenzen: Der Erscheinung eignet ein Moment der Erfüllung, das in der „Frage" nicht zum Ausdruck kommt. Man müsste dann sagen, dass Erscheinung nicht nur fragt, sondern auch antwortet, dass aber jede Antwort in ihr sogleich wieder zur Frage wird. Doch auch ein solches Frage-Antwort-Spiel vermag der Tiefe des Erscheinungsbegriffs wohl nicht gerecht zu werden. Nichtsdestoweniger ist das Paradigma der Frage geeignet, zumindest zwei Aspekte kraftvoll zur Geltung zu bringen. *Erstens* bietet die Frage eine gute Hilfestellung, wenn es darum geht, die Erscheinung in ihrer *zweifachen Position* innerhalb und außerhalb des Raumes der Erkenntnis zu denken. Die Frage zeigt einerseits einen *Mangel* an Erkenntnis an. Die Erscheinung als Frage ist so gesehen *noch keine Erkenntnis*, verlangt sie doch erst nach ihr. Andererseits setzt die Frage Erkenntnis voraus. Eine gute Frage zu stellen, ist bekanntlich oft schwerer, als darauf zu antworten. Fragen eröffnen Perspektiven, Sinndimensionen; an dieser Eröffnung ist uns am Ende vielleicht mehr gelegen als an der Fixierung von Antworten. Im Lichte solcher Auslegung gehört die Erscheinung dann aber fraglos *in* den Raum der Erkenntnis hinein, ja es verlagert sich geradezu dessen Schwerpunkt zu ihr hin. – Erscheinung bezieht sich für Barth nicht nur auf theoretische Erkenntnis; sie ist ebenso eindeutiger Bezugspunkt aller praktisch-existentiellen Erkenntnis. Das Paradigma der Frage verhilft uns nun – dies ist der *zweite Aspekt*, den es hervorzuheben gilt – zu einer überzeugenden Deutung des *Übergangs* von theoretischer zu existentieller Erkenntnis. Die Frage, der man auf dem Feld der Theorie nachgehen oder die man auf sich beruhen lassen kann, wird im existentiellen Zusammenhang zu *unserer* Frage, die kein Ausweichen gestattet. Die niemals distanzierbare Existenzfrage, *in* der wir existieren, kann auch nur *in* der Existenz, *durch* unser Existieren beantwortet werden. Und diese Beantwortung ist zugleich – Verantwortung.

Literatur

Barth, H. (1930): „Heidegger und Kant. Zu Martin Heideggers Buch über ,Kant und das Problem der Metaphysik'", in: *Theologische Blätter* 1930/6, 139-146.

- (1935/1936): „Das Erkenntnisproblem" (unveröffentl. Vorlesungsmanuskript, Universitätsbibliothek Basel, Nachlass 108, Signatur A 22).

- (1959): *Philosophie der Erscheinung. Eine Problemgeschichte*, Bd. 2 (Neuzeit), Basel.

Patočka, J. (1970/1971): „Der Subjektivismus der Husserlschen und die Möglichkeit einer ,asubjektiven' Phänomenologie" [1970] sowie: „Der Subjektivismus der Husserlschen und die Möglichkeit einer asubjektiven Phänomenologie" [1971], in: ders.: *Die Bewegung der menschlichen Existenz. Phänomenologische Schriften II*, Stuttgart 1991, 267-285 bzw. 286-309.

Rorty, R. (1981): *Der Spiegel der Natur. Eine Kritik der Philosophie*, Frankfurt/M.

Wittgenstein, L. (1984): „Tractatus logico-philosophicus", in: ders.: *Werkausgabe*, Bd. 1, Frankfurt/M., 7-85.

Erscheinung und Phänomen

Jens Soentgen

Ich erinnere mich noch deutlich, wie ich das erste Mal auf Barths Arbeiten stieß. Ein Buch mit Texten von ihm fand sich buchstäblich in der hintersten Ecke der Bibliothek des Pädagogischen Seminars im sogenannten AWE-Turm der Frankfurter Universität; es schien noch niemals ausgeliehen worden zu sein. Vorne war ein Bild des Verfassers abgedruckt: Ein behäbiger Schweizer Wohlstandsbürger, so schien es mir. Seltsam an seinem Gesicht waren die Augenbrauen – sie verdeckten die Augen fast vollständig, so dass der Mann, obwohl er einen anblickte, trotzdem verborgen blieb. Höchst sonderbar für einen Philosophen, dessen Grundbegriff das Erscheinen ist.

Barths Werk thematisiert den Begriff des Erscheinens, den er zunächst in einer zweibändigen Monographie mit dem Titel *Philosophie der Erscheinung* von der Antike bis zur Neuzeit historisch erforscht hat, und den er dann in seinem posthum veröffentlichten Hauptwerk *Erkenntnis der Existenz* systematisch diskutiert.

Erscheinen – das war und ist auch ein zentrales Thema der phänomenologischen Schule. Ein Vergleich der Positionen Barths mit den Positionen „der" Phänomenologie ist notwendig. Doch wird ein solcher Vergleich auch erheblich erschwert, da „die" Phänomenologie, kurz nachdem sie von Husserl ins Leben gerufen wurde, in die Vielstimmigkeit einer phänomenologischen Bewegung auseinanderdriftete. Auch Husserl selbst hat im Laufe seines überaus produktiven Forscherlebens in zentralen Fragen unterschiedliche Positionen bezogen, was einen Vergleich oft schwierig macht. Dennoch soll hier versucht werden, die Positionen Barths und der Phänomenologie zumindest aufeinander zu beziehen und auf Unterschiede, aber auch mögliche Gemeinsamkeiten hin durchzusehen. Dabei orientiere ich mich daran, wie Barth selbst den Unterschied zur Phänomenologie sieht und terminologisch fixiert. Daher werde ich in den folgenden Ausführungen Barth selbst umfangreich zu Worte kommen lassen. Ziel des folgenden Textes ist es, darzustellen, wie Barth seinen Erscheinungsbegriff – im Kontrast zum Phänomenbegriff – ausformt, und zu zeigen, welchen systematischen Gebrauch Barth von ihm macht.[1]

---

[1] Vgl. für eine Darstellung der Unterschiede zwischen dem Barthschen Erscheinungsdenken und der Phänomenologie, die vor allem bei seiner Logosphilosophie ansetzt, Wildermuth 2002.

Zurück zu den Phänomenen!

Einige philosophischen Motive bei Husserl und Barth ähneln sich. Da ist zunächst einmal die Aufwertung des Phänomenbegriffs, die gegenüber der Philosophie des 19. Jahrhunderts eine Neuerung darstellt. Husserl formuliert als das „Prinzip aller Prinzipien", das Erscheinende so hinzunehmen, wie es sich zeigt: „[...] daß jede originär gebende Anschauung eine Rechtsquelle der Erkenntnis sei, daß alles, was sich uns in der ‚Intuition' originär (sozusagen in seiner leibhaften Wirklichkeit) darbietet, einfach hinzunehmen sei, als was es sich gibt, aber auch nur in den Schranken, in denen es sich gibt." (Husserl 1950, 52)

Dieses fundamentale Motiv hat Barth sicherlich über Husserl kennengelernt und es sich zueigen gemacht. Auch er meint mit einem Phänomen zunächst das sinnlich Gegebene: „Es ist gemeint: was gesehen, gehört, berührt, d. h. was sinnlich wahrgenommen wird." (Barth 1965, 106) Und dieses sinnlich Gegebene ist dann das, was die philosophische Frage anregt.

Differenzen zwischen Husserl und Barth

In der konkreten Ausformung dieses Motivs freilich unterscheiden sich Barth und Husserl elementar. Denn Husserl legt den Phänomenbegriff insbesondere in seinen Arbeiten zur transzendentalen Phänomenologie bewusstseinstheoretisch aus. Das zeigt sich auch an seinem besonderen Verständnis der phänomenologischen Reduktion. Sie besteht bekanntlich darin, dass man die „Generalthesis der natürlichen Einstellung durchstreicht", also davon absieht, ob den so zur Selbstgegebenheit gebrachten Phänomenen auch ein wirkliches Korrelat in der Außenwelt entspricht. So komme man, lehrt Husserl in dem Artikel zur Phänomenologie für die *Encyclopedia Britannica*,[2] zur Umwendung des zuvor anders gerichteten Blicks. Als Folge dieser Umwendung erfasst man statt der Sachen schlechthin die entsprechenden subjektiven Erlebnisse. Damit werden zunächst Wahrgenommenes, Gefühltes, Gewolltes oder Gedachtes gleichgeschaltet: Diese Erlebnisse sind allesamt zunächst Bewusstseinsphänomene. Erst diese „Bewusstseinsphänomene" sind die Phänomene des Phänomenologen Husserl. Sie erweisen sich ihm als abhängig von bestimmten Bewusstseinsakten, den Noesen. Der Inhalt dieser Akte sind die Gegenstände, die Noemata. Das Bewusstsein hat jedoch in seinen Akten Priorität vor den Gegenständen. Die Arbeit des Phänomenologen bezieht sich nun darauf, wie diese Bewusstseinsphänomene sich als Folge des „transzendentalen Leistens" des transzendentalen Egos konstituieren. In Husserls Begriffsarchitektur gerät das Phänomen damit immer mehr unter den Einfluss des Subjekts, das seinerseits am Bewusstsein festgemacht wird. In

---

[2] Husserl 1985. – Die Phänomenbegriffe anderer namhafter Phänomenologen können hier nicht berücksichtigt werden; vgl. zu Heidegger, Sartre und Scheler jedoch Orth (Hg.) 1980.

einer späten Schrift, den *Cartesianischen Meditationen*, schrieb Husserl, das Bewusstsein sei eine „Sphäre absoluter Ursprünge". Und er erklärt: „Der Satz [behält] die fundamentale Geltung [...], daß alles, was für mich ist, seinen Seinssinn ausschließlich aus mir selbst, aus meiner Bewusstseinssphäre schöpfen kann." (Husserl 1992, 154)

Aber ist das Bewusstsein wirklich so autonom, wie Husserl meint? Barth gibt dagegen Folgendes zu bedenken:

„Was immer sich „in der Seele" ereignet, die seelisch-geistigen Ereignisse intellektueller, volitiver, emotionaler Ordnung – sie sind fraglos ‚wirklich'. [... doch] alles scheinbar in sich selbst sich bewegende geistig-seelische Leben [setzt] die intellektuelle, volitive und emotionale Auseinandersetzung mit der Erscheinung [voraus]." (Barth 1965, 105) „Nur in Bezogenheit auf die uns von Mirkokosmos und Makrokosmos gestellten Fragen gewinnen diese [geistig-seelischen] Akte überhaupt einen Inhalt." (Barth 1965, 105)[3]

Mit anderen Worten: Ohne Bezug auf Erscheinungen wären Gedanken letzten Endes bedeutungslos – sie wären damit auch keine Gedanken mehr. Das Bewusstsein, das im Husserlschen Schema die Phänomene fundieren soll, erweist sich selbst als Produkt einer Auseinandersetzung mit Erscheinungen.[4]

Barth geht noch weiter. Nicht nur behauptet er, dass alles, was sich im Bewusstsein abspielt, sich letztlich auf Erscheinungen bezieht – er ist sogar der Auffassung, dass jede Bewusstseinsregung selbst unaufhebbar in die Erscheinung tritt: „Hier darf noch einmal hervorgehoben werden," schreibt er, „daß sich, [...] auch die unscheinbare, verborgene geistig-seelische Regung unfehlbar in Physiognomie, Haltung und Gestalt des Menschen widerspiegelt, und dies nicht nur gelegentlich und partiell, sondern integral, so daß überhaupt keine menschliche Intention vorstellbar ist, die nicht in die Erscheinung tritt." (Barth 1965, 326) Für Barth ist also das Bewusstsein selbst unaufhebbar in die Erscheinungswelt verstrickt und kann auch deshalb nicht als das „hinter" ihr liegende Prinzip aufgedeckt werden.

---

[3] Auch der Husserl-Kenner und Husserl-Kritiker Theodor Adorno hat eine ganz ähnliche Kritik an der Bewusstseinsphilosophie vorgetragen hat. In Bezug auf die logische Philosophie Husserls schreibt er: „Der erste Band der Logischen Untersuchungen hat zur These, daß die logischen Sätze für alle überhaupt möglichen Urteile gelten. Insofern sie auf jegliches Denken von jeglichem Gegenstand anzuwenden sind, komme ihnen Wahrheit ‚an sich' zu: ihre Gültigkeit habe mit keinem Gegenstand etwas zu tun, eben weil sie alle Gegenstände beträfe. [...] Der Begriff solcher Sätze aber involviert notwendig ein Inhaltliches, sowohl mit Hinblick auf die Faktizität ihres eigenen Vollzugs, auf tatsächliches subjektives Urteilen, wie mit Hinblick auf die stofflichen Elemente, die auch dem abstraktesten Satz, sei es noch so vermittelt, zugrundeliegen, wenn er überhaupt etwas bedeuten, ein Satz sein soll. Daher ist die Rede vom Ansichsein der Logik streng nicht zulässig." (Adorno 1990, 73 f.)

[4] Weitere Kritikpunkte an der Bewusstseinslehre Husserls formuliert Barth in 1965, 162-168.

Was ist Barths Alternative zu den phänomenologischen Begriffen? Statt vom Subjekt spricht Barth vom In-die-Erscheinung-Tretenden. Damit wird das Subjekt nicht als eine Art Substanz verstanden, die irgendwie vorliegt, sondern als Ereignis, als Akt. Es ist klar, dass ein so umformuliertes Subjekt nicht mehr als Instanz taugt, die irgendwie „hinter" den Phänomenen steht und über sie Autorität hat. Anstelle des gewohnten Begriffs des Wahrnehmens, der die Vermittlung zwischen Subjekt und Objekt andeutet, spricht Barth vom „sich-Erscheinen-lassen" und deutet in dieser reflexiven Form eine Erinnerung an die mediale Form im griechischen *phainesthai* an. Das Wort lässt die Verantwortlichkeiten in der Schwebe und zerlegt die Situation beim Sehen oder Hören nicht in einen aktiven und einen passiven Teil. Es betont auch die Kontingenz des Erscheinens der Erscheinung. Dass etwas erscheint, ist nicht bloße Folge bestimmter Gesetze, sondern kontingent. Anstelle vom Objekt spricht Barth von der Erscheinung oder alternativ auch vom Sein. Der Objektbegriff ist für ihn eine konventionelle Schematisierung der Erscheinung. Auf Schematisierung beruht nach ihm auch die Wissenschaft: „Der erste Schritt der Wissenschaft besteht im umgrenzenden Herausheben eines ‚Etwas, das erscheint' aus eben dieser Erscheinung. Seine Setzung als identisches Etwas geschieht durch den grundlegenden Akt einer Begrenzung der Erscheinung, also durch die räumliche Fixierung in einem ‚hier', die erst erlaubt, von einem ‚Dies da' zu reden." (Barth 1939, 11).

Barth kennzeichnet Erscheinung als einen Weckruf (Barth 1965, 93; 1959, 280 f.; vgl. mit Bezug auf Barth auch Grund 1999, 86-91). Das ist eine glückliche Kennzeichnung. Denn der Weckruf ist nicht nur ein neutraler sinnlicher Funke, der vom Objekt zu einem schon wachen, schon kompletten Subjekt überspringt, zu einem Subjekt, dem es höchstens noch an Informationen fehlt. Bei Barth ist Erscheinung für den, dem sie erscheint, durchaus mehr: So bedeutet jedwede „Manifestation von etwas" für Barth „das Ereignis neuer, unvorhergesehener Existenz" (Barth 1965, 589).

Phänomen und Erscheinung

Die Aufteilung der Erscheinung in eine Vermittlung zwischen Subjekt und Objekt ist, so Barth, eine willkürliche Schematisierung. Sie trage, neben anderen Denkkonventionen, dazu bei, dass die Erscheinung festgestellt werde. An dieser Stelle markiert Barth die Differenz zum phänomenologischen Ansatz auch erstmals terminologisch. Den Phänomenbegriff der Wissenschaft und den Phänomenbegriff der Phänomenologen setzt er dabei gleich:

> „‚Erscheinung' ist nach ihrer Wortbedeutung äquivalent mit ‚Phänomen', doch besteht zwischen beidem ein sachlicher Unterschied. Von ‚Phänomen' reden wir in den Zusammenhängen wissenschaftlicher Welterfahrung. ‚Phänomen' ist wissenschaftlich ‚festgestellter' Gegenstand. Das Phänomen wird ‚festgestellt' durch die Anwendung wissenschaftlicher Kategorien, Begriffe und Schemata.

Seine Erkenntnis beruht auf Beobachtung, die von einer wissenschaftlichen Frage geleitet ist. Als Gegenstand solcher Frage hebt sich das Phänomen aus dem Konnex der Erscheinungen heraus. Was außerhalb des Phänomens liegt, darf von seinem Beobachter übersehen werden. Übersehen wird am Phänomen auch all das, was nicht in der Richtung der Frage des Beobachters liegt, indem es mit seinem wissenschaftlichen Anliegen nichts zu tun hat." (Barth 1967a, 72-84)

Auch der Phänomenbegriff der Phänomenologen ist in dieser Weise, so Barth, schematisiert. Dagegen macht er die von ihm so genannte intensive Mannigfaltigkeit der Erscheinungen geltend: „Es gibt kein Phänomen, das uns nicht grundsätzlich ein Hindurchblicken auf reichere und tiefere Erscheinung erlauben würde. Die Welt der Erscheinungen ist eine ,offene' Welt." (Barth 1967b, 74) Erscheinung ist für ihn gerade nichts, was einfach vorliegt und dann nachträglich festgestellt werden kann. Sie gestattet immer den Durchblick auf weitere Erscheinungen. Die Erscheinung erweist sich als etwas, das gerade nicht „gegeben" ist, sondern das auf eigentümliche Weise schillert. Mich erinnert dies an eine Beschreibung Albertines durch den Erzähler in Marcel Prousts *Suche nach der verlorenen Zeit*:

„An manchen Tagen glanzlos, mit grauer Gesichtsfarbe, trüber Miene, einem schräg durch die Augenlider laufenden durchsichtig-violetten Schein, wie man ihn manchmal unter der Flut des Meeres sieht, wirkte sie dann traurig wie eine Verbannte, an anderen hielt ihr glattes Gesicht auf seiner strahlenden Fläche alle Wünsche meiner Begierde auf und hinderte sie, tiefer einzudringen – außer ich sah sie dann plötzlich von der Seite her; denn ihre Wangen, die obenauf matt getönt waren wie weißes Wachs, schimmerten rosig durch [...]." (Proust 1983, 1242)

Die Beschreibung, die übrigens noch über mehrere Abschnitte fortgesetzt wird, ist der verzweifelte Versuch Marcels, das Bild der Geliebte festzuhalten, das sich ihm aber immer wieder entzieht. Wenn man von der Beschreibung wieder auf Barths Lehre von den Erscheinungen blickt, könnte man sagen: Etwas Albertinehaftes steckt in jeder Erscheinung.

Daraus ergibt sich eine weitere Differenz zur phänomenologischen Schule. Sie lässt sich an dem in dieser Schule verbreiteten methodischen Schlagwort von der Phänomengerechtigkeit festmachen. Dieses galt als Norm für die Beschreibung von Phänomenen. Der methodische Begriff der phänomengerechten Beschreibung ist ähnlich gebildet wie das moderne Schlagwort von der tiergerechten Haltung. Vom Standpunkt Barths aus wäre allerdings die Frage zu stellen, ob es phänomengerechte Beschreibungen überhaupt geben kann, da aufgrund der inneren Unendlichkeit jeder Erscheinung jede Beschreibung eine Verkürzung darstellt. Immerhin spricht Barth dem künstlerischen Blick die Fähigkeit zu, Erscheinungen in ihrer intensiven Mannigfaltigkeit wahrzunehmen. Er nennt als Beispiel die Porträtkunst:

„So tritt denn in das Licht unserer Aufmerksamkeit das ‚Bildnis' des einzelnen Menschen, von dem wir uns die denkbar beste Erkenntnis des Individuums versprechen dürfen. Denn das Bildnis hat zur Voraussetzung nicht nur ein ‚Erblicken' des Menschen, sondern das intellektuell unversehrte Sich-erscheinen-Lassen der Integrität und Tiefe seiner Erscheinung." (Barth 1965, 325 f.)

In der schroffen Entgegensetzung von künstlerischem Sehen und dem von Konventionen und Schematisierungen geprägten wissenschaftlichem Sehen ähnelt Barths Lehre den kunstphilosophischen Überlegungen von Konrad Fiedler. Auch Fiedlers Kunstphilosophie, die von vielen Künstlern der Moderne intensiv rezipiert wurde, lehrt ja, dass Künstler Sehkonventionen durchbrechen und auf diese Weise, vermittelt über ihre Bilder, etwas sichtbar machen können. Diese Auszeichnung des künstlerischen Sehens ist auch nicht unplausibel, wenn sie auch für eine umfassende Charakterisierung künstlerischer Produktion kaum hinreichend sein dürfte. Problematischer erscheint mir die Art und Weise, in der Barth das wissenschaftliche Sehen beschreibt. Dieses verkürze, so lehrt er, durch den begrifflichen Vorgriff die Erscheinungen. Sicherlich ist Wissenschaft auf die begriffliche Beschreibung der Erscheinungen angewiesen, auf die Ausweisung von etwas ‚als' etwas. Aber auch der begriffliche Vorgriff kann etwas sichtbar machen. Mein Beispiel hierfür ist die eigenartige Entdeckung des sogenannten Haarlemer Exemplars des Urvogels Archaeopterix lithographica. Die Archaeopterix-Fossilien sind aufgrund ihrer Bedeutung für die Evolutionstheorie die wichtigsten Fossilien, die bislang gefunden wurden. Bis 1970 kannte man nur drei Exemplare.

Nun zur Geschichte des sogenannten vierten Exemplars. Dieses Fossil schlummerte seit 1860 in einer Vitrine des Haarlemer Teyler-Museums. Eine kleine Kalksteinplatte mit ein paar Knochen, die als Reste eines Pterodactylus crassipea, einer Dinosaurierart, klassifiziert war. 1970 kam ein amerikanischer Paläontologe, John Ostrom, nach Haarlem und ließ das Fossil aus der Vitrine holen. Bei der Betrachtung der Knochen fielen ihm Unstimmigkeiten auf; die Knochen passten nicht zu der Art, unter die das Fossil subsumiert war. Da bemerkte Ostrum um die Armknochen herum einige ganz schwache Abdrücke, die ihn an Federn denken ließ. Da ging ihm ein Licht auf. Ostrom hatte auch die drei Archaeopterix-Exemplare in Berlin, London und auf dem Maxberg sorgfältig untersucht. Er kannte diese Armknochen: Er hatte einen vierten Archaeopterix vor sich. Die kleine Geschichte zeigt meiner Ansicht nach, dass eine gewisse begriffliche Schematisierung nicht nur verkürzend sein muss, wie von Barth suggeriert, sondern durchaus auch die Wahrnehmung eines Gegenstandes vertiefen und um Details bereichern kann. Insofern wirkt Barths Entgegensetzung von künstlerischem Sehen auf der einen Seite und wissenschaftlicher Schematisierung auf der anderen selbst wie eine Schematisierung.

Eine zweite Differenz zwischen dem Phänomenbegriff der Phänomenologen und dem Erscheinungsbegriff Barths liegt in der Wertindifferenz des gewöhnlichen Phänomenbegriffs:

„Im Phänomen dürfen wir scheinbar nicht mehr sehen als eine wertindifferente ‚Tatsache'. Allein auch diese scheinbar höchst wissenschaftliche Neutralisierung und Nivellierung der phänomenalen Tatbestände beruht auf einer epochal begründeten Kurzschlüssigkeit, die im Hinblick auf den wenig besinnlichen modernen Wissenschaftsbetrieb nur allzu gut verständlich ist." (Barth 1967b, 93)

Um seine These, dass Erscheinung, im Gegensatz zum nivellierten Phänomen, werthaltig sei, plausibel zu machen, rekurriert Barth zunächst wiederum auf das Ästhetische. Menschen erfahren im Erlebnis der Musik, der Kunst Erscheinungen als etwas Gutes, Bereicherndes: „Es bedeutet dem Menschen etwas, sich Erscheinung erscheinen zu lassen, in seinem persönlichen Sein geht es ihn etwas an." (Barth 1967b, 94) An diesem Beispiel sehe man, dass der Erscheinung als solcher durchaus eine Wertbedeutung zuerkannt werden kann, auch wenn diese nicht immer so offensichtlich sein mag, wie bei Hervorbringungen der Kunst. Freilich könnte man einwenden, dass dieses Beispiel wenig überzeugend ist: Natürlich können Kunstwerke als etwas Werthaftes, Gutes angesehen werden – sie werden ja auch in der Absicht hergestellt, Menschen anzugehen! Doch bezieht Barth seine These auch auf natürliche Erscheinungen: „Die Erscheinungswelt als solche hat einen Symbolgehalt der Güte; denn es ist besser, daß sie ‚ist', als daß sie ‚nicht ist'." (Barth 1967a, 82) Somit scheint Barth anzudeuten, dass Erscheinungen als solche gut sind, unabhängig davon, welchen Inhalt sie haben: „Wir gehen vielleicht bis an den äußersten Rand dessen, was in sachlicher Aussage vertreten werden kann, wenn wir uns dahin aussprechen, daß in der Erscheinung als solcher ein Moment der Beglückung enthalten ist: der Beglückung darüber, daß etwas ‚da-ist'." (Barth 1965, 672) Die Instanzen, die sich einer solchen Aussage entgegenstellen lassen, liegen auf der Hand. Man muss nicht lange nachdenken, um auf Erscheinungen zu kommen, bei denen dasjenige, was erscheint, so überwältigend negativ ist, dass man eher wünschte, dass gar nichts erschiene.

Doch Barth lässt selbst den Geltungsanspruch seiner Aussage in der Schwebe. Eine Situation, in der gar keine Erscheinung vorliegt, lässt sich überhaupt nicht klar vorstellen, geschweige denn bewerten. Der Wertaspekt der Erscheinung ist sicherlich für Barth von hoher Bedeutung. In gewisser Weise entzieht er sich aber tatsächlich der sachlichen Diskussion.

Das gilt nicht für den folgenden Gesichtspunkt, der das Erscheinen der Erscheinung betrifft. Barth wirft dem wissenschaftlichen und dem phänomenologischen Phänomenbegriff vor, diese kürze die Erscheinung um ihre Ereignisbedeutung, d. h. um ihre zeitliche Dimension, und mache aus den Erscheinungen etwas, das ‚fertig' vorliegt. Es ist bemerkenswert, dass unabhängig von Barth auch von dem Husserl-Schüler Jan Patočka dieser Punkt klar formuliert worden ist: „Erscheinen, Offenbarwerden, Manifestwerden war seit jeher, von den Anfängen der Philosophie an, ein Problem. Es wurde aber als Erscheinen nicht thematisiert, sondern meistens wurde das Problem des Erscheinens sofort mit dem

Problem der Struktur und Relationen dessen, was erscheint, verschmolzen." (Patočka 2000, 273)

Barth arbeitet jedoch dieses Motiv eingehender als Patočka heraus: „Von der ‚Erscheinung' sehen wir uns unmittelbar auf den Verbalbegriff des ‚Erscheinens' verwiesen, in dem uns Erscheinung als Ereignis, sich vollziehend in aktueller Gegenwart, begegnet." (Barth 1967b, 92) Von der gewöhnlichen Wissenschaft, und ähnlich auch in Barths Wahrnehmung von der Phänomenologie, werde das Phänomen jedoch als etwas angesehen, das zeitlos ist, sozusagen ‚an sich' vorliegt und für das es demgemäß nicht ins Gewicht fällt, ob es gesehen und gehört wird. Für Barth ist es aber entscheidend, dass Erscheinung nur wirklich ist in ihrem Erscheinen und nicht ‚an sich'.

Im Alltag, und besonders in der gesehenen Welt, unserem Standard für den Phänomenbegriff, spielt die Ereignisbedeutung der Erscheinung nur eine geringe Rolle. Was auch immer wir sehen, oft sind wir der Meinung, es sei dasselbe wie das, was wir gestern gesehen haben, und werde auch morgen nicht anders sein. Die Einsicht, dass es überhaupt nicht möglich ist, zweimal genau dasselbe zu sehen, verdrängen wir gewöhnlich.

Auffällig wird jedoch die Zeitlichkeit der Erscheinung im akustischen Bereich. Einen Ton, einen Klang hören wir nur im Augenblick seines Ertönens. Wenn er nicht mehr erklingt, ist er nicht mehr. Gewiss ist es möglich, Klänge derselben Sorte zu produzieren, doch ein bestimmter individueller Klang existiert nur solange, wie er klingt, und ist dann verloren. Und so ist auch das Wort, das wir von einem anderen hören, immer wieder ein neues In-die-Erscheinung-Treten.

Man kann es zugespitzt so ausdrücken: Was auch immer wir hören, was auch immer wir sehen – wir sehen es jetzt – und dann nie wieder.

Walter Benjamin hatte bereits den Glauben an die beliebige Reproduzierbarkeit kritisiert und seine Hintergründe ausgeleuchtet. In seinem Aufsatz über das „Kunstwerk im Zeitalter seiner technischen Reproduzierbarkeit" schrieb er: „Die Dinge sich räumlich und menschlich ‚näherzubringen' ist ein genau so leidenschaftliches Anliegen der gegenwärtigen Massen wie es ihre Tendenz einer Überwindung des Einmaligen jeder Gegebenheit durch die Aufnahme von deren Reproduktion ist." (Benjamin 1974, 479)

Doch Barth unterstreicht mit seinem Begriff des Erscheinens der Erscheinung mehr, nämlich die Einmaligkeit nicht nur jeden Kunstwerks, sondern *jeder* Erscheinung. Alles, was wir hören und sehen, ist ein zeitliches Ereignis und entzieht sich als solches der Verfügbarkeit. Es ist vorbei, wenn es vorbei ist.

Selbst wenn wir vorbereitet sind und uns mit technischen Hilfsmitteln umgeben, um zu filmen, zu notieren oder aufzunehmen – es ist nicht möglich, das Erscheinen der Erscheinung zu erfassen und wiederholbar zu machen. Vielmehr entzieht es sich gerade, wenn wir versuchen, es sicherzustellen. Denn durch die Perfektionierung der Wiederholung verlieren wir nur die Zeit, in der die Dinge wirklich geschehen. Wir erreichen durch unsere Reproduktionsversuche nur dies, dass das Ereignis gar nicht stattfindet, sondern von Anfang an durch ein anderes ersetzt wird, durch unser Filmen, Notieren oder Aufnehmen.

Das gedankliche Motiv des Erscheinens eignet sich nicht nur zur Kritik an der Vorstellung von der Reproduzierbarkeit der Erscheinungen. Es ist auch geeignet, die damit verwandte Vorstellung eines notwendigen Ablaufs der Erscheinungen, der von Naturgesetzen gesteuert wird, zu kritisieren. Das Geschehen in der Zeit wird dabei nivelliert zu der Vorstellung von einem rollenden Band, das aus der Zukunft auf den Betrachter zukommt, um dann wieder im Schatten der Vergangenheit zu versinken, wie die Bilder einer Filmspule: „Die künftigen Erscheinungen werden als schon vorhanden vorgestellt, wiewohl sie der Betrachtung ‚noch verborgen' sind." (Barth 1965, 243 f.) Hier werden Erscheinungen verdinglicht und ihrer Zeitlichkeit beraubt. Demgegenüber macht Barth geltend, dass ohne das Erscheinen, also ohne das Gehört- oder Gesehenwerden, keine Erscheinung stattfinden kann.

Barth entwickelt verschiedene Argumente, um seine Lehre vom Erscheinen der Erscheinung zu stützen. Zum einen sind diese Argumente sinnkritisch, das heißt, sie kommen daher als eine Explikation des Sinnes des Wortes „Erscheinung". Barth schließt sich mit diesen Argumenten an Berkeley an, mit dem er sich intensiv auseinandergesetzt hat und von dem das gedankliche Motiv zweifellos angeregt ist: „Was ist ein Ton, der nicht gehört wird? Vom Tone kann nur als von einem akustischen Phänomene die Rede sein. Es wäre ein Widersinn, den Ton in die ihm entsprechenden Erschütterungen der Luft zu verlegen." (Barth 1959, 306) Das Analoge gilt von visuellen Empfindungen. Zustimmend zitiert Barth auch ein berühmtes Argument Berkeleys, das sich auf einen naheliegenden Einwand bezieht:

„Es wird eingeworfen: Nichts ist leichter, als sich Bäume in einem Park oder Bücher in einem Verschlusse vorzustellen, bei denen niemand da ist, der sie wahrnimmt. Die Antwort lautet: Dies mag so sein. Eben damit bildet man aber im Geiste gewisse Vorstellungen, die man ‚Bäume' und ‚Bücher' nennt. Es wird übersehen, daß bei diesen Vorstellungen jemand da ist, der diese Dinge wahrnimmt oder an sie denkt." (Barth 1959, 313)[5]

Wie könnte man zeigen, dass Erscheinungen auch ohne ihr Erscheinen existieren? Lichtenberg hat einmal die Frage formuliert: „Können Mädchen im Dun-

[5] Vgl. auch die Diskussion dieses Arguments mit Bezug auf die internationale Berkeley-Forschung (Kulenkampff 2002, 107-113). – Man könnte auch eine moderne Version des Beispiels formulieren: So sendete die Raumsonde Huygens Daten vom Saturnmond Titan. In den Berichten über das Ereignis heißt es, dass Bilder und Windgeräusche gesendet werden – wie ein Ding, das man verpacken und über Millionen Kilometer verschicken kann. Tatsächlich sind aber auch diese Erscheinungen nicht „an sich" da, sondern werden erst zu Geräuschen und Bildern im Darmstädter Forschungszentrum, wo die Wissenschaftler sitzen, welche sich die aus den gesendeten Daten errechneten Repräsentationen erscheinen lassen.

keln erröten?" – Die Pointe soll sein: Es lässt sich nicht feststellen, denn zur Beantwortung der Frage wäre laut Lichtenberg Licht erforderlich. Das sinnkritische Argument von Berkeley, das auch Barth adoptiert, ist aber grundsätzlicher. Dass eine Kälte, die nicht gespürt wird, trotzdem als Kälte existiert, ein Knall, den keiner hört, trotzdem geknallt hat: Es lässt sich nicht nur nicht feststellen, sondern gemäß dem sinnkritischen Argument nicht einmal denken: Man begeht einen performativen Selbstwiderspruch dabei. Denn sobald von solchen Erscheinungen gesprochen wird, die für sich da sind, ist schon jemand da, der sie zwar nicht sieht, aber imaginiert: derjenige nämlich, der soeben den Gegenbeweis antreten will.

Eine dem „Alltagsverstand" naheliegende Verdinglichung des Erscheinens der Erscheinung verwirft Barth. Es ist die Vorstellung, dass Lichtstrahlen aus der Außenwelt mein Auge erreichen und dann durch das Gehirn ein Bild errechnet wird. Bei diesem Gedankengang wird das Erscheinen laut Barth nicht erklärt, sondern vielmehr bereits vorausgesetzt: „Das Auge muß gesehen und erforscht werden, bevor zur Sprache kommen kann, inwiefern es im optischen Prozesse zum zentralen Faktor wird." (Barth 1965, 179) Die Streitfrage ist auch in der Phänomenologie und in ihrem Umfeld viel verhandelt worden (siehe etwa Straus 1956, 167-194 oder Schmitz 1978, § 236a).

Neben diesen Absicherungen nutzt Barth natürlich, wie ja auch naheliegt, die aktuelle Naturwissenschaft seiner Zeit, um seine These zu verdeutlichen. Die Vorstellung eines von aller Beobachtung unabhängigen Naturobjekts wird ja nicht nur von der Philosophie her, sondern, seit dem Aufkommen der Quantenmechanik, auch in der Physik in Frage gestellt. Denn bei der Beobachtung sehr kleiner Objekte hat sich herausgestellt, dass die Beobachtung nicht etwa ein neutraler Vorgang ist, der den Gegenstand so lässt, wie er ist, sondern diesen Gegenstand selbst verändert. Barth formuliert das so:

„Auf dem mikrophysikalischen Felde ist die Operation der wissenschaftlichen Beobachtung dem physikalischen Probleme notwendig zugehörig. Hier muß der ‚Gegenstand' zu einer völlig fiktiven Größe werden, indem ja die Ausgrenzung eines ‚subjektiven' Faktors, dem er ‚gegenüberliegen' würde, hinfällig wird. Es gibt hier nur ein einziges phänomenales Problem, das der Entgegensetzung von ‚Ich und Gegenstand' enthoben ist." (Barth 2003, 45)

Barths These, dass das Erscheinen nicht etwa ein entbehrliches Zubehör der Erscheinungen ist, sondern integral dazugehört, scheint mir argumentativ solide ausgearbeitet. Barth hat dieses Thema über Jahrzehnte hinweg bearbeitet und ist seiner historischen Entwicklung eingehend nachgegangen. Von den von ihm entwickelten Argumenten konnte hier nur eine kleine Auswahl präsentiert werden, die gleichwohl vielleicht zu überzeugen vermag. Gerade in der Behauptung, dass es keine Erscheinungen gibt, die nicht gehört oder gesehen oder gefühlt werden, liegt ein empfindlicher Angriff auf das normale Weltverständnis, der meist abgewehrt wird.

Dabei liegt in dieser Einsicht auch etwas Befreiendes: Denn die Wahrnehmung, das Erscheinen-lassen von Erscheinung, wird aufgewertet und zugleich dynamisiert. Die Sinnlichkeit des Menschen ist, so könnte man im Anschluss an Barth sagen, nichts ein für alle Mal Fertiges. Sie ist bildbar[6] und kann sich entwickeln und sich für neue Erscheinungen erschließen. Sie ist schließlich, wie die Sinnlichkeit aller anderen Lebewesen, aus einer Entwicklung hervorgegangen. Nicht nur die Erscheinungen, sondern auch das Erscheinen hat einen geschichtlichen Aspekt. Daher hat es auch einen offenen Horizont.

Erscheinung und Wirklichkeit

Dass es keine Erscheinung ohne die Aktualität ihres Erscheinens geben kann, dass Erscheinungen also nicht sein können, ohne gesehen, gehört zu werden, ist ein Punkt, den Barth immer wieder betont. Zugleich spricht er der Erscheinung einen fundamentalen Status zu. Was erscheint, ist für ihn vorbehaltlos wirklich. Erscheinungen an einem äußeren Wirklichkeitskriterium zu messen, ist aus seiner Sicht nicht möglich. Damit ist natürlich nicht gesagt, dass automatisch auch jede Aussage über Erscheinungen wahr wäre. Täuschungen kann es durchaus geben – auf der Ebene der Interpretationen. Die Erscheinung selbst täuscht nicht – sie ist wirklich. Ist also auch *nur* das wirklich, was erscheint?

Das ist gerade nicht die Meinung von Barth. Vielmehr gewinnt er aus einer Meditation über die Erscheinungswelten der Tiere ein Argument, dass das, was uns erscheint, kein absolutes Maß für Wirklichkeit ist.

Auch wenn Barth Berkeleys Philosophie als eine wichtige Möglichkeit erscheinungsphilosophischen Denkens auszeichnet und gegen Einwände verteidigt, macht er sich dessen Prinzip eines *esse est percipi* doch nicht zueigen. Erscheinung hat zwar fundierende Bedeutung für das, was wir Wirklichkeit nennen, jedoch stellt er fest: „Wirklichkeit fällt mit der Erscheinung freilich nicht zusammen. Sie hat eine weitere Bedeutung als Erscheinung. Doch würde mit dem Ausfall der Erscheinung alles Wirkliche, alle Verwirklichung und damit auch alle Existenz zunichte werden." (Barth 1967b, 90) Das, was erscheint, ist zwar wirklich. Es ist aber nicht *die* Wirklichkeit. Sonst würde es ja auch keinen Sinn haben zu sagen, dass Erscheinungen in intensiver Mannigfaltigkeit erscheinen, d. h. dass in jedem Erscheinen mit einer Tiefe von noch verborgenen, weiteren Erscheinungen zu rechnen ist, die aktuell nicht erscheinen, jedoch erscheinen können.

Bei der Betonung des zeitlichen Charakters der Erscheinung stellt sich freilich noch ein weiteres Wirklichkeitsproblem, das Barth anlässlich seiner Diskus-

---

[6] Dies geht soweit, dass sich ganz eigene Sinnesmodalitäten neu erschließen können, wie etwa der Vibrationssinn, den manche Menschen, die taub sind, so weit entwickeln können, dass sie geradezu Musik empfinden können. Vgl. mit vielfältigem empirischem Material Katz 1969, 190-195.

sion der Philosophie von Berkeley formuliert hat: „Muß [...] nach den Prinzipien Berkeleys nicht gefolgert werden, daß nicht zwei Menschen dasselbe Ding sehen können? Hier droht freilich jene Auflösung aller Erkenntnis wirklichen Seins, die schon bei der sophistischen Berufung auf reine Phänomene in bedenkliche Nähe rückt." (Barth 1959, 311) Barth zweifelt, ob die Lösungen, die Berkeley für dieses Problem anbietet, wirklich tragen. Für seine eigene Lösung der hier auftauchenden Fragen gibt seine Lehre von der Bedeutsamkeit das Stichwort. In jeder Erscheinung erscheint etwas. Dieses Etwas wird in der Aussage expliziert und gestattet auch die Identifikation der Erscheinung.

Dennoch scheint die Frage bestehen zu bleiben, wie es möglich ist, dass zwei Personen zu gleichen Aussagen über Erscheinungen gelangen. Auf diese Frage gibt Barth verschiedene Antworten. Er gibt zum einen zu, dass die geteilte Wirklichkeit vielfach ein Ergebnis von Konventionen ist. Für das Problem, wie wahre Aussagen über Erscheinungen möglich sind, entwickelt er neben dieser konventionalistischen Lösung auch, anders als Berkeley, der hier eine theologische Option verfolgt, eine transzendentalphilosophische Auffangstellung. So ist die Erscheinung in ihrer Bedeutung nach Barth im transzendentalen Prinzip des Seins verankert (Barth 1967, 96). Barths transzendentalphilosophische Verankerung seiner Philosophie ist mehrfach angegriffen worden (siehe Schmitz 2002b, Grund 1999; und in der Metakritik in Bezug auf Grund Schwaetzer 2000). Diese Diskussion kann hier nicht aufgearbeitet werden. Zu dem bezeichneten Problem allerdings könnte man vielleicht auch, solange die Fragen nicht endgültig entschieden sind, provisorisch eine pragmatische Haltung einnehmen. Die Möglichkeit, dass in den Erscheinungen etwas Identisches erscheint, auf das man sich mit anderen einigen kann, kann dann nicht apriorisch postuliert, sondern nur als heuristische Maxime unterstellt werden. Die Entscheidung, welche Aussagen man für wahr hält, muss freilich am Ende jeder einzelne treffen (vgl. auch Schmitz 1990, 34).

Exkurs: Zur Kritik am inhaltlichen Erscheinungsbegriff durch Hermann Schmitz

Barths inhaltlicher Erscheinungsbegriff ist von Hermann Schmitz (Schmitz 2002b) scharf kritisiert worden, der seinen eigenen formalen Phänomenbegriff dagegenhält, der Phänomene als Sachverhalte auffasst, denen jemand zu einer Zeit seine Anerkennung, dass es sich um Tatsachen handelt, nicht verweigern kann. Dieser Begriff hat viele Vorteile, aber auch manche Nachteile. So erweist die Definition, dass das Wort „Phänomen" in der Phänomenologie von Schmitz entbehrlich ist, es ließe sich durch den Begriff der Tatsache ersetzen. Damit wird aber zweifelhaft, ob dieser Phänomenbegriff das Spezifische, worum es dem Phänomenologen zu tun ist, benennen kann. Was unterscheidet ihn von einem Chemiker, einem Botaniker, einem Physiker? Schmitz' Position als Phänomenologe bleibt mit seinem formalen Phänomenbegriff eigentümlich unterbestimmt.

Schmitz hilft sich hier entweder mit der Auskunft, dass es die Lebenserfahrung sei, an welcher der Phänomenologe alle seine Begriffe „eichen" müsse. Dem Phänomenologen gehe es darum, die *impressions* hinter den *ideas* aufzuspüren, also die unwillkürlichen Eindrücke, welche bestimmte philosophische Begriffe oder Redensarten fundieren, wie er mit einem von Hume übernommenen Ausdruck sagt (Schmitz 1990, 33).

An dieser Stelle kommt der Begriff des Eindrucks ins Spiel, und das ist kein Zufall. Vielmehr hat es eine gewisse Notwendigkeit, dass Schmitz neben seinem formalen Phänomenbegriff selbst einen inhaltlichen verwendet, der in seiner Phänomenologie sogar ein immer weiter steigendes Gewicht erhält: Es ist eben dieser Begriff des Eindrucks. Ähnlich wie Erscheinungen bei Barth eine intensive Mannigfaltigkeit aufweisen, sind Eindrücke bei Schmitz vielsagend. Sie sind die natürlichen Einheiten der Wahrnehmung (Schmitz 1994, 6 f.), ja Schmitz schreibt sogar:

> „Wir empfangen Eindrücke und machen aus ihnen Gegenstände. Eindrücke sind Situationen, in denen jeweils vielerlei ganzheitlich zusammengefaßt ist, wobei dieses Viele aber nicht aus lauter einzelnen Stücken besteht, vielmehr mangelt es mehr oder weniger, ganz oder teilweise, an Entschiedenheit darüber, welche Teile des Ganzen mit welchen identisch, welche von welchen verschieden sind. Daher sind solche Eindrücke zwar reich, aber nicht zahlfähig, so daß der Reichtum durch eine Anzahl bestimmt werden könnte." (Schmitz 1988, XIII)

Auch Schmitz geht, wie Barth, davon aus, dass solche Eindrücke im alltäglichen Wahrnehmen, besonders im Wahrnehmen der Wissenschaft schematisiert werden, wobei ihr Vielsagendes verlorengeht. Ja, Schmitz weitet die These zu einer kulturkritischen Diagnose aus:

> „Ein für die europäische Kultur grundlegendes Ereignis, das mehr als jedes andere die in ihr leitende Weltanschauung geprägt hat, besteht in der Weigerung, Eindrücke als Gegenstände gelten zu lassen; da sie aber doch als das primär Erlebte und Maßgebende jederzeit vorkommen, mußte man sie in das Weltbild, das man sich zurechtmachte, einordnen, und das geschah durch künstliche Zersetzung der Eindrücke in einen subjektiven Anteil, der auf die auch schon aus anderen Motiven bereitgestellten Seelen der einzelnen Menschen abgewälzt wurde, und einen objektiven, den man aus den vollen Eindrücken so herausgefiltert hat, daß nur wenige gut beobachtbare, klassifizierbare, nachprüfbare und manipulierbare Merkmale als Abstraktionsbasis für die Bildung von Begriffen über die sogenannte Außenwelt übrig blieben." (Ebd. XIV f.)

Ähnlich wie Barth misst Schmitz den Künstlern und Dichtern die Fähigkeit zu, sich an Eindrücken in ihrer ganzen Komplexität zu orientieren. Auch bestimmte wissenschaftliche Traditionen, etwa die chinesische Medizin oder die Alchemie oder Astrologie, sind noch eher an Eindrücken orientiert. Schmitz eigene Variante der Rettung der Phänomene erweist sich als eine Rettung der Eindrücke, wenn man so sagen darf. In der folgenden Selbsteinschätzung kommt dies deutlich zum Ausdruck:

> „Mit der Aufgabe, den Eindrücken, die im unbefangenen Kennen, Wahrnehmen und Verhalten jedem Menschen das Vertrauteste sind, in ihrer reichen Fülle mit wissenschaftlicher Systematik, analytischer Schärfe und empirischer Elastizität auf breiter Front gründlich nachzugehen, scheint sich im europäischen Kulturkreis vor mir noch niemand beschäftigt zu haben." (Ebd. XV)

Schließlich greift Schmitz heftig die transzendentalphilosophischen Überlegungen von Barth an – aber in seiner eigenen Philosophie hat die Wirklichkeit, ebenso wie auf der Seite der praktischen Philosophie die Gefühle, durchaus einen Status, der zumindest quasitranszendental genannt werden könnte. Mir liegt es fern, die philosophischen Intentionen von Schmitz und Barth auf einen Nenner bringen zu wollen. Insbesondere im Bereich der Subjektivitätsphilosophie und der praktischen Philosophie gehen ihre Ansichten weit auseinander. Ich finde aber in der von diesen beiden Denkern vertretenen Ontologie, vor allem in ihrem Denken über Erscheinung bzw. Eindrücke so viele Gemeinsamkeiten, dass es mir geboten schien, die brüske Abgrenzung, die Schmitz in seiner zitierten Kritik vollzogen hat, zu korrigieren. Es ist bedauerlich, und für die öffentliche Wahrnehmung verheerend, dass in dem recht überschaubaren Kreis derjenigen Philosophen, die sich für die Themen Phänomen und Phänomenalität interessieren, der Wunsch nach Eigenständigkeit anscheinend größer ist als das Interesse daran, Verbindungen herzustellen und Gemeinsamkeiten zu entdecken.

Erscheinung als Verbindungsglied zwischen Ontologie und Existenzphilosophie

Ich habe zu zeigen versucht, wie Barth den Erscheinungsbegriff systematisch erweitert und dynamisiert, und zwar sowohl gegenüber dem wissenschaftlichen wie auch gegenüber dem phänomenologischen Phänomenbegriff. Erscheinung ist bei ihm, wie er immer wieder betont, „offene Möglichkeit", und nicht ein fertig vorliegendes *factum brutum*.

Nun ist aber diese Aufwertung und Ausarbeitung kein reiner Selbstzweck. Sie soll nämlich auf bestimmte systematische Fragen ein neues Licht werfen. Gerade darin unterscheidet sich der Erscheinungsbegriff Barths vom Phänomenbegriff Husserls und der Phänomenologen. Denn der Phänomenbegriff hat vor allem einen methodischen Sinn – er soll den Geltungsanspruch bestimmter Aussagen sichern beziehungsweise ein Vehikel für die Kritik an bestimmten Geltungsansprüchen sein; daher der vor allem in der frühen Phänomenologie verbreitete Ausspruch: „Das ist kein Phänomen, sondern eine Konstruktion!" In dieser Funktion ist der Phänomenbegriff auch von den auf Husserl folgenden

Phänomenologen bis hin zu Hermann Schmitz[7] verwandt worden, und zwar durchaus erfolgreich.

Eine methodische Funktionalisierung des Erscheinungsbegriffs kommt für Heinrich Barth nicht in Betracht: Geltungsansprüche werden ausschließlich argumentativ entschieden. Als methodische Grundregel sind für ihn nur die Sachlichkeit der Auseinandersetzung von Bedeutung und die Maxime, dass die Vergangenheit, insbesondere vergangene Philosophie, ein stetes Mitspracherecht hat. Daher seine umfangreiche und äußerst gewissenhafte Auseinandersetzung mit der philosophischen Tradition, die auch Denker einbezieht, die von der akademischen Philosophie seiner Zeit eher nicht beachtet wurden. Eine methodische Zurichtung der Phänomene, wie sie in der Phänomenologie unter den Titeln der phänomenologischen Reduktion oder Revision empfohlen wird, wäre ihm als eine willkürliche Zumutung erschienen. Für den „Umgang" mit den Erscheinungen gibt er kein Rezept. Er empfiehlt eine gelassene, hellhörige und weitsichtige Offenheit, die immer mit etwas Neuem, nie Gesehenem und nie Gehörtem rechnen sollte. Mit einer gewissen Berechtigung misst er besonders Künstlern die Fähigkeit zu, sich Erscheinungen in ihrer integralen Komplexität erscheinen zu lassen, unverkürzt durch vorgreifende Schematisierung.[8]

Dass man lernen kann, Erscheinungen immer tiefer zu verstehen, und durch Vergleiche und die Erweiterung der Erfahrung zu einer vertieften Deutung gelangen kann, zeigt er am Beispiel des Verstehens in der Physiognomie. Doch erinnert er daran, dass absolute Wiederholungen nicht vorkommen: „So ist auch in aller Physiognomie etwas beschlossen, das noch nicht dagewesen ist, so daß es zu seiner Erkenntnis zum mindesten ein Moment originalen Verstehens erfordert." (Barth 1965, 395) Seine eigene gedankliche Auseinandersetzung mit den Erscheinungen, aber auch mit den philosophischen Meinungen über die Erscheinung haben nicht zu einer erscheinungsbasierten Methode der Lösung philosophischer Probleme geführt, sondern zu einem reichhaltigen Erscheinungsbegriff, dessen Bestimmungsstücke umfangreich argumentativ abgesichert sind. Dieser Begriff wird von Barth dann dazu verwendet, systematische Fragen in eine neue Perspektive zu stellen.

---

[7] Vgl. mit Bezug auf Husserl Schmitz 2002a, 13-22, mit kritischem Bezug auf Barth Schmitz 2002b.

[8] Die Behauptung, dass Künstler eine besondere Gabe des Sehens oder Hörens haben, ist sicherlich im großen und ganzen einleuchtend. Barths immer wiederkehrende Ansicht, dass die Naturwissenschaften nur schematisierte Phänomene zulassen, wirkt aber selbst stark schematisiert. Sie schert alle Naturwissenschaften über einen Kamm. Auch für viele Naturwissenschaften, wie etwa für weite Teile der Biologie, der Geographie oder sogar der Chemie, ist eine wache, geduldige Offenheit für die intensive Mannigfaltigkeit der Erscheinungen elementare Bedingung für den Erfolg. Nicht umsonst feiert Barth einen Arzt und Naturforscher, nämlich Paracelsus, als maßgebend für einen wachen Umgang mit den Erscheinungen (Barth 1959, 83-86). Auch wirkt Barths Kritik an der begrifflichen Beschreibung von Erscheinungen recht einseitig. Diese verkürzt nicht nur die Phänomene, sondern vermag oft auch Aspekte erst wahrnehmbar zu machen.

So soll insbesondere eine Vermittlung zwischen Ontologie und Existenz-philosophie ermöglicht werden. An der Existenzphilosophie seiner Zeit, die er in vielerlei Hinsicht zustimmend rezipiert, konstatiert er eine Entfremdung vom kosmischen Bezug (Barth 1967, 89). Das ist sicherlich eine zutreffende Beobachtung – sie ließe sich leicht z. B. an Sartre illustrieren, für den das Sein *gratuit* ist, wie er sagt, unmotiviert, ohne Sinn und daher sowohl ekelerregend als auch angstauslösend.Wenn Barth auf der einen Seite der Existenzphilosophie vorwirft, ein Bild vom Menschen zu zeichnen, das diesen vollständig von der kosmischen Wirklichkeit isoliere, so wirft er andererseits den Naturwissenschaften vor, ein Bild vom Kosmos zu zeichnen, das diesen dem Menschen vollständig entfremde.

Vor dem Hintergrund dieser Diagnose der Lage setzt er seinen aufgearbeiteten Erscheinungsbegriff ein. Zum einen nutzt er ihn, um die Existenz – also den Menschen – als einen solchen darzustellen, der in die Erscheinung tritt. Auch für das Verständnis der Koexistenz gewinnt er von seinem Ausgangspunkt her bedeutende Aspekte. Zum anderen bemüht er sich um die Entwicklung einer auf dem Begriff der Erscheinung beruhenden Naturphilosophie, die ein Naturverständnis entwickelt, das Natur nicht als etwas völlig Fremdes, sondern als etwas erweist, das den Menschen angeht. Schließlich wird ihm sein Erscheinungsbegriff auch zu einem Vehikel für eine neuartige Interpretation christlicher Glaubenssätze.

Von diesen Vermittlungen möchte ich nur eine einzige näher ausführen: Seine Überlegungen zum Erscheinen der Naturdinge.

Die Naturphilosophie ist von der Phänomenologie, sieht man von wenigen Apercus ab, nicht systematisch aufgearbeitet worden. Der Hauptstrom der phänomenologischen Forschung wendet sich nicht der Natur oder den natürlichen Gegenständen zu, sondern widmet sich von Husserl über Heidegger, Schapp, Lipps, Sartre, Merleau-Ponty, bis hin zu Schmitz fast immer den Pragmata, den Gebrauchsgegenständen, wobei meistens der Tisch, das Symbol der Häuslichkeit schlechthin, als Beispiel herangezogen wird.[9] Auch der Leib, ein in der Phänomenologie vieldiskutiertes Thema, kommt nicht als natürliches Gebilde in den Blick, vielmehr wird er, von wenigen Seitenblicken abgesehen, meist für neuartige transzendentale Deduktionen herangezogen, in denen er als Bedingung der Möglichkeit von Raum, Zeit oder auch Individualität zurechtgelegt wird.

Die Phänomenologen haben das Thema der Naturphilosophie also nicht „besetzt" – wohl aber stößt Barth in dem von ihm explorierten Gebiet auf die Naturwissenschaftler. Barths Ausführungen haben dementsprechend, bei aller Schweizerischen Verbindlichkeit, zunächst vor allem den Charakter eines Angriffs. Dass die Naturwissenschaft in der Deutung der natürlichen Phänomene das letzte Wort haben soll, will er nicht anerkennen. Insbesondere mit der Vorstellung einer kausal determinierten Natur setzt er sich kritisch auseinander.

---

[9] Eine Ausnahme ist die Husserl-Schülerin Hedwig Conrad-Martius, deren Naturphilosophie allerdings nur recht äußerlich mit phänomenologischen Motiven koordiniert ist.

Zum einen betont er, dass sich die chemischen und physikalischen Naturgesetze nicht auf die Erscheinungen in ihrer intensiven Mannigfaltigkeit beziehen, sondern immer nur auf Phänomene, deren Komplexität durch vielfältige Abstraktionen reduziert wurde. Zum anderen sei das Eintreten bestimmter Naturereignisse kontingent. Ob sie „stattfinden" oder nicht, mag zwar sehr wahrscheinlich sein, absolut sicher jedoch sei es nicht. Insofern könne auch nicht behauptet werde, dass durch die Formulierung von Naturgesetzen alles über die Natur gesagt sei. Barth verzichtet in seinen naturphilosophischen Überlegungen wohlweislich darauf, dem Menschen so etwas wie eine „Stellung im Kosmos" (Max Scheler) zuzuweisen. Er ist aber in der Lage, auf der Grundlage seines aufgearbeiteten Erscheinungsbegriffs wichtige naturphilosophische Themen neu darzustellen und sie gerade in ihrer existentiellen Relevanz neu zu deuten.

Dabei schließt er zum einen an Kants *Kritik der Urteilskraft* an, deren Interpretation er in seiner Philosophie der Erscheinung ein umfangreiches Kapitel widmet (Barth 1959, 420-505). Zustimmend rezipiert er darin die Lehre vom Naturschönen, dessen Wahrnehmung ethische Relevanz habe: „Nicht nur die Erfahrung der Naturschönheit, sondern die schöne Natur selbst tritt immer deutlicher in ein Licht, das uns eben dies wahrnehmen läßt: Sie hat dem Menschen in seiner sittlichen Existenz etwas zu sagen." (Barth 1959, 497) Es ist vor allem der Organismus – eines Tieres oder einer Pflanze – den Barth als Beispiel für etwas Naturschönes nennt. Die Einheit eines Organismus ist nach ihm ästhetisch zu verstehen:

> „Das organische Gebilde ist [...] gekennzeichnet durch das, was wir die integrale Wechselbezogenheit seiner Elemente nennen möchten – durch ein Merkmal seines Wesens, das wir nur vom Ästhetischen her verstehen können. [...] Von einem Produkte der schönen Kunst unterscheidet sich das organische Gebilde freilich dadurch, daß die integrale Wechselbezogenheit seiner Elemente als Sache nicht nur einer statischen Anschaulichkeit, sondern einer dynamisch-schöpferischen Wirksamkeit angesehen werden muß." (Barth 1959, 493)

Sich von schönen Naturformen ansprechen zu lassen, hat für Kant – und Barth stimmt ihm darin zu – einen erhebenden, bereichernden Charakter. In dieser Weise vermag Barth von seinem erscheinungsphilosophischen Standpunkt das Erscheinen der Natur als etwas auszulegen, das dem Menschen nahegeht. Diese Thesen mögen zu der Zeit, als Barth sie zum ersten Mal veröffentlichte, eher bizarr geklungen zu haben, in jedem Fall wurden sie nicht rezipiert.

Heute ist die Naturschönheit ein vielfach bearbeitetes Thema, und ein Buch, das ein Naturphänomen in den Mittelpunkt seines Aufrufs stellte, wurde zum Auslöser der Umweltbewegung: *Silent Spring* von Rachel Carson (1962). Dieses Buch stellte künftige Frühlinge ohne Vogelgezwitscher in Aussicht, weil immer mehr Vogelarten durch das als Insektizit verwendete DDT vom Aussterben bedroht waren. Das Naturschöne etablierte in der Umweltbewegung sich nicht nur als existentiell relevantes Thema, sondern gelangte als heftig umfochtener Begriff bis in die politischen Arenen.

Das hat dazu geführt, dass seit den neunziger Jahren das Erscheinen der Natur auch in der Naturphilosophie immer intensiver bedacht wird. Besonders Gernot Böhme, der im deutschsprachigen Raum einflussreichste Naturphilosoph, hat das Erscheinen zum Dreh- und Angelpunkt seiner naturphilosophischen und auch umweltpolitischen Überlegungen gemacht. Ja, er definiert Natur geradezu vom Charakteristikum des Erscheinens her und entwirft seine Naturphilosophie als eine „ästhetische Theorie der Natur" (Böhme 1992, 125-140).

Allerdings ist auffällig, dass Barths Untersuchungen in der höchst lebhaften Diskussion um eine Ästhetik der Natur so gut wie nirgendwo zitiert werden. Damit komme ich wieder auf die Verborgenheit Barths zurück, von der ich zu Anfang dieses Aufsatzes gesprochen hatte. Diese Verborgenheit ist in mancher Hinsicht bedauerlich – so stellt man sich etwa vor, dass manche Diskussionen in der Naturphilosophie, aber auch in der neueren Phänomenologie aus einer Auseinandersetzung mit den Barthschen Begriffen erheblich gewinnen könnten. Die Verborgenheit hat aber durchaus auch angenehme Aspekte. Denn Bücher und Ideen sind noch schöner, wenn sie kaum begangen sind. So ist Barths Philosophie wie ein weitläufiger Park voll lebendiger Szenen und Durchblicke. Ich besuche ihn auch deshalb gern, weil die Wege ruhig sind und der Zauber der Gegend sich noch nicht bei allzu vielen Besuchern aus aller Welt herumgesprochen hat.

Literatur

Adorno, Th. (1990): *Zur Metakritik der Erkenntnistheorie. Studien über Husserl und die phänomenologischen Antinomien* [1956], Frankfurt/M.

Barth, H. (1939): „Entwurf zu einer Philosophie des wirklichen Seins" (Manuskript).
- (1959): *Philosophie der Erscheinung. Eine Problemgeschichte.* Zweiter Teil: *Neuzeit*, Basel/Stuttgart.
- (1965): *Erkenntnis der Existenz. Grundlinien einer philosophischen Systematik*, Basel.
- (1967a): „Grundgedanken der Ästhetik", in: ders.: *Existenzphilosophie und neutestamntliche Hermeneutik. Abhandlungen*, in Verb. m. H. Grieder u. A. Wildermuth hg. v. G. Hauff, Basel, 72-84.
- (1967b): „Eine Grundfrage der Existenzphilosophie", in: ders.: *Existenzphilosophie und neutestamentliche Hermeneutik. Abhandlungen*, in Verb. m. H. Grieder u. A. Wildermuth hg. v. G. Hauff, Basel, 85-99.

Benjamin, W. (1974): *Das Kunstwerk im Zeitalter seiner technischen Reproduzierbarkeit*, in: *Gesammelte Schriften*, Bd. I, 2, Frankfurt/M.

Böhme, G. (1992): *Natürlich Natur. Über Natur im Zeitalter ihrer technischen Reproduzierbarkeit*, Frankfurt/M.

Grund, D. (1999): *Erscheinung und Existenz. Die Bedeutung der Erscheinung für die transzendental begründete Existenzphilosophie Heinrich Barths*, Amsterdam/Atlanta.

Heidegger, M. (1992): *Der Ursprung des Kunstwerkes*, Stuttgart.

Husserl, E. (1950): *Ideen zu einer reinen Phänomenologie und phänomenologischen Philosophie. Erster Band (Husserliana*, Bd. III), hg. v. W. Biemel, Den Haag.
- (1985): „Phänomenologie. Artikel für die Enzyklopädia Britannica", in: ders.: *Die phänomenologische Methode*, hg. v. K. Held, Stuttgart, 196-224.
- (1992): *Cartesianische Meditationen (Gesammelte Schriften*, Bd. 8), hg. v. E. Ströker, Hamburg.

Kulenkampff, A. 2001: *Esse est percipi. Untersuchungen zur Philosophie George Berkeleys*, Basel.

Patocka, J. (1991): „Der Subjektivismus der Husserlschen und die Forderung einer asubjektiven Phänomenologie", in: ders.: *Phänomenologische Schriften*, hg. v. K. Nellen, J. Němec u. I. Srubar, Stuttgart, 286-309.
- (2000): *Vom Erscheinen als solchem. Texte aus dem Nachlaß (Orbis Phaenomenologicus Quellen*, Bd. 3), hg. v. H. Blaschek-Hahn u. K. Novotný, Freiburg/München.

Orth, E. W. (Hg.) (1980): *Neuere Entwicklungen des Phänomenbegriffs (Phänomenologische Forschungen*, Bd. 9), Freiburg/München.

Proust, M. (1983): *Auf der Suche nach der verlorenen Zeit*, Bd. 3,2: *Im Schatten junger Mädchenblüte*, Frankfurt/M.

Schmitz, H. (1978): *System der Philosophie*, Bd. 3, Teil 5: *Die Wahrnehmung*, Bonn.
- (1988): *Der Ursprung des Gegenstandes. Von Parmenides bis Demokrit*, Bonn 1988.
- (1994): „Situationen oder Sinnesdaten – Was wird wahrgenommen?", in: *Allgemeine Zeitschrift für Philosophie*, 19, Heft 2, 1-21.
- (2002a): „Was ist ein Phänomen?", in: ders.: *Begriffene Erfahrung. Beiträge zur antireduktionistischen Phänomenologie*, Rostock, 13-32.
- (2002b): „Heinrich Barth: Erkenntnis der Existenz", in: *Bulletin der Heinrich Barth-Gesellschaft*, Nr. 7, 30-35.

Schwaetzer, H. (2000): Rez. zu: D. Grund, *Erscheinung und Existenz*, in: *Phänomenologische Forschungen N. F.*, 5, Freiburg/München, 158-163.

Soentgen, J. (1997): *Das Unscheinbare. Phänomenologische Beschreibungen von Stoffen, Dingen und fraktalen Gebilden*, Berlin.

Straus, E. (1956): *Vom Sinn der Sinne. Ein Beitrag zur Grundlegung der Psychologie*, 2. Aufl., Berlin/Heidelberg/New York.

Wildermuth, A. (2002): „Phänomenologie als Lehre vom Erscheinen", in: *Bulletin der Heinrich Barth-Gesellschaft*, Nr. 7, 3-7.
- (2002b): „Heinrich Barth und die Phänomenologie", in: *Bulletin der Heinrich Barth-Gesellschaft*, Nr. 7, 7-13.

Philosophie als Lebensereignis

Heinrich Barth zwischen Neukantianismus und Existenzphilosophie

Harald Schwaetzer

Heinrich Barths Philosophie als Lebensereignis zu bezeichnen, scheint vielleicht provokant, weil sich Barth gegen damalige Konzepte einer Lebensphilosophie streng verwahrt. Doch kennt Barth eine positive Verwendung des Begriffs, die mit der im Untertitel des Artikels angedeuteten These in Zusammenhang steht, dass es einen Übergang, und zwar im systematischen wie im genetischen Sinne, von der theoretischen Philosophie des Neukantianismus hin zu einer Existenzphilosophie gibt und dass diese Entwicklung auch zu einer Lehre vom Erscheinen hinführt. Diese These, die aus dem Vorwort zum zweiten Band von Barths später *Philosophie der Erscheinung* bekannte Unterscheidung und Verbindung von Existenzphilosophie, Ästhetik und theoretischer Erkenntnis sei bereits ein frühes Ergebnis der Auseinandersetzung mit dem Neukantianismus und für das ganze Werk Barths von Belang,[1] wird anhand der Schrift *Die Philosophie der*

---

[1] Vgl.: „Das philosophische Denken des Verfassers vollzieht sich auf der Grundlage einer transzendental begründeten Philosophie der Existenz, die von einer Philosophie der theoretischen Vernunft und einer Philosophie des Ästhetischen begleitet wird." (Barth 1959, 10) Anders urteilten z. B. noch Huber (1960, 203; vgl. aber ebd. 206 und 240, wo bereits klar die Dreiteilung vertreten wird) und im gleichen Sinne Wildermuth (1990a, 7): „Philosophie der Existenz und Philosophie der Erscheinung sind die beiden Titel, unter denen das Denken Heinrich Barths eingeordnet werden kann." Ebd. fügt er hinzu, dass das entscheidende Instrument Barths die über den Marburger Neukantianismus erworbene kritische Transzendentalphilosophie sei. Zu Recht hebt auch Hauff (1990, 30) hervor: „Eine Besonderheit von Barths Existenzphilosophie ist ihre Entwicklung aus dem Neukantianismus. Der Rückbezug auf eine transzendentale Voraussetzung gibt der Existenz eine Dimension, die bei den anderen Existenzphilosophien nicht zu finden ist." Wildermuth (1990b, 228) macht des weiteren zu Recht darauf aufmerksam, dass sich die Unabhängigkeit Barths gegenüber Plato, Kant und den Marburgern gerade auf deren eigene Methoden abstützt: Kant sei nicht kantisch genug, das ist der Leitsatz der Neukantianer seit Otto Liebmann. „Kant verstehen, heißt über Kant hinausgehen", schrieb Windelband im Vorwort seiner *Präludien*, einen Satz, den auch Volkelt in seiner Erkenntnistheorie von 1879 schon ins Vorwort genommen hatte.

praktischen Vernunft von 1927[2] durchgeführt, die, so verstanden, selbst als ein Lebensereignis aufgefasst werden kann.[3]

Das „In die Erscheinung Treten" des Logos als Lebensereignis

In einer Analyse der Einleitung der *Philosophie der praktischen Vernunft* sei auf den Begriff des Lebensereignisses und die Existenz der Trias von theoretischer, praktischer und ästhetischer Philosophie eingegangen. Heinrich Barths Werke sind alle bewusst gegliedert (vgl. dazu Schwaetzer 2003). Nicht nur für das Augustinus-Buch, wie bei anderer Gelegenheit gezeigt, ist dabei die sich um die Mitte spiegelnde Siebenzahl von ausschlaggebender Bedeutung, auch das Vorwort der *Praktischen Vernunft* folgt mit seinen sieben Abschnitten diesem Strukturprinzip, während die neun Kapitel des Buches die Mitte der Siebenheit auch zu einer eigenen Dreiheit weiten.[4]

---

[2] Dieses Werk hat Hauff (1990, 47) zu Recht als eine Schrift bezeichnet, „die für sein weiteres Denken grundlegende Bedeutung" hatte.

[3] Die damit vollzogene Verschränkung einer systematischen und genetischen Perspektive nimmt Barths eigene hermeneutische Überlegungen auf. Barth selbst hat beide ihrerseits einer transzendentalen Beleuchtung unterzogen. Schon sein Werk *Die Seele in der Philosophie Platons* (1921) beginnt mit der Bemerkung: „Arbeiten auf dem Felde der Geschichte philosophischer Geistesentfaltung heißt soviel wie Erkennen von geistigen Beziehungen. Die Verarbeitung eines bestimmten historischen Gedankenkomplexes bedeutet seine Wiedererzeugung aus dem gesamten systematischen Zusammenhange, dem er erwachsen ist." (Ebd. 1). Von der *Philosophie der praktischen Vernunft* (1927) an spricht Barth von „Erneuerung" statt von „Wiedererzeugen", was zugleich die eigene historische Stellung klarer wiedergibt. Im Plato-Buch, so zeigt die Terminologie, fehlt noch die klare geschichtliche Selbstreflexion, die dann vor allem im Schlusskapitel von *Die Freiheit der Entscheidung im Denken Augustins* (1935) differenziert entfaltet, aber auch im Kant-Buch schon bewusst begriffen ist. Ferner ist zu vergleichen Barth 1965, 7 ff. Die *Philosophie der praktischen Vernunft*, die hier im Mittelpunkt stehen soll, will einerseits „die Vertiefung der Erkenntnis ihrer Grundprinzipien" bieten; sie verrichtet ihr Werk andererseits, indem „in ihm alle ungeschichtliche Haltung vermieden wird" (Barth 1927, 1 f.). Übertragen auf seine eigene Philosophie, bedeutet dies, dass sie sich, insoweit sie eine Philosophie der Erscheinung ist, systematisch-genetisch von ihrer Herkunft her erschließt; wohlgemerkt: nicht aus ihrer Herkunft, sondern von ihrer Herkunft her, d. h. aus der existentiellen Bewegung des „In die Erscheinung Tretens" der Erscheinungsphilosophie selbst. Wenn im folgenden ein Moment dieses „In die Erscheinung Tretens" in den Blick genommen wird, dann geschieht dies also nicht im Angesicht eines *factum*, sondern eines *fieri*. Meine Überlegungen versuchen, einen philosophischen Entscheidungsmoment der Philosophie Heinrich Barths in seiner Beweglichkeit und Bewegung zu dokumentieren.

[4] Barth hat dabei natürlich keine Zahlenspielerei im Sinn. Im Gegenteil, es geht ihm darum, in der Bedächtigkeit der „altfränkischen Geduld" einen Schritt an den anderen zu reihen und ein lebendiges, sich metamorphosierendes Gebilde zu schaffen. Dabei wird

Die Einleitung setzt mit der Frage nach der Hermeneutik einer Kant-Interpretation ein;[5] bezeichnend ist dabei, dass in dem korrespondierenden letzten Abschnitt der Aspekt geschichtlicher Kontinuität wieder aufgenommen ist. Barth schreibt, es stehe mit dem Begründungsprinzip des kritischen Idealismus ein Letztes auf dem Spiel (vgl. dazu auch Hauff 1990, 53), eben darum wolle er keine bloße Fortsetzung einer Schultradition bieten, sondern seine Arbeit wolle „der philosophischen Erneuerung dienen".

Diese bis zum Spätwerk durchgehaltene Ansicht dokumentiert eine zentrale Auswirkung des Lebensereignisses als eines *fieri*, als eines „in die Existenz Tretens": Es ist stets das eine Lebensereignis, welches in immer anderen Formen sich ereignet. Die Barthsche Hermeneutik des „Erneuerns" bildet den Hintergrund eines positiv verstandenen „Lebensereignisses".[6]

Vor diesem Hintergrund überrascht es nicht, dass der zweite Abschnitt der Einleitung einer Reflexion der Herkunft Barths gewidmet ist: Er bezeichnet sich selbst als „kritischen Idealisten" der Marburger Schule, ja selbstironisch als einen „verspäteten Nachzügler" derselben. Im Zentrum der Aufmerksamkeit steht, dass die Metaphysik – und auch Kant ist Metaphysiker – noch überboten wird, und zwar durch das radikale Prius des Logos selbst, der jede Art von Metaphysik erst begründet.[7] Aufgrund der aus der transzendentalen Vorordnung folgenden undogmatischen Haltung bietet der parallele sechste Abschnitt der Einleitung ein Bekenntnis zur Theologie: Die Problematik der Arbeit, so Barth, „bleibt

---

auch der Bezug zwischen der Siebenheit der Einführung und den neun Kapiteln deutlich: Die Siebenheit ist eine versteckte Neunheit, indem jeweils die drei ersten und letzten Abschnitte eine Einheit bilden und der mittlere vierte in sich eine Dreiheit enthält.

[5] Vgl. dazu Anm. 3. Eine Aufarbeitung der Hermeneutik Barths ist ein dringliches Desiderat. Von Bedeutung ist dabei auch, um noch einen Hinweis anzufügen, dass er das Nebeneinander von Systematik und Geschichte als „voraussetzungslose" Methode kennzeichnet (Barth 1921a, 1; vgl. auch 1921b, 9), also mit einem Terminus, der von Hegel her und der nachfolgenden Diskussion im Neukantianismus nicht unbelastet ist. Ein Vergleich mit Volkelt, der den Begriff streng erkenntnistheoretisch verwendet (vgl. Volkelt 2002) wäre aufschlussreich. Auch die Ablehnung des Begriffs der Voraussetzungslosigkeit in Barth 1965, 17 ist von Belang, signalisiert sie doch eine weitere Abwendung von den Marburgern. Das zentrale Stichwort, unter dem – gerade auch angesichts des historischen Kontextes – eine solche Hermeneutik unternommen werden könnte, wäre das der problemgeschichtlichen Methode (vgl. dazu Barth 1935, V ff.; auch Huber 1960, 240 f.).

[6] Vgl.: „Auch an dieser Stelle darf es uns zum Bewußtsein kommen, daß die philosophische ‚Neuigkeit' – diejenige einer Existenzphilosophie – durchsichtig geworden als ‚Erneuerung' dessen, was längst in Angriff genommen worden ist, ihre Auszeichnung und ihre Würde keineswegs verliert, sondern sie umgekehrt im höchsten Maße beglaubigt findet." (Barth 1965, 72)

[7] Schon an dieser Wendung wird die Nähe zur Erscheinung und die Weite des Erscheinungsbegriffs bei Barth aus ihrem neukantianistischen Ursprungsdenken deutlich. Der Logos als transzendentales Prius erscheint nie als solcher, aber alles, was erscheint, ist Erscheinung des Logos. Den Ursprungsgedanken entdeckt Barth seit seiner Dissertation für sich (vgl. Hauff 1990, 41 ff.).

offen auch nach seiten der Theologie" (Barth 1927, 13),[8] wenngleich er von einer Behandlung theologischer Fragen Abstand nehme und wenngleich alle Ontologisierung außen vor bleiben müsse.[9]

---

[8] Vgl. dazu Barth 1965, 16, wo Barth festhält, dass das transzendentale Prinzip der Begründung ein „offener" Begriff sei. Heinrich Barth stand in dieser Zeit in Verbindung mit den Denkern der dialektischen Theologie; das Wort von der Offenheit war nicht unnötig, da diese Vorbehalte gegen seine Gedanken und Formulierungen vorbrachten, etwa gegen den Gebrauch von Idee (als Verkümmerung von Gottesglauben) (vgl. dazu Hauff 1990, 24 ff.). Zum Verhältnis von Theologie und Philosophie bei Barth vgl. Hauff 1990, 54 ff. und Huber 1960, 242 ff. Bei der in der Forschung diskutierten Frage (dazu vgl. bereits Huber 1960, 203 ff.), ob das Ursprungsproblem gelöst sei und wie – nämlich philosophisch oder theologisch –, votiere ich mit Kipfer (1990, 169 f.), Huber (1960, 214) und Grund (1999, 12) dafür, die Frage nach der „Transzendenz des Transzendentalen" als philosophisches Problem zu verhandeln; dabei folge ich nicht der Ansicht von Grund (ebd. 16 f. und *passim*), dass Barth sich eine Metabasis zu Schulden kommen lasse. Über meine Rezension des Buches hinaus scheint mir auch das Frühwerk nicht einer solchen Metabasis zu erliegen. Anders als Kipfer würde ich die Offenheit des Transzendentalen aber nicht als Aporie in einem ausschließlichen Sinne deuten wollen. Wenn er schreibt (ebd. 183 f.), die Barthsche Lösung der Aporien bliebe selbst aporetisch, „weil sie ein einheitliches Phänomen meint, dieses aber nicht in actu fassen kann", so scheint mir eine Missdeutung vorzuliegen, wenn Kipfer diesen Sachverhalt mit der Transzendenz des Transzendentalen bezeichnet wissen will. Denn dann kommt es mit dem *in actu* durchaus zu einer Ontologisierung des Transzendentalen: Zugespitzt scheint mir Kipfer zu behaupten, Barth verbleibe in einer Aporie, weil sich das Transzendentale nicht ontologisieren lasse. Selbst in der abgeschwächten Form, dass das Transzendentale als solches nicht in die Erscheinung trete, scheint mir hier keine Aporie im strengen Sinne vorzuliegen. Dass man an dieser Stelle Barths Position vielleicht weiterentwickeln kann oder sollte, um der Gefahr einer Aporie zu entkommen, das will ich nicht bestreiten. Im Sinne Barths scheint man mir dahingehend argumentieren zu müssen, dass der Ursprung nur transzendental und nicht transzendent ist und gerade dadurch die Freiheit von und für Gott ermögliche sowie transzendental und nicht ontologisch oder weltbezogen ist, wodurch die Freiheit des Menschen von und für die Welt sich ergibt. Das schöpferische Potential einer nicht prinzipiell und prinzipiell nicht begrenzten Erkenntnis (eben weil das Prinzip transzendental ist), kann auf diese Weise statt als Aporie im theoretischen vielmehr als eigentliche Stärke im praktischen Sinne verstanden werden. In diesem Sinne kann man eher mit Wildermuth (1990b, 216 f.) von dem „schwebenden" Charakter der Grundeinsicht Barths sprechen. Vor diesem Hintergrund erübrigen sich auch die Bedenken, die Grund (1999, 151) anführt. Die Offenheit des Transzendentalen ist auf der praktischen Ebene gerade kein Ausweis fehlender Begründung – man darf nur nicht die Ebenen von theoretischer und praktischer Erkenntnis verwechseln. Dieses Problem stellt sich der Interpretation Grunds auch an der wichtigen Passage (ebd. 167). Man solle, um ihre These zu widerlegen, zeigen, dass das transzendentale Prinzip kein Postulat bleibe – das lässt sich aber nur im Modus praktischer Erkenntnis einsichtig machen. Als theoretische Erkenntnis bleibt es notwendig Postulat.

[9] Das Problem einer Ontologisierung stellte sich sowohl von Seiten der Erkenntnistheorie wie von Seiten der Existenzphilosophie. Sowohl in Barth 1927 wie in Barth 1935 ist jeweils das erste Kapitel der Abwehr des Ontologie-Denkens gewidmet, und auch in

Die beiden nächsten Abschnitte, drei und fünf, bilden nunmehr die entscheidende Klammer: Sie konfrontieren das Begriffspaar des Lebens und der Existenz. Barth konstatiert, dass für den normalen Blick eine moralisierend-rationale Sollensethik mit ihrer formalen Wüste ein Schreckgespenst der Ethik darstellt und zudem durch den mit ihr verknüpften Zweckbegriff in Verruf gerät. Doch macht Barth geltend, dass alle Ethik sowohl auf der stillschweigenden Anerkennung einer übersubjektiven und übergeschichtlichen Vernunft wie auch auf der Anerkennung des Telos als beherrschenden Faktors des Kulturlebens basiert, so sie nicht der Beliebigkeit anheimfallen will. Entscheidend sei aber, dass man sich angesichts dieses Befundes nicht auf eine Werteethik zurückziehen könne. Das Erleben von Werten – Barth denkt an Nicolai Hartmanns Ethik – ist kein letzter Grund; denn das Erleben setzt bereits das Leben selbst voraus.[10] Von hier wird auch die latente Doppelheit des Begriffs „Lebensereignis" deutlich. Meint er, wie im Falle von Lebens- und Wertephilosophie, ein Ereignis im Leben, so ist der Begriff kritikwürdig; zielt er hingegen darauf, dass das Leben selbst Ereignis wird, so verweist er auf etwas, was später in der Folge als „in die Erscheinung Treten" bezeichnet wird. Dieser Sachverhalt wird noch deutlicher im parallelen fünften Abschnitt. Barth verwahrt sich dagegen, dass es ihm um ein Rückführen des Menschen auf sein eigentliches Inneres oder auch Unbewusstes gehe. Er hält fest, „daß ein einziger Lebenszusammenhang Bewußtes und Unbewußtes umfaßt" (Barth 1927, 13).[11] Die Definition von Leben bei Barth ist bezeichnend: „Leben bedeutet den Übergang von Nicht-Sein zum Sein." (Barth

---

Barth 1965, 14 ff. wird der Sachverhalt noch einmal gründlich erörtert. Barth hält dort fest (ebd. 21), dass der Begriff der Existenz schon seiner geschichtlichen Herkunft nach in den Problemkreis der Ontologie gehöre. Dabei gilt ihm zeitlebens Augustinus als derjenige, welcher die Existenzfrage von der Ontologie in Richtung auf den heutigen Begriff hin zu verschieben beginnt (vgl. dazu auch Barth 1965, 29 sowie 51 ff.; vgl. ferner Gürtler 1976, 69 ff.). Zum Unterschied von Seinsaussagen und Existenzaussagen (die in einer Art *oratio obliqua* zu treffen sind, da sie im Modus der theoretischen Erkenntnis stattfinden) vgl. Barth 1965, 87 ff. Vgl. zum Problem auch Kipfer 1990, 173; ferner Grund 1999, 115 f., 118 ff.; Gürtler 1976, 7 f.

[10] Die Abwehr des Erlebnisbegriffs findet sich bereits in Barth 1921a, 23: „Die Subjektivität des Lebensgefühls kann bei aller Inbrunst, mit der sie sich auf die Ideenwelt richtet, niemals an den Ort der Idee treten. Das Erlebnis darf sich nicht in den Nimbus des Göttlichen hüllen." Vgl. auch ebd. 57, wo diese Haltung auf Plato selbst zurückgeführt wird. Der positive Bezug auf das Leben kann als eine transzendentale Wendung der platonischen Lehre, dass die eigentliche Erkenntnis nicht im Leben, sondern vor dem Leben stattfinde, verstanden werden (vgl. ebd. 108 u. ö.). Dazu muss man auch im Hintergrund sehen, dass der Begriff des Lebens bei Platon als Prädikat der Seele, welches nicht verneint werden kann, eine besondere Rolle im Zusammenhange mit den Unsterblichkeitsbeweisen spielt; Leben wird dabei ein Ursprungsprinzip (vgl. ebd. 192 ff.). Zum Gegenüber von Leben und Erleben vgl. Hauff 1990, 48 f.

[11] In gleicher Weise auch Barth 1935, 188. Zur Frage nach der unbewussten Existenz vgl. Huber 1960, 228 ff.

1927, 8) Damit verbindet sich Leben mit Existenz: „‚Existenz‘ des Menschen bedeutet sein Heraustreten.“ (Ebd. 12) Existenz als Heraustreten meint also nicht den Übergang von Innen nach Außen, sondern den Übergang vom Nicht-Sein in die Sphäre, die Bewusstes und Unbewusstes gemeinsam umfasst. In diesem Vorgang ereignet sich Leben. Praktische Philosophie ist für Barth von hier aus der Versuch, das Lebensereignis von seiner transzendentalen Voraussetzung her einzuholen.[12] Damit ist die Janusgesichtigkeit des „Lebensereignisses“ durch den Nachweis eines positiven Begriffs desselben nachgewiesen.[13]

Der mittlere Abschnitt der Einleitung bietet, um zum zweiten Punkt zu kommen, die Einordnung in die systematische Trias. Das Leben in seiner Totalität, so Barth, gebe sich als Frage der praktischen Vernunft zu erkennen; kein Ort sei möglich, an dem diese Frage zur Ruhe kommen könne, da doch immer „Leben“ sei.[14] Als Beschreibung des Rahmens fügt Barth an: „So bleiben wir dabei stehen, uns mit der praktischen Lebensproblematik als solcher zu befassen, ohne der Tatsache ausgiebig Erwähnung zu tun, daß am Lebenswerte – vielleicht durchgehend – auch theoretische und ästhetische Sinngebung beteiligt sind.“ (Barth 1927, 11)

In diesem zentralen Satz wird zweierlei deutlich: Erstens besetzt die praktische Vernunft einen ganz eigenen Bereich des Seins; die ethische Frage kann gesondert von allem anderen gestellt werden. Zweitens lässt sich das „alles andere“ für Barth in die Gebiete der Ästhetik und der theoretischen Erkenntnis untergliedern. Schon hier, beim frühen Barth, liegt also die für das Spätwerk zentrale Trias vor.[15]

---

[12] Vgl. dazu schon Barth 1921a, 158: Der Ursprung des Lebens könne selbst nicht wieder Lebensinhalt werden. Ferner die programmatische Wendung in Barth 1965, 9: „‚Existenz‘ ist für die hier maßgebende Einsicht ein Erkenntnisproblem. ‚Erkenntnis‘ läßt sich aber aus dem bloßen Faktum ihrer Realisierung nicht verstehen. Ihre Bedeutung beruht auf einem transzendierenden ‚prius‘. Aus durchgreifenden Überlegungen gelangen wir aber zu der befreienden Einsicht, daß diese Priorität nur transzendental verstanden werden kann.“ Vgl. auch ebd. 59 ff.; ferner Huber 1960, 206 f.

[13] Zur Terminologie vgl. das Ende dieses Beitrages. Ferner als einen weiteren Beleg aus einer anderen Schrift: „Für Augustin ist aktuelle potestas konkretes Lebensereignis; sie ist ein jeweilen neues, nicht virtuell schon gegebenes, nicht potenziell schon vollzogenes Ereignis. Ihr Eintreten in die Existenz ist in keinem zeitlichen Prius vorentschieden.“ (Barth 1935, 68 f.)

[14] Vgl. Barth 1921, 36: „Die sittliche Erkenntnis ist kein sublimes Sondergebiet, sondern durchdringt und durchleuchtet alle Strebungen und Bewegungen der Seele.“

[15] Damit wird zugleich auch deutlich, dass Barth zwar die Kantische Dreiteilung der Philosophie rezipiert, aber indem er sie jeweils unmittelbar auf die transzendentale Voraussetzung bezieht, doch systematisch anders als der Königsberger und seine Marburger Kollegen verfährt. Zu diesem Systembegriff vgl. z. B. Barth 1965, 24 f. und 49 f. Grund (1999, 43) hat auf die Wichtigkeit der Unterscheidung von theoretischer und praktischer Erkenntnis im Kant-Buch hingewiesen; auf die Dreiteilung geht sie nicht ein.

Aus dem Vorwort der *Philosophie der praktischen Vernunft* scheint mir der Zusammenhang zwischen den drei Disziplinen unschwer deutlich zu werden; und zwar so klar, wie an sonst kaum einer Stelle im Werke Barths. Ausgangspunkt des späten Marburgers ist die Vorordnung des Logos. Daraus erwächst die theoretische Erkenntnis. Doch dieser Logos muss erst ins Sein treten. Dieser Vorgang begründet die Vorrangstellung einer praktischen Philosophie der Existenz. Indem dabei ein Übergang vom Nicht-Sein ins Sein erfolgt, geschieht ein „Heraustreten". Dieses Heraustreten gemahnt an die spätere Wendung des „in die Erscheinung Tretens". Der existentielle Akt des Logos ist ein Sichtbarwerden, Erscheinen, der dann seinerseits theoretische Erkenntnis des Faktums erlaubt. Erscheinen ist der Modus der Existenz, der im positiven Begriff des Lebensereignisses fassbar wird. Er beinhaltet die Komponente des Erscheinens qua Ereignis, der Existenz qua Leben und der Eigendimension praktischer Vernunft, die sich von der theoretischen abgrenzt. Diesen Vorgang entfalten die einzelnen Kapitel der *Philosophie der praktischen Vernunft*, wie im zweiten Schritt gezeigt werden soll.

Theoretische, praktische und ästhetische Philosophie im fieri *des Lebensereignisses*

Die *Philosophie der praktischen Vernunft* besteht aus neun Kapiteln, die sich in drei mal drei Kapitel gliedern.[16] Dabei rückt immer das je erste unter einen theoretischen, das zweite unter einen praktischen und das dritte unter einen ästhetischen Aspekt. Auch die Abfolge der drei Dreierblöcke erfolgt unter dieser Hinsicht.

Die ersten drei Kapitel sind, wie schon die Überschriften verraten, schwerpunktmäßig theoretische Kapitel: „Vom ontologischen und vom kritischen Sinn der Vernunft", „Kants transzendentale Deduktion", „Von der transzendentalen Bedeutung der Idee". Wenn Barth im ersten Kapitel den kritischen gegen den ontologischen Sinn der Vernunft stellt, dann bezweckt er damit, den Blick für die Vorordnung des Logos vor alle Zuschreibungen von Sein oder Nicht-Sein deutlich zu machen. Der Logos wird als transzendentaler Ursprung jenseits der Seinsfrage artikuliert, und zwar in Wendungen, die sein In-die-Erscheinung-Treten bereits in Rechnung stellen.[17] Der theoretischen Fundierung des Logos

---

[16] Gürtler (1976, 42 ff.) macht nach dem dritten Kapitel ebenfalls einen Einschnitt, fasst aber die gesamten folgenden sechs Kapitel als zweiten Teil zusammen.

[17] „Für die kritische Betrachtung stellt sich der Logos als Begründer aller Daseinserkenntnis, wie aller inhaltlich bestimmten Wahrheit dar. Darin hebt sie sich ab von einer spekulativen Erfassung. Denn dort mag immerhin die Vernunft als begründendes Urelement aufgewiesen werden. [...] Jetzt wird unsere Fragestellung den ,kritischen' Gesichtspunkt gewinnen: sie wird gewahr, daß sie grundsätzlich nicht in die Lage kommen kann, dem begründenden Logos im Gebiete des spekulativen Seins zu begegnen. Was sie dort in Erwägung zog, war nicht der Logos selbst, vielmehr seine Verkörperung im materialen

im ersten Kapitel folgt im zweiten der eigene Aufweis, dass der Logos seinerseits nicht vom Subjekt abhängt, sondern es erst selbst ist, der den Gegensatz von Subjekt und Objekt begründet. Dieser Sachverhalt wird anhand von Kants transzendentaler Deduktion entwickelt, was nicht verwundert, da die Hauptstreitfrage des Neukantianismus eben in dem Problem lag, ob man die Kantischen Kategorien als nur subjektive Prinzipien zu verstehen habe – der bekannte Streit zwischen Fischer und Trendelenburg. Barth gesteht durchaus zu, dass Kants Formulierungen Anlass zu missverständlichen Deutungen geben. Er macht als eigene Position deutlich, dass die Vorordnung des Logos auch die Autonomie desselben beinhalte.[18] Die Bindung der Autonomie an das Subjekt und seine Spontaneität sei unkritisch, weil nicht im Subjekt das Kriterium der Wahrheit liege, sondern „in der Idee der Wahrheit, die die Idee des Erfahrungszusammenhanges ist".[19] Insofern ist für ihn die Frage, wie das Subjekt zum Objekt gelangt, auch keine Frage, da beide in demselben vom Logos konstituierten Raume sich bewegen.

Das dritte Kapitel bestimmt das Verhältnis der Idee zur Subjektivität.[20] Der Logos als absolutes Prius findet seine Erscheinungsform in der transzendental

---

Sein." (Ebd. 22 f.) Vgl. dazu auch Huber 1960, 204 f.; zum neukantianistischen Hintergrund Grund 1999, 21 ff., Gürtler 1976, 7 ff., 15 ff.; zum Kontext bei Barth Grund 1999, 46 ff.

[18] Trotz allem Rückbezug wird doch die Distanz zu Kant deutlich, wenn Barth in diesem Zusammenhang von einer „zweiten kopernikanischen Wendung" spricht (Barth 1927, 57; vgl. auch Hauff 1990, 65 und Wildermuth 1990b, 205).

[19] „Kritische Deutung der Vernunft besagt die Anerkennung der Autonomie des Logos. Das Interesse dieser Autonomie gilt es zu wahren, auch wenn es weithin durch Kants eigene Formulierungen bedroht erscheint. Wenn die Einheit des Logos bei ihm in derjenigen des ‚Bewußtseins‘ vertreten ist, dann darf dieser Bewußtseinsbegriff nicht die Anerkennung der unkritischen Erkenntnislehre nach sich ziehen, daß die ‚spontane‘ Tätigkeit des Subjektes das konstituierende Prinzip der Erkenntnis sei. Denn alsdann würde ‚Autonomie‘ dem Subjekte zukommen, dessen Wesen dieses spontane Schaffen entquillt. Nicht in ihm aber liegt das Kriterium der Wahrheit, sondern in der Idee der Wahrheit, die die Idee des Erfahrungszusammenhanges ist." (Ebd. 51) Vgl. dazu auch Barth 1921b, 9 ff. Was die Folge einer Vorordnung des Subjektes wäre, zeigt die Interpretation des Doxa-Begriffs im Plato-Buch: „Doxa bedeutet den Urteilsakt, insofern er vom Subjekte aus gesehen wird; das Subjekt kann ihr nicht mehr als subjektive Wahrheit verleihen." (Barth 1921a, 203) Aus diesem Dilemma folgt das Problem der Doxa als bloßer Meinung und Schein, was sie ursprünglich nicht sei. Barth erörtert diese zentrale Frage in seinem Werk immer wieder, ausführlich vor allem auch in Barth 1965 (vgl. Belussi 1990, 151 ff. u. 181), wo von der Subjektlosigkeit des Erkennens die Rede ist – ein Punkt, den ich mit Theodor Ziehen im Kontext des metaphysischen Neukantianismus gegen Volkelt stark gemacht habe (vgl. meine Neuausgabe von Volkelt 2002; vgl. auch Schweizer 1990, 191 f.; Huber 1960, 248; Grund 1999, 27-29, 32 ff., 132 ff.).

[20] Erneut muss man im Hinterkopf behalten, dass dieser Zusammenhang schon das Plato-Buch bestimmt: „Die Tatsache der Ideenlehre gibt uns vielmehr das Recht, das Problem der Seele an der ihm zukommenden zentralen Stelle zu suchen. / Wie könnte

verstandenen Idee, so Barths Grundansicht. Kants Gedanke der Subjektivität dürfe nicht in einem psychologischen Sinne missverstanden werden. Die subjektive Seite von „Begriff" sei dahingehend zu deuten, dass sie „Begreifen" meine, und weiter:

> „Die ‚Einheit des Bewußtseins' ist nicht nur als begrifflich vereinigendes Prinzip auf die Inhalte des Bewußtseins hinbezogen; sie ist selbst ‚bewußt'; sie apperzipiert sich selbst. In ihr vollzieht der Logos erkennend jene Einheit, in der das ‚Bewußtsein' seinen transzendentalen Sinn geltend macht. Hier wird der Logos im Sinne der ursprünglichen Einheit des Erkennens gedacht; bedeutet er doch nicht weniger die Idee des Erkennens als diejenige des Seins; denn auch das Erkennen darf in transzendentaler Bedeutung verstanden werden. So umfaßt er denn das Gebiet des Subjektiven nicht nur so, wie er alle andern Gebiete umfaßt, sondern er selbst ist subjektiv, sofern er sich erkennend auf das Objekt der Erkenntnis hinbezieht. ‚Subjektivität' bedeutet nicht ein besonderes Wirkungsfeld der Vernunft, sondern diejenige Bedeutung des Logos, in der er sich als Subjekt darstellt." (Barth 1927, 68 f.)

Der Logos tritt also Barth zufolge als Subjekt in Erscheinung.[21] Dabei ist „Subjekt" nur zu verstehen vor dem Hintergrunde einer transzendental verstandenen Idee, welche zwischen Logos als absolutem Prius und Subjekt als Erscheinungsform transzendental vermittelt.[22] Damit aber ist die erste Dreiheit von theoretischer, praktischer und ästhetischer Philosophie entwickelt: Logos, transzendentale Idee und ihre Erscheinungsform als Subjekt. Ganz offenkundig bewegen wir uns in diesem Dreischritt ganz und gar im Bereich der theoretischen Vernunft; weder ein Bezug zur Ethik noch zur Ästhetik ist hier zentral.

Dem eigentlichen Bereich der Ethik, der praktischen Vernunft, widmet sich die zweite Dreiheit der Kapitel. Sie bildet das Herzstück der *Philosophie der praktischen Vernunft*. Wieder steht das erste der Kapitel unter dem Vorzeichen theoretischer Überlegungen. Überschrieben mit „Die Problemlage der kritischen Ethik", versucht es – parallel zum ersten Kapitel – die „ungeheure Kluft" zwischen einer ontologischen und einer kritischen Ethikbegründung deutlich zu machen. Hier wie an anderen zentralen Stellen bezieht sich Barth auf Plato und damit auch auf seine Überlegungen aus dem Buch *Die Seele in der Philosophie Platons* zurück. Die Figur, dass an den wesentlichen Begründungszusammen-

---

darum der Begriff der Seele in der historischen Betrachtung Platons anders zu seiner Geltung kommen, als indem wir in ihm den bezeichnenden Ausdruck für den allgemeinen Problemkreis der Subjektivität vermuten." (Barth 1921a, 2) Zum Verhältnis von „Kant" und „Plato" vgl. Gürtler 1976, 18-20.

[21] In diesem Punkt zeigt sich eine gewisse systematische Verwandtschaft mit Jan Patočkas Begriff von Subjektivität, der ebenfalls aus einer Weiterführung Kants gewonnen ist, wenngleich Patočkas Argumentation unmittelbarer als Barth auf den Subjektbegriff zurückgreift (als eines *cogito cogitans*).

[22] So fasste Barth das Verhältnis bereits in 1921a, 3, um dort anzufügen, dass es ihm auf diese Weise um ein „Weiterforschen" auf der Grundlage von Natorps *Platons Ideenlehre* gehe.

hängen in den Dialogen Platons der Mythos die Dialektik ablöse, dürfe nicht so verstanden werden, dass der Logos grundsätzlich sich der Dialektik entzöge. Vielmehr sei es so, dass der Logos der praktischen Vernunft ein eigenes Gebiet darstelle:

> „Gegen die Spekulation wird Einspruch erhoben in Verfechtung des Logos, dessen Bedeutung in jeder theoretischen Umprägung der Idee des Guten verkürzt wird. Platos Anliegen war es nicht, auf dem Höhepunkte seiner philosopischen Dialektik zugunsten mystischer Negation dem Logos Abbruch zu tun. Dies aber muß uns zum lebendigen Bewußtsein kommen, daß die Idee selbst es ist, die hier ihre Unnahbarkeit geltend macht. Es war also ein Irrtum anzunehmen, daß der Logos als solcher der Dialektik des Zwiegesprächs zugänglich sei. Nicht die Macht des Chaos stellt die durchsichtige Klarheit theoretischer Gedankenführung in Frage, sondern Vernunft – Praktische Vernunft." (Barth 1927, 88; vgl. dazu 1921, 78 ff., bes. 79 f.)

In dem theoretischen Kapitel aus der Trias der praktischen wird die Differenz zwischen theoretischer und praktischer Vernunft als Ergebnis der kritischen Begründungsart festgestellt. Die Idee des Guten als der zentralen Idee der Ethik entzieht sich der letzten theoretischen Klarheit; damit entgleitet sie aber nicht grundsätzlich der Vernunft, sondern es eröffnet sich ein neues Feld: das der praktischen Vernunft. Das Spezifische dieses Feldes ist seine Beziehung zwischen dem Logos auf der einen Seite und der Konkretion in der Wirklichkeit auf der anderen Seite, wie sie vom Subjekt aus erfolgt. Die Brücke zwischen dem transzendental verstandenen Subjekt als der Erscheinungsform des Logos und der konkreten Wirklichkeit leistet der Begriff der „Handlung" (Barth 1927, 92 ff.; vgl. Gürtler 1976, 43). Mit dem Begriff der „Handlung" fällt aber ein Schlüsselwort einer Existenzphilosophie. Der Begriff der Handlung ist der Mittelbegriff zwischen Lebensereignis und Existenz.

Wie dies zu verstehen ist, führt das fünfte Kapitel aus, das eigentliche Zentrum. Für die theoretische Vernunft bleibt in der Kantischen Ethik ein reiner Formalismus zurück; für die praktische Vernunft stellt sich die Sache anders dar. Der Grundgedanke lautet: „Daß sich im ethischen Problemfelde der gesetzgebende Imperativ nicht vom Willen, der Begriff nicht von der Praxis entfernen darf, daß sich Praktische Vernunft nur in der Einheit von Wille und Gesetz adäquat darbietet, das ist dem ethischen Denken Kants lebendige Überzeugung." (Bart 1927, 118)[23]

---

[23] Auch die Einheit von Gesetz und Wille verweist für Barth auf Plato zurück: „Diese Einsicht ist die Vorbedingung, daß uns das Werk dieser Kritik die Dimensionen platonischer Grunderkenntnis gewinnen kann. Jene Grundrelation von Gesetz und Wille wird zwar nicht auf jeder Seite der Kritik [Kants *Kritik der praktischen Vernunft*, HS] ausgesprochen. Wir glauben aber in ihr nichtsdestoweniger einen verborgenen Quellpunkt ihrer Dialektik wahrzunehmen." Vgl. z. B. Barth 1921a, 58: „Wille kann nicht abgelöst werden von der Idee."

Die Idee des Guten tritt, so Barth, immer in der Form des Gesetzes auf. Da die Idee des Guten aber transzendental zu verstehen ist, kann diese Form keine andere sein als die des kategorischen Imperativs. Weniger die formale Leere als vielmehr die transzendentale Universalität, das transzendentale Prius eines Willens, ist damit ausgesprochen. Die Problemlage der Ethik ist durch diese Spannung zur Konkretion hin bestimmt; das unterscheidet praktische Vernunft wesentlich von der theoretischen. Der Logos als Ursprungsprinzip in der theoretischen Vernunft tritt hier im kategorischen Imperativ als Ursprungsprinzip eines Willens auf, der dann in der Handlung in die Erscheinung tritt. Gesetz, Wille und Handlung machen also die existentielle Dreiheit der praktischen Vernunft aus. Das Verhältnis zwischen Gesetz und Handlung wird von Barth unter Heranziehung von kategorischem und hypothetischem Imperativ expliziert.[24] Der hypothetische Imperativ bildet stets eine konkrete Erscheinungsform in einer konkreten Handlung, auf der Basis des Ursprungsprinzips eines transzendentalen Logos als seines Gesetzes: „Der kategorische Imperativ bedeutet für die Relativität der praktischen Empirie das ‚Gesetz‘. Als ‚Gesetz‘ wird die Idee der Praktischen Vernunft der richtende Maßstab für die ewig hinter ihr zurückbleibende Lebenswirklichkeit: als ‚Gesetz‘ stellt sie an diese Wirklichkeit ihre Forderung." (Barth 1927, 128)

Gerade die Formalität des Gesetzes sichert den prinzipiellen Vorsprung der Idee der praktischen Vernunft, also der Idee des Guten, vor aller materialen Füllung.[25] „Der kategorische Imperativ ist auf keine Bedingung eingeschränkt." (Barth 1927, 131 f.)[26] Mit diesen Überlegungen tritt das Verhältnis zwischen kategorischem und hypothetischem Imperativ in der Handlung in den Mittelpunkt.

Das sechste und letzte Kapitel der mittleren Trias „Kants ethische Prinzipien und die Dialektik relativer praktischer Erkenntnis" will diesem Problem nachgehen. Wem das transzendentale Prinzip einmal klar geworden sei, der wisse auch, dass der Mensch sich nicht an irgendeiner Stelle für das Gute schlechthin zu entscheiden vermöge, meint Barth. Denn das Gute sei ja stets transzendentale Voraussetzung als Ermöglichungsgrund von Handlung. Damit rückt ein Begriff ins Zentrum, der auch das Augustinus-Buch prägen wird: derjenige der Ent-

---

[24] Eine analoge Verhältnisbestimmung findet sich zwischen Doxa als dem Einzelurteil und der Episteme als dem Zusammenhang des Wissens, der von der transzendentalen Idee als dem Ursprung bestimmt ist (vgl. Barth 1921a, 213 f.).

[25] Vgl. auch: „Die scheinbare Leerheit von Kants Grundprinzipien ist in ihrem Ursprungscharakter begründet." (Barth 1927, 117) Ähnlich heißt es in Barth 1921, 158: „Die Idee des Guten ist die Voraussetzung der ethischen Handlung; aber sie ist selbst nicht die Handlung." Vgl. auch die übernächste Anmerkung. Vgl. Gürtler 1999, 43.

[26] Vgl. dazu auch Barth 1935, 186 mit der Unbedingtheit des Geschehens der Entscheidung und der grundsätzlichen Unableitbarkeit der praktischen Vernunft.

scheidung.[27] „[...] als schlechthin gut darf ja nur die Idee dieser praktischen Entscheidung in Betracht fallen. Zu einem Wege der Entscheidungen vielmehr muß
die eine Entscheidung der Ausgangspunkt werden. Oder in noch genauerer Bestimmung: sie ist ein Durchgangsort auf dem Wege der Entscheidungen, den das
Leben als solches darstellt." (Barth 1927, 160)

An dieser Stelle fügt sich auch das „Telos" wieder in die Diskussion ein. Eine jede Handlung hat ihr Ziel. Mag auch, so Barth, auf den ersten Blick gerade
ein solches Ziel gerade wegen seines Subjektivitätsverdachtes von einem Ethiker
argwöhnisch betrachtet werden, so ist doch nicht von der Hand zu weisen, dass
es gerade wieder das Gute ist, welches allen diesen Zielen als transzendentale
Voraussetzung zugrunde liegt und die einigende Klammer aller Handlungen und
ihrer Entscheidungen darstellt (ebd. 168 ff.). Damit gilt: „Der kategorische Imperativ ist als Idee die Krisis aller Zwecksetzungen." (Ebd. 172)[28] Der kategorische Imperativ ist das transzendentale Ursprungsprinzip aller Handlungen, aber
in seiner Transzendentalität stellt er zugleich jede einzelne Handlung in Frage,
indem er klar macht, dass die einzelne Handlung niemals eine Verwirklichung
der Idee des Guten sein kann.[29] In gleicher Weise zielt auch die Reihe der Handlungen, etwa in der Kultur und in der Geschichte, nicht auf die letztendliche
Verwirklichung des Guten; denn die Transzendentalität derselben widersetzt

---

[27] Vgl. Barth 1935, 74 ff.: Das Kapitel, welches in der Mitte des Buches steht, trägt
die Überschrift „Die freie Entscheidung". Ferner ebd. 176: „Problembegriff einer Auslegung der Lehre des Augustinus von der Freiheit ist vorzüglich die ‚Entscheidung' (ar-
bitrium). Wie auf einen perspektivischen Blickpunkt, so sind alle Linien unserer Problem-
stellung auf den einen Begriff der ‚Entscheidung' ausgerichtet." Bezeichnend ist, dass
Barth in der *Philosophie der praktischen Vernunft* den Existenzbegriff noch nicht so eng
mit dem Entscheidungsbegriff verknüpft; hierin liegt ein systematischer Fortschritt im
Augustinus-Buch, vgl. z. B.: „[...] in der Entscheidung ‚existiert' die Existenz" (Barth
1935, 177). Barth selbst hat dies bemerkt und darum im Augustinus-Buch angemerkt:
„Das existenzphilosophische Denken hat also keinen Grund, sich von Kant abzuwenden.
Denn auch Kant ist Existenzdenker; und der heute altertümlich anmutende Begriff der
‚Vernunft' bedeutet unserer Existenzphilosophie die Gewähr eben für das Moment der
‚Ausrichtung', ohne das wir uns ‚Entscheidung' nicht denken können." (Ebd. 177 f.) Vgl.
auch Barth 1965, 31: „Was bei ihm [Kant, HS] das ‚Transzendentale' bedeutet, wird uns
noch immer zu denken geben." Ferner ebd. 48: „Allein bereits Kants Philosophie der
praktischen Vernunft ist in ihren Grundpositionen Philosophie der Existenz" – eine Aussage, die sicherlich auch unterschwellig auf die eigene Kant-Deutung im gleichnamigen
Buch zielt.

[28] Vgl. im gleichen Sinne Barth 1935, 178: „Der Richtpunkt der Entscheidung ist ihre
‚Krisis'." Diese Ansicht hat auch die Theologie seines Bruders beeinflusst (vgl. dazu
Hauff 1990, 46 ff; ferner zur Krisis Barth 1921b, 3 f.).

[29] Vgl. dazu schon Barth 1921a, 158: In der Idee des Guten „liegt beschlossen die radikale Negation und ebenso notwendig die radikale Position – ein Verhältnis, das am
Gedanken des Ursprungs zu seiner vollen Position und Klarheit gelangt".

sich dieser Umsetzung prinzipiell. So kann sie auch nicht bezweckt werden, sondern ist vielmehr Voraussetzung allen Zwecks (Barth 1927, 177 ff.).[30]

Die letzte Trias der Kapitel betritt den eigentlichen Boden der Wirklichkeit. Sie steht unter dem Primat des „in die Erscheinung Tretens" der praktischen Vernunft. Das siebte Kapitel „Die praktische Wirklichkeit" als das erste der letzten Reihe bestimmt, wie schon die beiden anderen je ersten Kapitel, einen transzendentalen Raum als Voraussetzung der weiteren Überlegung. In diesem Fall handelt es sich um das Sich-Ereignen einer Handlung. Die Frage nach dem praktischen Lebensinhalt sei nicht durch Verweis auf ein Faktum welcher Art auch immer zu beantworten, sondern sie lässt sich sinnvoll nur stellen im Blick auf ein Nicht-Sein, ein ethisches Telos, welches werden soll. Damit tritt uns die bekannte Dimension des Übergangs von Nicht-Sein in Sein wieder vor Augen, die den Lebensbegriff der Einleitung von *Die Philosophie der praktischen Vernunft* bestimmte. Nach platonischer Lehre habe eine solche Verwirklichung eines ethischen Noch-Nicht-Seienden „zur Voraussetzung das Vorbilden schöpferischer Erkenntnis" (Barth 1927, 230). Auf diese Weise „entbehrt das in aktueller Entscheidung geschaffene Werk des Gehaltes und der Bedeutung nicht; in ihm liegt der Gehalt der praktischen Vernunft" (ebd.). Indem der Logos im Vorbilden schöpferischer Erkenntnis in die Erscheinung tritt, wird er zur Voraussetzung der Umsetzung in Entscheidung und Handlung. Dabei bleibt gewahrt, dass es nach wie vor keine Richtigkeit gibt. Der Anspruch auf Absolutheit entspringe dem theoretischen Denken und sei, so Barth, in der praktischen Vernunft fernzuhalten (ebd. 231).[31] Die theoretische Vernunft fragt nach einem so und so bestimmten Wissen als einem Faktum. Die praktische Vernunft hingegen richte sich nicht am Erfolg einer Handlung aus, da das Eintreten desselben erstens ein neues Ereignis sei und deswegen zweitens vom ersten unabhängig bleibe, sondern an der je und je sich vollziehenden Entscheidung, die nur im Hinblick auf die transzendentale Voraussetzung beurteilt werden könne und insofern per se ein „besser" einschließe.[32] Handlungen als Faktum gehören auf eine andere, näm-

---

[30] Barth fasst zusammen: „Das Gesetz ist die Idee der Triebfedern. Denn es ist die Krisis aller Verwirklichung. Seine Kritik bedeutet aber nicht die theoretische Beurteilung dessen, was ihr unterworfen ist. Ihr können die Triebfedern nur in praktischer Auseinandersetzung mit dem Anspruch der Idee gerecht werden. Das Gesetz als Triebfeder kann sich nicht als koordiniertes ‚Motiv' neben den andern Triebfedern geltend machen. Die Idee des reinen Willens tritt zu der Fülle konkreter Wollungen nicht in Konkurrenz." (Barth 1927, 198) In einer noch subjektiv-psychologisch geprägten Wendung formuliert das Plato-Buch: „Die Einheit der Seele ist nicht empirisches Faktum, sondern Aufgabe; Seelenleben heißt nichts anderes als das nie abgeschlossene, immer zu vollbringende Lösen dieser Aufgabe, heißt das Werden dieser Einheit." (Barth 1921a, 12)

[31] Theoretische und praktische Wirklichkeitsfrage setzen für Barth vollkommen verschiedene Problemlagen voraus (Barth 1927, 237).

[32] Damit ist natürlich nicht gemeint, dass die einzelnen Handlungen beziehungslos sind. Ganz im Gegenteil stehen sie in einem Zusammenhang, aber derselbe ist nicht durch eine unmittelbare, kausale Verknüpfung der Geschehnisse selbst bestimmt, sondern durch

lich theoretische Ebene, als das *fieri* des „in die Erscheinung Tretens".[33] Die praktische Vernunft „hat zum Gegenstande die Verwirklichung, sofern sie Ereignis geworden ist" (Barth 1927, 252). Sie äußert sich in jener Dialektik, „die das menschliche Dasein ‚existentiell' in Anspruch nimmt" (ebd.). Existenz und Ereignis sind positiv verknüpft. Ereignis ist bestimmt als Verwirklichung im „in die Erscheinung Treten" von Existenz in der Handlung als Entscheidung.[34]

Auf dieser Basis einer Verknüpfung von Logos und Existenz wendet sich das folgende achte Kapitel „Das Problem der Freiheit" der existentiellen Bestimmung der Handlung als eines Ereignisses zu.[35] Dabei ordnet Barth selbst es in den Zusammenhang von theoretischer, praktischer und ästhetischer Philosophie ein. Es geht ihm um eine Problematik, „deren Voraussetzung vielmehr in der Koordination Theoretischer und Praktischer Vernunft zu suchen ist" (Barth 1927, 271). Die Problembestimmung erfolgt so: „Praktische Vernunft ist auf Verwirklichung bezogen; sie aber bedeutet den Übergang von Sollen zum Sein. Es ist also ein Übergang in die Erscheinung, der in ihr vollzogen wird. [...] Sofern sie [die Verwirklichung, HS] aber in Wirklichkeit übergeht, tritt sie in das Blickfeld der theoretischen Vernunft. Das Geschehen der Handlung kann ja nicht umhin, zum Phänomene zu werden." (Ebd. 271 f.)

Das Problem lautet also, ob nicht aufgrund der Tatsache, dass Handlung jederzeit auch Erscheinung ist, der Logos der praktischen Vernunft seinen Eigengeltungsanspruch aufgeben muss. Diese Frage ist aber die Frage nach menschlicher Freiheit. Denn wäre die Handlung ein ausschließlich als Erscheinung erfahrbares Phänomen, unterläge es wie jedes Faktum der Bearbeitung der theoretischen Vernunft.[36] Theoretische Vernunft arbeitet aber anhand der Kausalität

---

den jeweiligen Rückbezug der Einzelhandlung auf ihr transzendentales Prius, welches sie mit allen Handlungen gemeinsam hat. Vgl. dazu auch Barth 1935, 177 f.

[33] Der Schauplatz, an dem der Zusammenhang zwischen existentieller Handlung und schöpferischem Vorbilden sichtbar wird, ist für die Barth die Gesinnung (Barth 1927, 252 ff.). Dabei meint Gesinnung, dass in den Handlungen der „rote Faden" ungebrochener Teleologie als transzendentaler Voraussetzung gewahrt bleibt. Dabei hebt Barth hervor, dass die transzendentale Ausrichtung es erlaubt, über die Frage nach Gelingen und Misslingen einer Handlung im Sinne einer zeitlichen Korrelation Abstand zu nehmen. Das Bilden des Entschlusses als Beginn der Handlung ist in einem grundsätzlichen Sinne als Ereignis autonom; auch das Vollenden einer Handlung ist wieder eine Handlung für sich. Beide stehen jeweils in Beziehung zu ihrer transzendentalen Voraussetzung und erfahren von hier her ihren Maßstab; die lineare Abfolge der Handlungen, insofern sie erschienen und Faktum geworden sind, spielt keine Rolle.

[34] Vgl. dazu auch Barth 1935, 179: „‚Entscheidung' tritt in die Existenz [...] nicht als hingeworfenes, in ihr selbst beruhendes Faktum [...]."

[35] Zur Freiheitsproblematik vgl. neben dem vierten Kapitel des Augustinus-Buches vor allem das Kapitel „Die Freiheit der Existenz" in Barth 1965, 551 ff.

[36] Auch das Plato-Buch kennt diese Differenz, wenn es auch noch missverständlichere Formulierungen gibt wie dort, wo das Verhältnis von theoretischer und praktischer Vernunft noch nicht einwandfrei geklärt ist: „So ist denn die Seele der Ort, wo die Frei-

und der Notwendigkeit. Barth macht demgegenüber in der Konsequenz seiner Ausführungen geltend: „Handlung' tritt im Raume und in der Zeit in die Erscheinung. Indem sie sich vollzieht, wird sie zum phänomenalen Vorgang." (Barth 1927, 282)

An dieser Stelle fällt – so weit ich sehe zum ersten Mal in systematischer Bedeutsamkeit – der zentrale Begriff der Barthschen Ästhetik: das „In-die-Erscheinung-Treten".[37] Praktischer Vernunft kommt nur deswegen ein Sonderbereich zu, weil sie nicht das Faktum, sondern das *fieri*, nicht das Erscheinen, insofern es gegeben ist, sondern den Vorgang des In-die-Erscheinung-Tretens selbst zum Objekte hat.[38] Es ist also gerade der dynamische Erscheinungsbegriff, welcher eine präzise Fassung des *fieri* erlaubt. Der verwirklichte, in die Erscheinung getretene Entschluss ist als *factum* Gegenstand der theoretischen Vernunft. Der sich ereignende Entschluss in der existentiellen Handlung bildet als in die Erscheinung tretender die Sphäre der praktischen Vernunft.[39]

---

heit ihre Stätte haben soll, eine Freiheit, die auf theoretischem und praktischem Felde im Wirklichwerden der Idee zutage tritt." (Barth 1921a, 59) Freilich vgl. man ebd. 88: „Neben das theoretische Wissen tritt ein gestaltendes, schöpferisches Wissen", welches gleichfalls vollgültiges Erkennen, aber eben auch praktisch-ethischem Gebiet sei. Weiter: „Denn Ethik heißt das Wissen vom richtigen Handeln; sie enthält ein Wissen, das Wirklichkeit schaffen muß, wenn es echtes ethisches Wissen ist." (Ebd. 89) Und ebd. 92: „[...] in der Idee des Guten ist vielmehr die Idee einer praktischen Erkenntnis gedacht [...]." Eine präzise Trennung der beiden Sphären erfolgt dann ab ebd. 95. In aller Schärfe bezeichnet Barth 1935, 180 f. das Gegenüber einer theoretisch und einer praktisch verstandenen Tanszentalphilosophie als Ethik. Vgl. vor allem: „Es liegt aber am Tage, daß ein Denken über Existenz, das am ‚exsistere' der Existenz vorbeidenkt, weder Kraft noch Bedeutung besitzen kann." (Ebd. 181)

[37] Es gibt Vorläufer dieser Wendung, so etwa: „Das Gute stellt die Sittlichkeit dar unter dem Gesichtspunkte, daß ihr theoretischer Gehalt notwendig in die Wirklichkeit treten muß." (Barth 1921a, 90)

[38] Barth unterscheidet sehr sorgfältig zwischen dem *fieri* einer Handlung und dem Faktum: „Was getan und erlebt wurde, steht als vollendetes Geschehen zwar nicht mehr in jenem Brennpunkte der Aktualität; darin aber liegt sein wesentliche Bestimmung, daß es ihn durchschritten hat." (Ebd. 367) Darüber hinaus kennt er auch das *fiendum*, den Zukunftsaspekt (vgl. Belussi 1990, 161-164). Grund (1999) trägt dieser Sache nicht genügend Rechnung, was nicht zuletzt für ihren Vorwurf einer Metabasis verhängnisvoll ist; vgl. z. B. ebd. 147 und 149, wo das Erscheinen des Erscheinens als Faktum aufgefasst wird, obgleich sie die Unterscheidung richtig referiert (ebd. 176 ff.).

[39] Als ein anschauliches Beispiel dieses Sachverhaltes, der zugleich die Differenz zwischen theoretischer und praktischer Vernunft beschreibt, sei auf Barth 1935, 201 verwiesen: „Wer im Tale unter einem Baume liegt und erwägt, ob er eine Berghöhe erreichen kann, gibt sich offenkundig einem unsinnigen Gebaren hin, solange er wenigstens in seine Erwägung nicht sein Entwerfen einschaltet. Rein theoretische Erwägung wäre in solchem Falle darum völlig gegenstandslos und unsinnig [...]." Daraus folgert Barth weiter: „Die Frage nach der künftigen Entscheidung ist keine theoretische Seins- oder Möglichkeitsfrage." (Ebd. 202) Damit steht die Barthsche Philosophie als Philosophie der Existenz

Ohne auf die sehr ausführliche Freiheitsdiskussion, die Barth anschließt, einzugehen, sei nur darauf verwiesen, dass gerade an diesem Gegenüber der Erscheinung als *fieri* und *factum* eine Einsicht formuliert wird, die für die weitere Philosophie Barths bestimmend ist:[40]

„Um dem Problembegriffe der Wissenschaft, der Erscheinung, Genüge zu tun, bedürfen wir eines Zurückgehens nicht nur hinter den Begriff des ‚naturgesetzlichen Zusammenhanges‘, sondern dessen Voraussetzung, die eindeutig so uns so bestimmte Struktur des Wirklichen. Im Organismus, demjenigen phänomenalen Komplexe also, dessen Bewegung die auf Handlung bezogene Erscheinungswelt zugehört, bietet sich dasjenige Element der Erscheinungswelt dar, das die Problematik des theoretischen Gegenstandsbegriffs offen zur Schau trägt.“ (Barth 1927, 295)

Der Problembegriff der Wissenschaft ist die Erscheinung. Denn Erscheinung ist janusartig; an ihr wiederholt sich die Ambivalenz des Begriffs „Lebensereignis“. Am Faktum, welches der theoretischen Vernunft zugänglich ist, entsteht die Frage nach dem *fieri*. Offenkundig wird dies an den organischen Gebilden; denn in ihnen kann sich – z. B. beim Menschen in der Teleologie – etwas zeigen, was über das Faktum hinausgeht. Die organischen Gebilde leben. So erweisen sich der Begriff des Lebens als des Übergangs von Nicht-Sein in Sein und der Begriff des Organischen als Problembegriff der Erscheinung letztlich als Korrelate.[41]
Die Frage nach der Freiheit des Menschen als Voraussetzung einer Ethik muss die Möglichkeit eines Erscheinens dieser Freiheit in einem Raum außerhalb

---

oder der praktischen Vernunft vor dem Problem, dass sie praktische Sachverhalte nur im Modus der theoretischen Vernunft verhandeln kann. In diesem Sinne ist Kipfer (1990, 185) Recht zu geben, wenn er von einer Aporie spricht. Vgl. dazu auch Huber (1960, 215 f.), der auf eine Stelle aus „Philosophie, Theologie und Existenzproblem“ (Barth 1932, 103) verweist: „Es gibt kein Denken der Existenz als solcher, nur ein ‚Nach-Denken‘ über sie, bei dem sie selbst nicht mehr gedacht ist.“ Aber diese Aporie betrifft nur die Vermittlung und Weitergabe von Einsichten (natürlich auch selbstreflexiv gemeint), sie betrifft nicht deren Geltung oder die methodische Gewinnung. Nicht zuletzt deswegen scheint mir die abstrakte Sprache Barths immer wieder in die konkrete Erscheinung der Bilder und Beispiele umzuschlagen. Vgl. dazu auch Wildermuth 1990b, 218 ff.; ebd. 229 macht Wildermuth darauf aufmerksam, dass schon die „Philosophie der praktischen Vernunft“ von diesem konkreten Ausgangspunkt bestimmt sei.
[40] Im Plato-Buch kommt der Erscheinung noch nicht dieser ausgezeichnete Stellenwert zu (vgl. als eine typische Stelle Barth 1921a, 279 f.).
[41] Zum Zusammenhang von Organismus, Teleologie und Erscheinung vgl. auch Barth 1965, 47: „[...] wir meinen wahrzunehmen, daß sich die vor allem am organischen Sein orientierte Philosophie als ein Derivat der ästhetischen Urteilskraft erweisen läßt.“ Hauff (1990, 76) hat auch auf Barth 1967, 98 f. hingewiesen: „Schon der erstaunliche deutsche Terminus der ‚Erscheinung‘ erweckt ja die Ahnung von einem ihr anhaftenden teleologischen Momente. ‚Er-scheinen‘ zielt auf etwas hin, ein Neues, das gerade nicht nur ‚zum Vorschein kommt‘.“ Vgl. auch Hauff, ebd. 77; ferner Wildermuth 1990b, 230 f.

der theoretischen Vernunft aufweisen.[42] Barth verweist in diesem Sinne auf den je von seiner transzendentalen Voraussetzung bestimmten und damit dem Kausalnexus theoretischer Erkenntnis entzogenen Entscheidungsprozeß als Handlung, die das Vorbilden in schöpferischer Erkenntnis und deren Umsetzung umfasst.[43] Durch diese Handlung tritt Logoshaftigkeit in die Erscheinung. Barth nennt den Erscheinungsbereich der praktischen Vernunft die „Bewegtheit des Wollens" (Barth 1927, 312). In der Bewegung des Wollens zeigte sich eine durchgehende Bestimmtheit des Willens von Motiven.[44] Die Motivkette, darin der Kausalkette ähnlich, ist niemals unterbrochen; aber die Motivkette bezieht ihre Ununterbrochenheit nicht aus der Kausalität. Die Handlung hatte sich als ein in viele Teilhandlungen zerfallendes Geschehnis gezeigt. Jedes Teilgeschehen wiederum war durch seine Relation zum transzendentalen Ursprung bestimmt. Zwischen schöpferischem Vorbilden und ausgeführter Tat waltet kein notwendiger Kausalzusammenhang. Weder Kausalität noch theoretische Erklärung vermögen eine praktische Handlung hinreichend und erschöpfend zu erfassen. Auf einer theoretischen Ebene bleibt stets nur das *factum*, nie das *fieri* im Blick. Die Kausalität von Fakten auf ein *fieri* zu übertragen, ist eine Metabasis. Freiheit und praktische Vernunft fallen somit für Barth zusammen (Barth 1927, 332).[45]

Aus dieser Perspektive ergibt sich auch der Inhalt des neunten und letzten Kapitels „Das Problem des höchsten Gutes". Barth wehrt sich gegen die Kantische Annahme eines jenseitigen Reiches, in dem eine Belohnung oder Bestrafung für die Taten sich vollziehe. Der Vorwurf spricht eine klare Sprache: „Mit der Verwirklichung des Guten soll es sein Bewenden nicht haben. Daß es in die Er-

---

[42] Vgl. dazu auch die Überlegungen in Barth 1935, 182 ff. Vor allem ist darauf hinzuweisen, dass es nicht um die Freiheit, sich zu entscheiden, geht. Die Entscheidung selbst ist es, der das Prädikat der Freiheit zukommt oder nicht zukommt – nicht der Mensch. Zum Verhältnis der freien Entscheidung zum Menschen vgl. ebd. 187 ff.: Das transzendentalphilosophische Ich sei nicht ontologisch zu denken, sondern im Sinne jener Voraussetzung der praktischen Vernunft.

[43] Die strenge Unterscheidung von Kausalität und Teleologie tritt erst in der *Philosophie der praktischen Vernunft* auf. Im Plato-Buch wird der Begriff der Kausalität noch mit völliger Selbstverständlichkeit für das schöpferische Handeln des Menschen oder Gottes in Anspruch genommen (z. B. Barth 1921a, 316).

[44] Zu diesen Überlegungen zur Kausalität und zum Willen ist die ausführliche, im Tenor ähnlich gehaltene Passage aus Barth 1935, 189 ff. zu vergleichen. Dabei bezieht sich Barth auf Kants transzendentale Freiheitslehre zurück (ebd. 191).

[45] Gleiches formuliert das Augustinus-Buch (Barth 1935, 183): „‚Frei' ist die Entscheidung, sofern sie bestimmt ist durch die Ausrichtung auf ihre transzendentale Voraus-Setzung." Vgl. dazu auch Huber 1960, 222 ff. Gemäß dem unterschiedlichen Grad dieser Ausrichtung ist auch Freiheit in unterschiedlichsten Abstufungen denkbar. Wenig später verweist Barth wiederum auf Kant und dessen praktische Vernunft: „Es ist ‚praktische Vernunft' – und sie allein – die der Freiheit ‚Realität' verschafft" (Barth 1935, 185; vgl. auch Barth 1965, 58).

scheinung tritt, soll zur Erkenntnis seiner Wahrheit nicht hinreichen." (Barth 1927, 349)

Aus dieser Bemerkung wird klar, worin konsequenterweise für Barth das höchste Gut liegt: in dem „in die Erscheinung Treten" des Guten in einer Handlung als solchem.[46] So gilt, wie schon in der Einleitung betont: „Nur das Leben selbst kann wertvoll sein" (ebd. 356). Daraus zieht Barth eine Konsequenz, welche die Dimension des Erscheinens für die Ethik wie keine andere deutlich macht, indem er sie mit seinem Grundanliegen des Erneuerns verbindet: „Es liegt viel daran, daß unser Lebensbewußtsein der erneuernden Bewegtheit der Erkenntnis teilhaftig werde. Auch die Lebensereignisse dürfen uns nicht als tote Gegebenheiten bewußt sein. Denn das Lebensbewußtsein leidet Schaden, wenn es sich an einmal festgelegte, starr gewordene Bewußtseinsinhalte bindet." (Ebd. 368)

Der ganze Zusammenhang von notwendiger theoretischer Begriffsbildung, von notwendiger immer neuer Entscheidung und von der Unabdingbarkeit des In-die-Erscheinung-Tretens im Lebensereignis als *fieri*, nicht als *factum*, wird hier abschließend als Brennpunkt des Buches deutlich. Um die Mittelachse der praktischen Vernunft hat Barth ein System aller drei Bereiche veranlagt, wie es in seinen späten Jahren weiterentwickelt werden sollte. Wenn auch der Begriff des „Lebensereignisses" im späteren Werk Barths aufgegeben ist und wenn er auch im frühen Werk nicht allzu häufig in die Erscheinung tritt, so hoffe ich doch gezeigt zu haben, dass von ihm her die *Philosophie der praktischen Vernunft* selbst als eine wichtige Entscheidung auf dem Wege der philosophischen Entscheidungen Heinrich Barths verstanden werden kann, indem aus der praktischen Vernunft heraus das Erscheinen und die theoretische Vernunft systematisch begründet werden. Auf diese Weise sollte die *Philosophie der praktischen Vernunft* als Lebensereignis in die Erscheinung treten und alte Sehgewohnheiten auf das Werk Heinrich Barths erneuern, damit „uns das Lebensereignis in ein neues Licht tritt" (ebd. 369).

Literatur

Barth, H. (1921a): *Die Seele in der Philosophie Platons*, Tübingen.
- (1921b): *Das Problem des Ursprungs in der Platonischen Philosophie*, München.
- (1927): *Philosophie der praktischen Vernunft*, Tübingen.

---

[46] Auch an seiner Kritik an anderen Vorstellungen wird dies deutlich. So verwahrt sich Barth etwa auch gegen ein Fortschrittsmodell. Bestrebungen dieser Art führen nur zu einem: zur „Ablenkung der Praktischen Vernunft von der Aktualität der Entscheidung" (ebd. 352). So kulminiert im Begriff des Erscheinens, verstanden als *fieri*, die Ethik Barths. In allen anderen Fällen geht es um „Werte", aber nicht eine Tugend ist ein Wert, sondern deren Umsetzung.

- (1932): „Philosophie, Theologie und Existenzproblem", in: *Zwischen den Zeiten* 10, 99-124.
- (1935): *Die Freiheit der Entscheidung im Denken Augustins*, Basel.
- (1947): *Philosophie der Erscheinung. Eine Problemgeschichte*, 1. Teil: Altertum und Mittelalter, Basel.
- (1959): *Philosophie der Erscheinung. Eine Problemgeschichte* 2. Teil: Neuzeit, Basel.
- (1965): *Erkenntnis der Existenz. Grundlinien einer philosophischen Systematik*, Basel.
- (1967): *Existenzphilosophie und neutestamentliche Hermeneutik. Abhandlungen*, in Verb. m. H. Grieder u. A. Wildermuth hg. v. G. Hauff, Basel/Stuttgart.

Belussi, F. (1990): „Reflexion und Manifestation. Zur Theorie des existentiellen Selbstbezugs im systematischen Spätwerk Heinrich Barths", in: Hauff, Schweizer u. Wildermuth (Hg.) 1990, 147-168.

Grund, D. (1999): *Erscheinung und Existenz. Die Bedeutung der Erscheinung für die Ansatzproblematik der transzendental begründeten Existenzphilosophie Heinrich Barths*, Amsterdam/Atlanta.

Gürtler, P. (1976): *Der philosophische Weg Heinrich Barths. Transzendental begründete Existenzphilosophie als Basis für das ökumenische Gespräch*, Basel/Stuttgart.

Hauff, G. (1990): „Ursprung und Erscheinung. Heinrich Barths Vermächtnis", in: Hauff, Schweizer u. Wildermuth (Hg.) 1990, 21-96.

Hauff, G., H. R. Schweizer u. A. Wildermuth (Hg.) (1990): *In Erscheinung treten. Heinrich Barths Philosophie des Ästethischen*, Basel.

Huber, G. (1960): „Heinrich Barths Philosophie", in: ders. (Hg.): *Philosophie und christliche Existenz. Festschrift für Heinrich Barth*, Basel/Stuttgart, 199-249.

Kipfer, D. (1990): „Die begründende Funktion der Aporie für die Existenzphilosophie Heinrich Barths", in: Hauff, Schweizer u. Wildermuth (Hg.) 1990, 169-186.

Schwaetzer, H. (2003): „Geschenkte Schuld. Zeit und Zukunft in der Existenzphilosophie Heinrich Barths", in: *Bulletin der Heinrich Barth-Gesellschaft*, Nr. 10, 4-20.

Schweizer, H. R. (1990): „Sinnlich-ästhetische Erkenntnis als Beziehungsfeld von Welt und Mensch bei H. Barth, A. G. Baumgarten und I. P. V. Troxler", in: Hauff, Schweizer u. Wildermuth (Hg.) 1990, 187-204.

Volkelt, J. (2002): *Erfahrung und Denken*, hg. v. H. Schwaetzer, Hildesheim.

Wildermuth, A. (1990a): „Einleitung: Grundlinien der Philosophie Heinrich Barths", in: Hauff, Schweizer u. Wildermuth (Hg.) 1990, 7-20.
- (1990b): „Philosophie des Ästhetischen. Das erscheinungsphilosophische Denken Heinrich Barths", in: Hauff, Schweizer u. Wildermuth (Hg.) 1990, 205-260.

Das Primat der Existenz und die existentielle Kosmologie

Meditation zu Heinrich Barths 10. Kapitel „Existenz und Sein" in der *Erkenntnis der Existenz*[1]

Armin Wildermuth

1. Zweifache Grundbestimmung der Philosophie der Existenz

Heinrich Barths Philosophie der Existenz widerspricht den gängigen Darstellungen der „Existenzphilosophie" oder des „Existenzialismus", die sie als einen Exzess des Subjektivismus und Individualismus der Moderne entlarven wollen. Ihre Bedeutung wird schlichtweg verkannt. Geradezu unsinnig muss es vielen Rezeptoren erscheinen, wenn von einer existenzphilosophischen Kosmologie die Rede sein soll. Einen Ansatz dazu entwirft Heinrich Barth im letzten Teil seines Hauptwerkes *Erkenntnis der Existenz*. Die folgende Darstellung konzentriert sich vornehmlich auf diesen Text. Eine sorgfältige Lesung der folgenden Zitate ist unabdingbar. Sie sind auch die Grundlage, um so etwas wie eine existentielle Kosmologie in Sicht zu bringen.

Heinrich Barths Bestimmung der Existenz ist zweifach: Existenz ist „In-die-Erscheinung-Treten" und zugleich „Existentielle Erkenntnis". Diese beiden Formeln zeigen an, dass „Erscheinen" und „Erkennen" mit dem Zentralgedanken des „Existierens" oder genauer: mit dem „Ereignis der Existenz" wesensmäßig verbunden sind. Über den Zusammenhang der zwei genannten Existenz-Formeln orientieren die beiden folgenden Zitate, die eine Stufenfolge von sich vertiefenden Erkenntnis-Gehalten vorgeben:

> 1. „Wir haben die ‚Existenz' ausgelegt als ‚In-die-Erscheinung-Treten'. In ihm ist ‚Erscheinung' vorausgesetzt – Erscheinung in ihrem Erscheinen. ‚In-die-Erscheinung-Treten' ereignet sich im Lichte der Erkenntnis, während im ‚Erscheinen der Erscheinung' dieses Zu-sich-selbst-Kommen der Erkenntnis noch verborgen bleibt." (Barth 1965a, 671; 206)

> 2. „Existenz ist […] existentielle Erkenntnis. Damit ist diejenige Erkenntnis gemeint, *in* der die Existenz in ihrem ‚exsistere' existiert." (Ebd. 685)

---

[1] Barth 1965a. – Eine Zusammenstellung zentraler Texte aus diesem Werk finden sich in: Barth 1999; eine ebenfalls erhellende Hinführung ins Werk Heinrich Barths bietet Graf 2004.

Wenden wir uns dem ersten Zitat zu, in dem der Begriff der „Erscheinung" dominiert: Die grundlegende Voraussetzung der Existenz wird im „Erscheinen der
Erscheinung" festgelegt. Diese Einsicht ist sogar – worauf noch einzugehen sein
wird – die Voraussetzung von Existenz und Kosmos (ebd. 666 f.; 120 ff.). Für
das immer im Vollzug befindliche aktuelle Existieren oder „In-die-Erscheinung-
Treten" bedeutet dies, dass der Mensch in allem seinem Denken und Handeln
auf die Voraussetzung des Erscheinens bezogen bleibt. Die im Zitat verwendete
Metapher des „Lichts der Erkenntnis" ist dahin zu verstehen, dass das existentielle Werde-Ereignis, dieses Hervortreten und Konkret-Werden zu einer kör-
perlich-leiblichen Gestalt, dieses Eintreten in den Horizont der Erscheinungen
zugleich als Erkenntnis-Ereignis zu verstehen ist. Man kann diesen Erkenntnis-
Begriff nicht fundamental genug ansetzen. Er lässt sich aber auch empirisch und
augenfällig beschreiben. Besitzt nicht jeder Mensch, dem wir begegnen, einen
uns spontan zugänglich Ausdruck oder eine Aura, die wir als bedeutungshaft
empfinden, die uns irgendwie „etwas angeht" und uns „einleuchtet"? Dieses Ein-
Leuchten ist nichts anderes als ein Akt der Erkenntnis. Doch ich kann einen
Menschen auch als Sache oder als Objekt betrachten, wenn er mir z. B. in großer
Distanz nur umrisshaft erscheint. Gleichwohl ist das Erscheinen schon vorausgesetzt, aber so, dass mein Erkennen noch nicht zur vollen individuellen Erscheinung durchgedrungen ist, die sich erst im Ereignis voller Apparenz und
intimer Anteilnahme offenbart. Es handelt sich also um eine vorerst noch verborgene, noch nicht „zu sich selbst gekommene Erkenntnis". Diese an Hegel
erinnernde Ausdrucksweise bedeutet nichts weniger, als dass das „Erscheinen
der Erscheinungen" in einem letzten Sinne vom Wesenscharakter der Erkenntnis
sein muss. Das Erscheinen ist nicht ontologisch, sondern als ein sich phänome-
nalisierendes Erkenntnisgeschehen zu verstehen oder, wie Barth sagt: als „Sich-
zu-erkennen-Geben" von Sein.

Nun erhält das zweite Zitat erst sein volles Gewicht, in dem der Begriff der
„Erkenntnis" dominiert: Die „zu sich selbst gekommene" Erkenntnis, die ein
„In-Sein" der Existenz im Erkenntnis-Ereignis gewährt, ist die „existentielle
Erkenntnis". Sie wird sichtbar, erfahrbar, umrisshaft erkennbar, wenn das er-
kenntnispotente Erscheinen der Erscheinung zu sich selbst erwacht und sich
erhellt. Und dies geschieht offenbar im leibhaftigen Menschen. Das kursiv ge-
druckte Wort „*in*" – das das menschliche Hervortreten quasi-spatial umhüllt – ist
aber nicht im Sinne einer Selbsterhellung oder Selbsterschaffung zu verstehen,
vielmehr ist diese Erkenntnis in einem transzendentalen Sinne „vorausgesetzt".
Die Bewegung des Zu-sich-selbst-Kommens der existentiellen Erkenntnis vollzieht sich im Horizont der alltäglichen Welt. Es ist stets konkret, doch nicht
ohne Intention auf ein existentielles Optimum an Erkennbarkeit, das „noch
verborgen" ist: „Darüber können wir uns keiner Täuschung hingeben, dass die
Existenz, bevor wir von ihr wissen, längst auf dem Plane ist." (Ebd. 185)

So haben wir zu unterscheiden eine existentielle Erkenntnis-Bewegung mit
dem Telos des Zu-sich-selbst-Kommens und eine existentielle Erkenntnis-

Einsicht, die sich dadurch manifestiert, dass sie immer schon zu sich selbst gekommen ist. – Die ungewohnten Existenz-Formeln und die anscheinend überhöhte Bedeutung der „Erkenntnis" bedürfen einiger hinführender Bemerkungen.

2. Philosophie der Existenz und die philosophische Tradition

Barth stellt seine Philosophie in die Nachfolge der „Marburger Schule" und damit in einen von Hermann Cohen und Paul Natorp eröffneten weiteren Horizont der Kant-Interpretation. Die „Ursprungsphilosophie" dieser beiden Philosophen bezeichnete er sogar in seinem für die protestantische Theologie nicht unwichtigen Vortrag von 1919 über „Gotteserkenntnis" als den archimedischen Punkt, der die Philosophie im traditionellen Stil aus den Angeln zu heben vermag (Barth 1965b). Dies tönt recht vollmundig. Dennoch können seine damaligen Worte als Leitlinie seiner ganzen Philosophie verstanden werden. Barth ist zwar sicher ein Schüler der Marburger Schule, doch in einer selbstständigen Weise und ist darum keineswegs mit der umstrittenen Etikette der „Neukantianer" zu versehen. Der Bezug zu den Philosophen Hermann Cohen und Paul Natorp markiert bloß, dass er sich in einer Tradition verwurzelt weiß, die sich auf Kant und Platon beruft und gegenüber den bis heute nachwirkenden Schulen der Neuaristoteliker wie Trendelenburg, Bolzano, Brentano und damit auch zur phänomenologischen Bewegung, angestoßen durch Husserl und Heidegger, in grundsätzlicher Opposition steht. Barth hält aber auch aufgrund seiner vertieften Kant- und Platon-Studien mit Kritik an seinen frühen Lehrern nicht zurück. Vor allem rügt er, dass die Marburger den Gedanken des Transzendentalen nicht konsequent genug erfasst hätten.

Der entscheidende Einfall Barths – man könnte auch besser sagen: seine Entdeckung – ist darin zu sehen, dass er Kants *Kritik der praktischen Vernunft* als Philosophie der Existenz versteht. In seiner Schrift *Die Philosophie der Praktischen Vernunft* von 1927 – gleichzeitig mit Heideggers *Sein und Zeit* erschienen – arbeitet er die Eigenwirklichkeit des deontologischen Seins heraus, in das die sog. „Ethik" zwar eingeschlossen, dabei aber nicht führend ist. Dieses deontologische Sein ist wesensmäßig sichtbar und sinnlich erscheinend in den Handlungen und Willensakten Einzelner und der Kollektive. Es beruht auf dem Prinzip des Entscheidens über das, was erscheinen oder nicht erscheinen soll.

Indem sich Barth durch seinen Bezug zur Marburger Schule in den Traditionsstrang der Transzendentalphilosophie einordnet, versteht er die Philosophie der Existenz als eine transzendental begründete Vernunft- oder Erkenntnisphilosophie. Sein Ansatz kann also umschrieben werden als eine Erweiterung von Kants „Praktischer Vernunft" (Barth 1965a 170; 186). Der Aarauer Vortrag über „Gotteserkenntnis" weist weit über diesen Bezug hinaus. Barth geht es nicht um eine philosophiegeschichtliche Anknüpfung, vielmehr um eine Herausforderung der ganzen bisherigen Philosophie. Ihre traditionelle Verkennung des Existenzproblems sieht er begründet in der Dominanz der ontologischen Metaphysik und überhaupt im Primat der bereits bei Platon beginnenden Ontologisierung der Erkenntnis. Worum es ihm geht, ist ein Paradigmenwechsel größeren Stils. In der Durchforschung der ganzen philosophischen Tradition entdeckt Barth die Inkubation des Existenzproblems, das sich in Widersprüchen indirekt anzeigt. Es ist also nicht etwas „Neues", das propagiert wird. Die Anstrengung gilt einer Grundkorrektur unseres ganzen „abendländischen" Denkens. Philosophisch formuliert: Es geht darum, das Primat der Existenz gegenüber dem Sein zu begründen.

Dies bedeutet, dass Existenz – als eine spezifische, unvergleichliche Weise der Erkenntnis – sich allein durch sich selbst beglaubigen kann und soll. Vor allem darf sie nicht als Anhängsel irgendeiner ontologischen Struktur oder als Element einer „gegebenen" Konstellation bestimmt werden. Der junge Barth sagt sogar: „Bejahung einer Gegebenheit der Lebensinhalte ist das schlechthin Böse; sie ist das Wesen aller Sünde und Verkehrtheit; sie ist das Übel als solches." (Barth 1965b, 227) Aber auch in seinem Spätwerk wendet er sich gegen die „Starrheit götzenhafter Seinsweisen" (Barth 1965a, 624), dann nämlich, wenn die Philosophie unterschiedliche Erkenntnisbereiche – wie eben „Existenz" und „Natur" oder „Kosmos" – unverbunden nebeneinander stellt, sie zu Gegebenheiten erstarren lässt und sich weigert, ihre gegenseitigen Beziehungen zu klären. Das wird das Thema der weiteren Darlegungen sein.

3. Alienation und Affirmation des Kosmos

Was versteht Barth unter dem Begriff des „Kosmos"? Obwohl er mehrere Male auch den Terminus „Kosmologie" verwendet, dürfen wir keine Auseinandersetzung mit kosmologischen Theorien des 20. Jahrhunderts erwarten. Zwar äußerte sich Barth gründlich über philosophische Zugänge zum Kosmos, zum Makro- und Mikrokosmos in der *Philosophie der Erscheinung*, doch finden sich keine umfassenden Auseinandersetzungen mit expliziten Kosmologien. Dass Barth naturwissenschaftliche Theorien zur Kenntnis nimmt, beweisen viele kurze Passagen, wie z. B. zu Einsteins Relativitätstheorie (Barth 1965a, 242), sein Interesse an deren unorthodoxen Kritik durch Otto Brühlmann[2] und vor allem über den

---

[2] Am 4. Juni 1959 fand im philosophischen Seminar von Heinrich Barth an der Universität Basel ein Kolloquium statt, an dem Otto Brühlmann seine Grundthesen zur Diskussion stellte unter dem Titel: „Die Bedeutung der Mathematik und des Lichtes in der Theorie des Bezugnehmens, betrachtet im Hinblick auf die Relativitätstheorie" (Vorlage in Maschinenschrift). – Barth schätzte das Anliegen Brühlmanns, besonders seinen Versuch, gegenüber Einstein und der ihm folgenden Physik so etwas wie die „Rettung des Lichts" zu wagen. Brühlmanns Appell an die Geisteswissenschaftler und Philosophen, sich den phänomenalen Gehalt des Lichtes von den Physikern nicht stehlen zu lassen,

sich meldenden Einbezug der Erscheinungsproblematik und des Beobachters in die Physik[3]. Das 10. Kapitel von EE beginnt Barth sehr bedachtsam mit der Beschreibung des „kosmischen Etwas": „In dem kosmischen Etwas scheint das, was der Existenz entgegensteht, beschlossen zu sein, in einem universalen Etwas, das zwar der Vorstellung nicht zugänglich ist, während es doch alle Vorstellung übersteigt." (Barth 1965a, 611)

Der Begriff des Kosmos zeichnet sich also aus durch eine grundsätzliche Unklarheit. Das kosmische Etwas ist universal, was eigentlich dem Etwas-Begriff widerspricht. Es ist als Universales auch nicht zugänglich in einer in sich abgeschlossenen „Vorstellung", oder sagen wir: Anschauung oder Erscheinung. Das Moment des Übersteigens oder Transzendierens der Erscheinungen – der Umwelt-Dinge, der Landschaften, des Sternenhimmels, aller gesehenen Horizonte – bringt eine abgründige Unsicherheit zu Tage, die zeitweise durch Theorien eines geschlossenen oder offenen Kosmos beruhigt wird. Doch die Unsicherheit verbleibt, zumal sich die heutigen Kosmologen als sehr erfinderische Hypothesen-Generatoren erweisen – mit global unterstützenden Medien. Doch von einem grundsätzlichen erscheinungsphilosophischen Ausgangspunkt aus sind allein schon die Aussagen über die Ganzheit des Kosmos und die Totalität des Seienden spekulativ, kaum kontrollierbar oder zum mindesten sinnlich nicht zu beglaubigen. Nichtsdestotrotz suggeriert der Blick zum Himmel eine Geschlossenheit und keineswegs eine sichtbare Grenzenlosigkeit. Doch im Kosmosbegriff sind die Konnotationen einer welt-immanenten Transzendenz des Räumlichen enthalten. Darum beschwört Barth die „erhabene Weite des Welt-Seins". Der Begriff der „Natur" hingegen, der mit jenem des Kosmos konvergiert, klingt vertrauter, beschreibt aber mehr die Nähe des kosmischen Universal-Etwas, ja erweckt sogar das Gefühl, dass wir als Menschen selber „Teil der Natur" seien.

Barth macht deutlich, dass er „Naturphilosophie", „Kosmologie" und „Ontologie" in den Horizont seiner Existenzerhellung einbezieht und dass diese traditionellen philosophischen Disziplinen ihre Relevanz für eine Philosophie der Existenz nicht eingebüßt haben – auch dann nicht, wenn der Kosmos als „aussermenschliche Welt" verstanden wird (ebd. 638). Die für die Wissenschaft notwendige Reduktion des Kosmos auf ein indifferentes Seiendes ist für die existentielle Kosmologie zu vermeiden (ebd. 639). Denn die Natur ist für Barth kein neutrales oder absolutes Anderes. Nach diesen Abgrenzungen müsste man die Entfaltung einer Existential-Natur erwarten, doch Barth zeigt nur einige Schritte auf, die zu einer möglichen existentiellen Naturphilosophie führen können.

---

verrät deutlich eine Affinität zu den Grundproblemen der Philosophie der Erscheinung (vgl.. auch Brühlmann 1955).

[3] Heinrich Barth unterbreitete in den fünfziger Jahren jeweils im Sommersemester seinem Philosophischen Seminar Thesen zu bestimmten philosophischen Problemgebieten zur Diskussion, so im Sommersemester 1955 über „Begriff, Eidos, Idee" (Barth 2003).

Es sind unterschiedliche Dimensionen, in denen sich Barths existentiell-kosmologisches Denken entfaltet. Der ausgewählte Text schreitet nach der Eliminierung der Beschreibung des Kosmos als eines universalen Etwas zu immer tieferen Analysen fort, beginnend bei den einfachsten alltäglichen Aussagen und endend beim „Ort der Konvergenz" von Existenz und Kosmos. Die fünf folgenden Abschnitte spannen den Bogen von der menschlichen Erfahrung des In-der-Welt-Seins bis zur Einsicht in das Primat der Existenz vor dem Sein und dem Kosmos.

3.1. Existieren in einem Gegenüber

Ist das 10. Kapitel von *Erkenntnis der Existenz* zwar mit „Existenz und Sein" überschrieben, so handelt es doch vornehmlich vom Verhältnis des Menschen zur Natur, zum Kosmos oder zum „kosmischen Etwas". Dadurch setzt Barth eigentlich massiv „ontologisch" ein, doch wie wir wissen, mit dem Ziel, das Moment des Ontologischen zu dekonstruieren und an jene Stelle zu verweisen, wo es sinnvoll ist, nämlich in der Erkenntnisdimension: das „Seiende" als IST erscheinender Manifestation, das „Sein" als transzendentale Voraussetzung aller möglichen IST-Aussagen. Das universale Kosmos-Etwas ist vorerst recht formal angesetzt. Es scheint, dass Barth den ubiquitären Begriff des „Seins" zwar transzendental versteht, aber zugleich als eine Art kosmischer Verdünnung erachtet, insofern – wie sich später erweisen wird – alle kosmischen Erscheinungen auf Sein bezogen sind. Grundsätzlich also steht für Barth der Kosmos als Problem der Erscheinung und nicht „das Sein" an der Stelle des originalen philosophischen Einsatzes.

Darum sei bemerkt, dass für Barth die „Ontologie" eine „Projektion" oder „Abschattung" der kosmischen Erscheinung auf die Ebene theoretischer und asubjektiver Neutralisierung bildet und letztlich ein Ausweichen vor der Konfrontation mit dem integralen Existenzproblem bedeutet. Auch dort, wo ausdrücklich die Existenz und die Wirklichkeit des Menschen zur Sprache kommen, kann Existenz in ihrer Integralität verfehlt werden. Existenzphilosophie ist darum keine Anthropologie und keine Bewusstseins-Phänomenologie. Barth fordert eine Philosophie der Existenz, die auch dort, wo sie sich für die kosmischen Erscheinungen öffnet, die Integralität der Existenz bewahrt. So sagt er:

> „Die Existenzphilosophie darf nicht zu einem Monolog der Existenz werden, der zu einer selbstgenügsamen Auslegung ihrer selbst und ihrer Bedeutung ausartet. Diese Philosophie wird sich vielmehr von Anfang bis zu Ende ihres Beginnens dessen bewusst bleiben, dass die Existenz in einem Gegenüber existiert – in einem Gegenüber, dessen Sicht sie sich nur zu ihrem Nachteil verstellen würde. Dieses Gegenüber können wir uns gegenwärtig machen im Begriffe des ‚Kosmos'." (Barth 1965a, 611)

Die merkwürdige Formulierung „in einem Gegenüber existieren" erinnert formal an G. W. Fichtes *Wissenschaftslehre*. Die Dualität von Existenz und Kosmos – rein für sich genommen – könnte durchaus eine faszinierende Dialektik in Gang setzen, so etwa, wenn man sich in eine Spekulation über den Zusammenhang von transzendentalem Ich und kosmischer Ur-Explosion (oder „Urknall") stürzte. Sie wäre allerdings immer noch erscheinungsnäher als die Dialektik von Ich und Nicht-Ich. – Vor allem aber bezeichnet die Formel des „In-einem-Gegenüber-Existierens" das Selbstverständnis des alltäglichen Bewusstseins, das sich den Dingen oder gar einer ganzen Welt gegenüber, aber (wie in einer Landschaft) zugleich in sie eingelassen weiß. Der deutsche Begriff Gegen-Stand ist bezeichnend für den Widerstand, den der Mensch erfährt, wenn er es körperlich mit Dingen in ihrer materiellen Beschaffenheit zu tun hat. Diese Widerständigkeit führt, wenn sie ins Allgemeine erhoben wird, in die Irre. Zwar gehorchen die Dinge dem menschlichen Denken nicht unmittelbar, so dass es sich resignierend über deren Bewirkungsverweigerung auf sich selbst zurückverwiesen sieht und sich damit begnügt, einen mentalen Binnenbereich, genannt „Bewusst-Sein", auszutarieren. Den Zusammenhang mit der Welt kann es zwar nicht leugnen, doch er entzieht sich seinem direkten Zugriff. Der dadurch entstandene Riss zwischen Erkennen und Weltsein lädt zu synthetischen Brückenlösungen ein. Barth analysiert sie eingehend und verwirft sie, weil sie das Vermittelnde unzulässig verobjektivieren oder das Problem, wie der Cusaner und zeitweise Schelling, identitätsphilosophisch umgehen (ebd. 28; 190 ff.). In allen diesen Versuchen, die man ontologisch-statisch bezeichnen muss, wird der dynamische Aspekt der „Aktualisierung" verkannt und ausgeschieden.

Barth übernimmt auch nicht, wie vielleicht erwartet werden könnte, den Weltgedanken von Husserl. Erscheinungsphilosophisch ist er ihm zu unpräzis. Wollte man eine Analogie herstellen, so könnte man versuchen, nicht von „Welt" oder „Lebenswelt", sondern vom „Erscheinend-in-Erscheinungen-Sein" sprechen. – Heideggers „Fundamentalontologie" in Sein und Zeit scheint durch einen synthetischen Ansatz – mit dem „In-der-Welt-Sein" – diese dualistische Situation gleichsam von innen her zu erfassen und phänomenologisch beschreiben zu können. Er setzt Husserls (und auch J. J. von Uexkülls) Umweltgedanken mit der mundanisierten transzendentalen Subjektivität in Eins und rückt den menschlichen, ins Wissen erhobenen Überlebenstrieb in den Mittelpunkt der existentiellen Anliegen. Auch trotz großer Zustimmung zu einzelnen Analysen Heideggers, wie sein Essay „Das Sein in der Zeit" von 1933 verrät (Barth 1967, 8-25), muss Barth dessen Existenzdenken als eine „selbstgenugsame Auslegung ihrer selbst" zurückweisen. Trotz gewisser Ähnlichkeiten führt, nach Barthschem Verständnis, Heideggers der Ontologie verhaftetes Denken gerade nicht in die existentielle Wirklichkeit ein, in der es dem Menschen tatsächlich um das Existieren als solchen geht. Gerade auch die berühmte Formel des „In-der-Welt-Seins" kritisiert Barth als „allzu ontologisch und demzufolge allzu dürftig, als dass sie neben dem Denken der Stoa über Welt und Mensch ein Format gewinnen könnte." (Barth 1965a, 33) Heideggers Seinsdenken führe auch in seiner weiteren Entwicklung nicht zu den Welt-Erscheinungen, nicht zur sinnlichen Affirmation des Kosmos und schon gar nicht zur Konfrontation mit der Existenz. Heideggers Intention zielt auch nicht auf eine Hinterwelt des erscheinenden Seienden, vielmehr auf jene „Offenheit des Offenen", in das hinein das Seiende, die Dinge, wie z. B. der Krug, emergieren und in dem sie im „Leersten des Leeren" sich ereignen und „wesen" (Heidegger 2000). Unverkennbar ist allerdings mit dem Einbezug der „Erde" das Desiderat einer neuen Kosmologie zu spüren.

Dem alltäglichen Bewusstsein bereitet die kosmische Erscheinungsmächtigkeit natürlicherweise immer wieder Schwierigkeiten. Sie bedrängt den Menschen zeitweise geradezu feindlich oder zum mindesten überwältigend, wie es die Ästhetik des Erhabenen beschreibt. Der Kosmos zeigt sich so unter dem Aspekt der Alienation: „Der Mensch steht vor dem Welt-Sein wie vor einer harten Wand – auf der allerdings mehr oder weniger lesbare Schriftzeichen wahrgenommen werden können." (Barth 1965a, 675)

Gerade wegen dieser Verschlossenheit, die dem Menschen kein ruhiges Leben in der „Natur" gewährt, wird der Kosmos zu einem „immanenten" Aspekt des Existierens. Jede Erkenntnis kosmischen Seins vollzieht sich schon aufgrund einer Affinität mit der Existenz. Es mag sich um pragmatische Eingriffe aller Art, Landschafts-Stimmungen, wissenschaftliche Forschungen, ökonomische Kalkulationen etc. handeln, überall mögen mehr oder weniger neutrale, indifferente „Materialien" in ganz unterschiedlicher Weise im Spiele sein: Sie alle „gehen die Existenz etwas an". Absolute Entfremdung und Gleichgültigkeit gegenüber dem Kosmos sind nicht möglich. Dies mag überraschen. Es ist aber kaum abzustreiten, dass gerade die Erfahrung der Alienation der Natur selbst ein existentielles Geschehen ist. Das folgende Zitat zeigt an, dass Barth eine „kognitive Einheit" von Existenz und Kosmos vorschwebt. Aus weiteren Barthschen Texten lässt sich darlegen, wie der intensiven und extensiven Mannigfaltigkeit des sich in seinen Tiefen verlierenden Kosmos eine ebenfalls grenzenlose, intensive „Mannigfaltigkeit" der existentiellen Erkenntnis gegenübersteht. In einem begrenzten Sinne zeigt sich die Einheit von Existenz und Kosmos wie folgt: „Im Kosmos stellt sich die Existenz in ihrer unvertrauten Seite dar. Sie gibt sich in ihrer Unnahbarkeit zu erkennen." (Ebd. 678)

Gehen hier nicht existentielle und kosmische Wirklichkeiten ineinander über, so wie es im Bereich des Transzendentalen – der einer „anderen Ordnung" angehört – der Fall sein muss? Offensichtlich wird hier eine gemeinsame Basis von Existenz und Kosmos vorausgesetzt, die sich in der Weise ihrer Darstellung unterscheiden und in ihrer Differenz zugleich verbinden. Der Kosmos wird zum „Symbol" der Selbst-Unnahbarkeit der Existenz. Der Gedanke ist ungewohnt, dass die Existenz sich selbst „unnahbar" sei und darum, trotz ihres Erkenntnischarakters, im letzten Sinne nicht radikal un-erkennbar, doch unerreichbar bleibe. Die Metapher der Ferne ist ein Hinweis darauf, dass „der Mensch", als der Ort der erscheinenden existentiellen Erkenntnis, nichts Feststehendes, nichts Festgestelltes und auch keine Gegebenheit ist. Der nun der Existenz „immanent" gewordene Kosmos (wenn man den zitierten Satz wörtlich nehmen darf) stellt sich dar als erscheinende Distanz von gelebter Existenz zu ihrer transzendierenden Voraussetzung – zur transzendentalen Existenz. Die Metapher der Ferne macht den Menschen, so wie wir ihn heute zu kennen glauben, selbst zu einer Metapher der transzendierenden Existenz. Wesentlich kommt hier zum Ausdruck, dass der Kosmos, wie auch immer er erfahren wird, auf einem unmittelbaren Sich-zu-erkennen-Geben seiner selbst und mittelbar auf der Existenz beruht.

3.2 Erscheinung als Voraussetzung von Mensch und Kosmos

Wie kann die dualistische Situation von Mensch und Kosmos, von Denken und Gegenstand, die sich dem philosophischen und auch alltäglichen Bewusstsein nahe legt, überwunden werden? Vielleicht ist die Frage bereits derart gestellt, dass sie eine synthetisierende Lösung nahe legt. Nimmt man an, dass es keine Lösung gibt, so bleibt doch dem philosophischen Nachdenken zum mindesten das Problem aufgetragen, sich zu diesem Dualismus in einer bestimmten Weise zu verhalten. An Lösungsvorschlägen hat es seit Descartes und den Occasionalisten nicht gefehlt. Große Anstrengungen unternahmen die nachkantischen Philosophen – vor allem Fichte, Schelling und Hegel –, um diesen Dualismus mit Dialektik und Synthesen zu überwinden. Es schien aufgrund ihrer auch von Kant kritisierten „idealistischen" (KrV B 274 ff.) Vernunftauslegungen zu gelingen, die Gegensätze durch einen vermittelnden Gedanken auszugleichen oder gerade durch deren Antithetik fruchtbar zu machen. Solange noch ein philosophischer Gottesgedanke (der vom Gott des Glaubens deutlich zu unterscheiden ist) eine Brücke anbot zwischen der Welt und dem Menschen, zwischen der *res cogitans* und der *res extensa* wie bei Descartes, den einzelnen Monaden wie bei Leibniz, war das scholastische Theorem der *adaequatio rerum et intellectus* durchaus sinnvoll.

An die Stelle der göttlichen Vermittlungsfunktion trat durch Kants *Kritik der reinen Vernunft* die Transzendentalphilosophie. Transformierte sie auch die Dingwelt in eine Welt der Erscheinungen, die sich allein in den Grenzen der Verstandeskategorien wissenschaftlich und philosophisch beglaubigen mussten, so bot doch der „oberste Grundsatz aller synthetischen Urteile" eine dem Bewusstsein und der Gegenstandserscheinung gemeinsame Konstitutionsbasis an: „[…] die Bedingungen der Möglichkeit der Erfahrung überhaupt sind zugleich die Bedingungen der Möglichkeit der Gegenstände der Erfahrung und haben darum objektive Gültigkeit in einem synthetischen Urteil a priori." (KrV B 197) Bestimmt Kant die gemeinsame Konstitutionsbasis als „Anschauung" und „Erfahrung", so legt sie Barth tiefer in den „vorprädikativen" Bereich des Erscheinens. Selbstbeglaubigende Erscheinungen entziehen sich zwar der vollen Erkennbarkeit, weil sie als Anstoß oder als Weckruf des Erkennens allen Bestimmungen voraus liegen, manifestieren sich aber als unvorgreifliche Voraussetzung aller Erkennbarkeit. Das „Erscheinen der Erscheinung" ist der allem kosmischen Sein vorausgesetzte Manifestationshorizont, der sich als ursprüngliche Emergentialwirklichkeit nur indirekt anzeigt.

Diese Einsichten erreichen das Elementarste der Barthschen Philosophie:

> „‚Erscheinung' ist die Voraussetzung der menschlichen Existenz so gut wie des kosmischen Seins. Darin hat eine zwischen beidem nichtsdestoweniger bestehende Affinität ihren Grund." (Barth 1965a, 666) – „Wir erkennen im Erscheinen der Erscheinung die ‚elementare' Möglichkeit des Werdens des Wirklichen. ‚Elementar' können wir sie insofern nennen, als wir im Erscheinen der Erscheinung diejenige Weise des Wirklichwerdens erkennen, die von uns als dessen letztmöglicher Modus des Geschehens wahrgenommen wird." (Ebd. 670)

Die Einsicht in das elementare Geschehen des „Erscheinens der Erscheinung" öffnet den Zugang zu einer vergessenen und übersehenen Ur-Zone des Weltseins. Sie gewährt nichts weniger als den Zugang zu einem „anderen Kosmos", der sich aus einer „vertikalen Dimension" ereignet. Anders ist er gegenüber jenem, den die Kosmologen, Astronomen, Physiker und die Naturwissenschaftler insgesamt erforschen. Dieser „andere Kosmos" ist vom wissenschaftlichen grundsätzlich unterschieden, aber nicht von ihm absolut separiert. Es ist der Kosmos des konstanten Sichzeigens und Wirklichwerdens der Phänomene, des immer neuen Aufgangs des Weltseins, der unmittelbar wahrzunehmenden E-mergenz und der *creatio continua*, der sich offenbarenden Ursprungsdimension der „vertikalen" Geschichte, der mythischen Geschichte, wie sie Jakob Böhme und dem späten Schelling gegenwärtig wurde. Nicht zuletzt ist es auch der Kosmos, in dem das „magische Weltbewusstsein" (Barth 1959, 13-96, 49) dominiert und weiter auch der bildenden Kunst, der Dichtung und der Musik, deren Wesen im Sich-selbst-erfüllen-Lassen des ästhetischen Erscheinens besteht. Strenggenommen ist dieser „andere Kosmos" immer existentiell, persönlich oder individuell „existent", oder sagen wir besser: „lebendig" – und erst durch offene Erfahrung überhaupt als solcher erscheinend oder wirklich. Denn es gilt der von Barth artikulierte Unterschied der Welterfahrungen zu beachten, die entweder *sub specie essentiae* – also gegenständlich, objektiv, dinghaft, eidetisch – oder *sub specie existentiae* – also existentiell, ereignishaft, emergential und unwiederhol-bar-augenblicklich – sein können. Alles, was in den transzendental verstandenen Horizont von „Sein" gerät, kann unter diesen beiden Aspekten erhellt werden. (Barth 1965a, 632 ff.) Ihre Gleichberechtigung darf methodisch nicht geleugnet werden. Im Sinne gehaltvoller Abwägung kommt allerdings dem Existenzaspekt die Priorität zu.

Auch Husserl unterscheidet z. B. in seinem *Krisis*-Buch zwei Aspekte des Weltseins: einen doxischen der lebensweltlichen Erfahrung und einen der Wissenschaft, der sich gleichfalls von der doxischen Lebenswelt nicht absolut separieren lässt (Husserl 1962, 48 ff.). Doch Barth bleibt bei der Lebenswelt nicht stehen, insofern diese selbst sich bereits in diversifizierter Festigkeit von Phänomenen zeigt, gleichgültig ob sie sich in konstanter Veränderung oder Variation befinden. Die Dimension elementarer Emergenz ist in Husserls Lebensalltäglichkeit bereits übersprungen.

Es ist keineswegs notwendig, das Erscheinen der Erscheinung ins Spekulative zu rücken, ist es doch das Allernächste und Einsichtigste. In allen Augenblicken der sinnlichen Wahrnehmungen, die ununterbrochen sich ereignen und unser leibliches und mentales Leben ausmachen, sind wir nicht mit neutralen Dingen und Objekten befasst, sondern mit sich durchdringenden Komplexen von Ereignissen, die sich uns als „Mischungen" von psychischen, leiblichen und materiellen Elementen darstellen und in denen wir eigene „innere" und fremde „äußere" Momente wie Gefühle, Gegenständliches, Erinnertes, Eingebildetes, Erkanntes kompakt vorfinden und als Erfahrende in jeder Situation hier und jetzt irgendwie auch selber sind. So kann ich sagen: Ich bin stets mein In-Erscheinung-Treten und existiere im Modus dieser Erkenntnis.

Nun sind diese Ereigniskomplexe immer schon kulturell, biographisch und situativ in bestimmten Auslegungshorizonten festgelegt und durch Sinnkonstellationen geordnet. Sie mögen sogar eigene Welten konstituieren, wie es Nelson Goodman postuliert. Vor allem ist die Ordnung der Zeit entscheidend, ist doch auch die Augenblicklichkeit ein Modus der Zeit. Von diesem nehmen aber gerade die Ordnungen des Eidetischen, des Rationalen und der Dinghaftigkeit Abstand und negieren die zerstörende Macht der konstant-neuen Emergenz des Erscheinens. Darum werden „Erscheinungen" bei Ernst Cassirer zu „symbolischen Formen" oder bei Husserl zu „Phänomenen" reduziert (Barth 1965a, 64 f.), die auch in unterschiedlichen Modalweisen Dauer, Zeitlosigkeit und *idealiter* sogar Ewigkeit verheissen – wie die Ideen Platons und die Gesetze Newtons. Hält man aber an der emergentialen Elementarität des stets augenblicklichen und damit zeitlichen Erscheinens fest, dann öffnet sich der Zugang zum existentiellen und elementaren Kosmos: „Zufolge seiner zeitlichen Bedeutung bleibt am Ende auch der Kosmos ein Problem der Existenz." (Ebd. 671)

Dass der Kosmos auch ein existentielles Drama ist, beweisen die gegenwärtig sich überstürzenden astrophysikalischen Theorien über das Universum. Diese Universumstheorien sind nicht nur „wissenschaftliche" Theorien; sie betreffen die ganze humane Existenz, zumal sie alles andere als beruhigende Erkenntnisse liefern. In wenigen Jahrzehnten ist es gelungen, das Universum und die planetarische Existenz des Menschen in den Strudel von Ungewissheiten und Kontingenzen zu stürzen. Irdische Katastrophen machen zudem in einer global vernetzten Medienwelt bewusst, wie wenig selbst auf den Boden Verlass ist, auf dem die Menschheit lebt. Die astronautischen Sprünge über den irdischen Orbit hinaus muten wie beginnende Rettungsversuche an, um dem unweigerlich bevorstehenden Ende der planetarischen Existenz zuvorzukommen.

3.3 Kognition und die existentiellen Zugänge zum kosmischen Sein Deontologie, Tendenz und Teleologie

Im Zuge der Vermeidung von Reduktionen und Synthesen, die Dualismen nivellieren oder fragwürdige Identitäten stiften, führt Barth den Begriff der *co-gnitio* (ebd. 621) ein, d. h. die Kognition, die ein „Zusammen-Erkennen" oder ein „Im-

Zusammenhange-Erkennen" (ebd.) erlaubt, „positive Wechselbeziehungen" (ebd. 623) in Sicht bringt und ein Denken der „Zweiheit der Bedeutungen" (ebd. 628) in Gang hält. Barth unterscheidet darum: „Etwas, *sofern* es durch Existenz, und etwas, *sofern* es durch Sein bestimmt wird." (Ebd.) Jede Versuchung wird dadurch abgewehrt, die die Existenz in kosmischen Zusammenhängen und Bewegungen aufgehen lassen möchte.

Existenz ist bestimmt durch die Eigenbedeutung des Sein-Sollens, durch die Deontologie (ebd. 630). Man müsste von der Eigenmacht, ja der eigenen Seinsweise des Sollens sprechen. Dies muss nochmals deutlich hervorgehoben werden, gewinnen doch die Deontologie und die auf bestimmte Ziele gerichtete Teleologie in Barths kosmischen Meditationen eine zentrale Stellung. Es kann also auch das ganze kosmische Sein unter dem Aspekt des Deontologischen erfasst werden. Es bleibt aber dabei: Kontingenz und offene Zukunft bewahren den Vorrang vor jeder teleologischen Auslegung der Existenz, die sich Ziele vorgibt, die sie zu verwirklichen trachtet, doch mit den Unwägsamkeiten des Lebens in der dramatischen Erscheinungswelt und in der Zeit rechnen muss. Diese stets bedrohte existentielle Entwurfspragmatik oder existentielle Teleologie unterscheidet Barth von den organischen und kosmischen Teleologien, die als eine Dreiheit in neuem Sinne eine „Kausalteleologie" begründen (ebd. 666 ff.). Diese ist nur wieder durch einen transzendierenden Schritt zu verstehen.

Barth verlegt seine Untersuchungen immer wieder in jene tiefere Ebene, in denen die doxischen, existentiellen und ontologischen Differenzen sich nur abgeschwächt melden und überhaupt noch keine bereits ontologisch verfestigten „Phänomene" anzutreffen sind: „Das ‚Sich-erscheinen-Lassen' der Erscheinungen besitzt auch hier Priorität vor allen Zusammenhängen, die sich auf der Ebene des Phänomenalen abzeichnen." (Ebd. 179) Man könnte hier an die Stelle des „Phänomenalen" auch „Phänomene" setzen. Es ist allem Anschein nach dieselbe Ebene, auf die hin Jan Patočka mit seinem Konzept des „Erscheinens als solchen" zielt. Barth gewinnt in diesem prä-phänomenalen Bereich, in dem sich die elementare Möglichkeit des Wirklichwerdens anzeigt, in diesem Bereich des Erscheinens der Erscheinung oder des Augenblicks, die Einsicht in eine ursprüngliche „Tendenz" (ebd. 179), die auch die Kausalität und die Teleologie zu verbinden vermag (ebd. 635). Sie spielt auch eine Rolle als eine implizite und explizite Teleologie im prä-phänomenalen Werden (ebd. 200), ja sogar in der terrestrischen Evolution (ebd. 189), die sich noch vor der bewussten Erkenntnis des mundanen Seins vollzieht. Dass diese elementare Tendenz von epistemischpotentem Charakter ist, zeigt sich Barth dadurch, dass sie sich evolutionär bis in die Physiognomie des Menschen hinein zu aktualisieren vermag (ebd. 189 f.). Das Gesicht, die *visagéitée*, das Physiognomische als solches bilden nicht nur für das Barthsche Denken den Ort der höchsten Bedeutungsverdichtung, die sich Existenz erscheinen lassen kann.

Im Weiteren zeichnet sich eine Teleologie „von unten" ab, die sich auf Sein und Nicht-Sein des Erscheinenden bezieht und an die Frage rührt: Warum ist etwas und nicht nichts? Leibniz beantwortet diese Frage deutlich, insofern das, was reichhaltiger, komplexer und dadurch gut und besser ist, dem vorzuziehen sei, was einfach und darum – so können wir sagen – ästhetisch nicht voll entfaltet ist. Eigentlich ist diese als abgründig geltende Frage auch ohne dieses Argument beantwortet und ohne dass wir in rationales „Vernünfteln" verfallen müssten:

> „Es ist nicht notwendig der Exzess eines ungezügelten Optimismus, der zur Rede von einer ‚Güte' des Kosmos führt. Die ursprüngliche, gefühlsmässige Erfahrung von einem existentiell ansprechenden Gehalte des Welt-Seins entspringt nicht einer bindungslosen, dem Affekte verhafteten Phantasie. Sie ist Erfahrung eines Sinnes von Seiendem." (Ebd. 670 f.) – „Wir gehen vielleicht bis an den äussersten Rand dessen, was in sachlicher Aussage vertreten werden kann, wenn wir uns dahin aussprechen, dass in der Erscheinung als solcher ein Moment der Beglückung enthalten ist: der Beglückung darüber, dass etwas ‚da-ist'." (Ebd. 671)

Diese elementare Beglückungserfahrung legt einen Umkehrschluss nahe. Er gilt natürlich als spekulativ. Die Frage Leibnizens impliziert eine teleologische Komponente. In der erfüllenden Glückserfahrung ist auch die Möglichkeit der Abschwächung, der Privation, enthalten, womit sich der Horizont auf andere Möglichkeiten öffnet, gewissermaßen auf Vorstadien des Erscheinend-Wirklichen, so dass das, was Phänomen wurde, als das „Verwirklichte" interpretiert werden kann. Verwirklicht bedeutet, dass das, was ist und nicht nicht-ist, das Resultat eines vor-weltlichen Prozesses sein könnte, der von prä-phänomenaler und prä-mundanem Charakter sein müsste. In diese Richtung entwickelte Leibniz seine gnoeologisch-ontologische Metaphysik der inner-göttlichen, nach Weltwerdung tendierenden Essenzen, die, aufgrund ihrer „kompossiblen" Ordnungen und nach dem „Prinzip des Besten" sich konstituierend, die aktuelle Weltfähigkeit erreichen. Das Moment tiefer Seinsgenugtuung verlagert sich bei den nachkantianischen Philosophen auf die Seite des „Bewusstseins", zu beobachten etwa bei Schelling, der daraus seine Potenzenlehre der transzendental-mythologischen Geschichte entwickelt (Barth 1959, 559 ff.). Überwältigend ist letztlich immer die radikale Faktizität, dass überhaupt etwas erscheint: „Dass der Geist überhaupt in die Existenz tritt: dies ist es, was in ihr [in Schellings Geschichtsphilosophie, AW] zum Problem wird." (Ebd. 568) Barth formuliert weiter: „Dass Erscheinung erscheint, dass überhaupt etwas wirklich ist – daran kann uns gelegen sein. Die Erscheinung ist kein neutrales, indifferentes Faktum. Es kommt darauf an, ob sie erscheint oder nicht erscheint." (Barth 1965a, 671)

Das „Dass" des Erscheinens ist kontingent – dennoch hat das, was erscheint, den Aspekt des „Verwirklichten" an sich. Spekulativ erweiterte Erkenntnis entdeckt darin ein Moment des Zu-sich-selber-Kommens des Erscheinenden und in ihm ein aus dem Grenzenlosen aufgestiegenes und sich erfüllendes Telos. Das „Dass" ist Überwindung des Nullpunktes oder ist selbst der „Urpunkt". Auch Paul Natorps späte Systematik umkreist diesen „Ursprung von allem": „Es ist kein anderes als das Wunder, dass überhaupt etwas ist." (Natorp

2000, 27) Die Kategorie des Wunders soll besagen: Es gibt für das Ursprungs-Dass keine Erklärung und keine Auflösung seiner Rätselhaftigkeit. Der Schöpfungsbericht der Bibel spricht dies lapidar und recht nüchtern aus:

> „Und Gott sah alles an, was er gemacht hatte, und siehe, es war sehr gut. Und es war Abend und ward Morgen: der sechste Tag. Also wurden vollendet der Himmel und die Erde mit ihrem ganzen Heer. Und Gott vollendete am siebenten Tage sein Werk, das er gemacht hatte, und er ruhte am siebenten Tage von allen seinem Werke, das er gemacht hatte." (1. Mos. 1, 31; 2, 1.2)

Jeder Wissenschaftler beginnt stets am „siebenten Tag", an dem die Weltschöpfung vollendet war. Dies ist der Status des Wirklichen, der als die Welt der Tatsachen gilt. Das Gemachtsein des Wirklichen nimmt er als Hypothese an, wenn er rückwärts „kausalteleologisch" z. B. die kosmische Evolution sich vergegenwärtigt oder sie rekonstruiert. Doch der heute so selbstverständlich angesetzte Prozess des evolutiven Werdens fordert die begrenzten humanen Erkenntnisfähigkeiten ins Grenzenlose der „intensiven" und der „extensiven Mannigfaltigkeiten" (Barth 1965a, 72 ff.) heraus. Darum ist es höchst unwahrscheinlich, dass ein von theoretischer Vernunft geleiteter Eingriff in die Natur oder sogar in die biologische Evolution dieser Grenzenlosigkeit gewachsen sein wird. Aber es gibt noch einen anderen Grund, dass diese Eingriffe scheitern könnten. Es ist der Charakter der dem Erscheinenden eignenden Tendenz, die eine Evolution von anderer Ordnung ist als jene, die theoretisch vorgestellt in der linearen Zeit verlaufen soll. Es ist immerhin zu bedenken, dass das Erscheinen selbst sich nicht nur jeder rationalen Erklärung, sondern auch der linearen Zeit entzieht.

3.4 Transzendentale Wendung zum „Ort der Konvergenz" und die universale Bedeutung der Existenz

Freilich ist es angesichts des vorherrschenden Säkularismus und faktischen Atheismus der heutigen europäischen „Geisteswissenschaften" metaphysikverdächtig, wenn der Begriff „Schöpfung" in einem philosophischen Essay benutzt wird. Doch im Sinne einer Übung im kulturellen Gedächtnis dürfte er akzeptabel sein, vor allem dann, wenn er durch den Filter der Abstrahierung geläutert als „Kontingenz" angeboten wird. Der biblische Schöpfungsgedanke bewies aber seine Wirksamkeit nicht zuletzt in der Philosophie, die nicht nur griechische, sondern auch jüdische, islamische und christliche Wurzeln besitzt (ebd. 79). Auch das Verständnis der Erscheinung hängt von einer entscheidenden ontologischen Wende ab, die Barth wie folgt umschreibt:

> „Die arabische Philosophie des Mittelalters war auf dem Umweg über den Islam vom Alten Testament her inspiriert. Dies zeigt sich daran, dass sie sich genötigt sah, mit dem Begriffe der ‚Schöpfung' ins reine zu kommen. Es liegt aber im Wesen dieses Begriffes der ‚Schöpfung', dass er in der antiken Philosophie keine Stätte finden konnte. Denn was in der Schöpfung von Gott geschaffen worden ist, das ist die phänomenale Wirklichkeit des Welt-Seins, die im Schöpferworte aus dem Nichts hervorgerufen wird. Diese Welt der Erschei-

nungen, die in der Schöpfung zur sichtbaren und greifbaren Wirklichkeit wird, erfreut sich einer ganz anderen Weise des Seins, als wie sie uns im ‚seienden Sein' der klassischen griechischen Philosophie begegnet. Das Sein der geschaffenen Welt ist nicht ein eidetisch geläutertes Sein; ihr Sein liegt in der je einmaligen, hic et nunc erscheinenden Erscheinung […]. Neue, der Antike fremde Begriffe werden in der mittelalterlichen Ontologie auftreten, die ein wesentlich verändertes Weltbewusstsein zu erkennen geben. Die geschaffene Welt als solche ist bestimmt durch die Begriffe der ‚Existenz' und der ‚Kontingenz'." (Barth 1967, 168 f.; 1965a, 46)

Die mittelalterliche Scholastik verarbeitete den Schöpfungsgedanken sehr intensiv im Horizont der Modal-Ontologie (Barth 1947, 326-390), die heute wieder in ihrem ursprünglichen Sinne sogar von der systemtheoretischen Soziologie erkannt wird.[4] Das Weltsein wurde erfahren als getragen von einem außerweltlichen „Willen" und als verwirklichter Entwurf einer alles Menschliche übersteigenden Intelligenz – also nicht nur verstanden als *factum*, sondern auch als *fieri* (ebd. 377). Die Konfrontation mit dem Erscheinungsproblem vollzog sich vom 13. Jahrhundert an in den komplexen aristotelisch-islamischen Vorgaben. Das „physische" Weltsein gewann eine neue „Zweiheit der Bedeutungen" (Barth 1965a, 628) und manifestierte im Hinblick auf seinen transzendenten Ursprung auch klar eine „meta-physische" Dimension. Diese ermöglichte einerseits eine durchgehende Eidetisierung oder Rationalisierung des Weltseins und andererseits eine Intensivierung und Mystifizierung der Welterfahrung. Problem blieb die eigenartige Konstellation, dass das „transzendente Absolute" trotz seiner Außerweltlichkeit zugleich eine weltimmanente Präsenz besaß, vor allem aufgrund der durch den Genesis-Bericht nahe gelegten Hypothese, dass eine absolute Intelligenz nur ein Werk aus sich entlässt, das ihr entsprechen müsse. So wurde die Differenz zwischen der kreatürlichen und der absoluten Wirklichkeit zu einem gewaltigen Antrieb rationaler Weltdurchdringung, der sich bereits in Laboratorien und Apotheken der mittelalterlichen Klöster äußerte und sich heute als „wissenschaftliches Interesse" ohne Ursprungswissen in die Unendlichkeiten der Welterforschung ausbreitet. Nimmt man an, dass die Welt durch den Schöpfungsgedanken zugleich kontingent, magisch aufgeladen und rational transparent wurde, so sind die daraus folgenden Weltauslegungen der beginnenden Moderne plausibel, so die Modalisierung, Materialisierung und Mathematisierung in den Philosophien und Denksystemen der Spätscholastik, der Alchemisten, der Renaissance und des Rationalismus der Aufklärung. Nicht zuletzt muss aber darauf hingewiesen werden, dass der Schöpfungsgedanke in seiner ganzen Kontingenz auch die humane Existenz betrifft. Konsequent sagt Barth in theologischer Sprache, dass Existenz auch Schöpfung sei (ebd. 709 f.; Barth 1967, 239).

Die für Barth entscheidende Intention der Marburger Schule konzentrierte sich zwar intensiv auf das „Faktum der Naturwissenschaft", fand aber gerade deshalb keinen Zugang zu einer a-theoretischen Begegnung mit dem Sein der

---

[4] Luhmann 1984, 152, Anm. 6 mit einem Hinweis auf Heinrich Barth.

„Natur". Ihr Rückzug auf einen Logos des „reinen Denkens", das bei Herrmann Cohen sogar zu einem „Erzeugen" der Objekte wurde, vertiefte Barth zur radikalen Transzendentalität des Logos selbst. Ist der Logos nicht selbst das begründende Fundament des Erkennens, dann treten an seine Stelle götzenhafte Gegebenheiten, wozu auch „das Denken" gehört, wenn es anthropologisch oder neurologisch und dadurch verobjektiviert als eine humane Tätigkeit verstanden wird. Darum vollzog Barth konsequent in seiner ausgereiften Philosophie die von ihm postulierte „zweite kopernikanische Wendung" (Barth 1927, 72). Sie schaffte den Durchbruch einerseits zum Kosmos ungebrochenen Erscheinens und andererseits zum Logos der transzendentalen Erkenntnisbegründung.

Halten wir fest: Die Spannung, in der sich Barths Philosophie bewegt, kann durch unterschiedliche philosophische Formulierungen vergegenwärtigt werden; sie sind in ihrer Abstraktheit aber nur Verweise in ein praktisch-existentielles Geschehen, das sich des direkten Zugriffs der „Reflexion" entzieht.[5] Wir können die Spannung zwar reflexiv-theoretisch im Sinne einer Polarität von „Natur" und „Logos" oder auch von „Erscheinung" und „Erkenntnis" artikulieren, doch ist dadurch nur eine „Projektion" auf die Ebene ontologischer Abstraktion erreicht; diese neutralen Spannungsskizzen sind nicht plastisch genug. Wirklichkeitsnäher und plastischer ist diese Spannung, wenn sie als Polarität zwischen dem „augenblicklichen Erscheinen der Erscheinung" und der stets praktisch-persönlichen „existentiellen Erkenntnis" verstanden wird – kurz: zwischen „Augenblick" und „existentieller Erkenntnis". Es wäre aber falsch, zwei Pole als feste Größen anzunehmen und sie gegeneinander auszuspielen. Denn keine der beiden Seiten ist „absolut", auch wenn sie selbstbeglaubigend und irreduzibel sind. Allerdings sind sie offen für unendliche Auslegungen und Offenbarwerdungen. Um dem Schlund unendlicher Erkenntnisprozesse auf beiden Seiten zu entgehen, muss der Erkennende die Wendung zum „Ort der Konvergenz" oder zur „transzendentalen Transzendenz" vollziehen und sich in der radikalen Offenheit des nie abschließbaren Erkennens zu halten lernen.

Weder das, was erscheint, noch das, was erkennt, sind feste Größen. Alle nicht-gnoseologischen Voraussetzungen müssen wir sein lassen und versuchen – nach dem Durchgang durch den Nullpunkt oder durch eine radikale Epoché –, allein aus der Selbsterhellung des Erkennens die existentiellen „Kategorien" zu entwickeln. Denn wo immer Erkenntnis sich ereignet, ist der Bezug zur Erscheinung immanent, wie umgekehrt: Wo immer sich Seiendes ereignet, ist der Bezug zum Erkanntwerden nicht wegzuzaubern. Wir finden darum bei Barth ein eigenartiges Ineinander von Erscheinen und Erkennen, von dem aus erst die Pole, die wir genannt haben, sich eruieren lassen. So kommen wir nicht ohne ontologische und theoretische Kategorien aus, wenn wir über Existenz, Denken oder das Transzendentale sprechen, doch die Unvorgreiflichkeit der Erkenntnis im begründenden Sinn relativiert alle fixierenden Begriffe und bestimmende Aussagen.

---

[5] Über das Problem der Reflexion bei Barth: Belussi 1990; Kipfer 1990.

Umgekehrt weisen alle Aussagen über Seiendes, Phänomene, Kosmos, Wissenschaft etc. eine Existenzbezogenheit auf.

Was sind denn diese existentiellen Kategorien, die ins Spiel kommen sollen? In Barths Texten finden wir ein Arsenal von Ausdrücken, die dem existentiellen Denken eignen. Dazu gehören z. B. „Anliegen", „Angelegenheit", „Angelegensein", „Um-etwas-gehen", „Inanspruchnahme", „Aufgerufensein", „Soll-Sein", „Noch-nicht-Sein des Gesollten", „Entscheidung", „Entwurf", „Tendenz", „Sich-verhalten", „Sich-erscheinen-Lassen", „Sich-zu-erkennen-Geben", „Sich-erschliessen-Lassen", „Manifestation", „Weckruf" oder „Anruf". Es sind Ausdrücke, die mediale Prozesse beschreiben und so verstanden werden sollen, dass sie die Gewaltsamkeit des brutalen Gegebenseins vermeiden. So gibt es letztlich kein *factum brutum*, weil dieses immer ein *fieri* voraussetzt. Zentrale Momente sind offensichtlich das „Sich-Geben" und das „Sein-Lassen".[6] Darin macht sich die Barthsche Methode der transzendentalen „Rückfrage" geltend, die alles Gegebene auf seine ontologischen Voraussetzungen (oder auch „Hypostasen" genannt) untersucht und auflöst. Der Analyse und der Dissolution der ontologischen und theoretischen Hypostasen folgt eine genetische Neuerarbeitung oder ein Sich-geben-Lassen durch eine möglichst vorbehaltlose Konfrontation mit dem Erscheinen der Erscheinungen, die jede theoretische oder doxische Verstellung vermeiden soll. Dies gewährt in einem ersten Stadium das ästhetische Erkennen (wie z. B. in Alchemie und Kunst in expliziter Weise) und in einem letzten, einem epiphanischen Stadium das existentielle Erkennen des Einzelnen.

Barths „Methode" oder Erkenntnisbewegung erfordert mehr als nur eine theoretische Kenntnisnahme, wie sie aus den üblichen rein rezeptiven Philosophiegeschichten gewonnen werden kann. Die eine verlangt das unverstellte Sich-erscheinen-Lassen des Erscheinenden, die in Epiphanie und Ästhetik kulminiert, die andere die transzendentale Rückfrage in den Ursprung alles Erkennens. Nochmals: Diese verlangt „beinahe eine zweite kopernikanische Wendung [...] eine Wendung, mit der an der Präponderanz des Subjektes über den Gegenstand, des Verstandes über die Natur die notwendige kritische Korrektur vollzogen wird" (Barth 1927, 57). Barth spricht von der „Umkehrung der entscheidenden Grundkorrelation" von Mensch und Idee, so wie sie Platon vollzogen hatte: „[...] die Idee ist Voraussetzung des Menschen; nicht ist der Mensch Träger und Begründer der Wahrheit [...]. ‚Autonom' ist [...] die Vernunft, nicht der Mensch. Denn das Gesetz des Logos bedarf keiner Beglaubigung, wie sie etwa in einer ‚Gesetzmässigkeit menschlicher Erkenntnis' irrtümlich gesucht werden könnte." (Barth 1926, 294) Diese beschriebene „Kehre" – wie es Heidegger im Humanismusbrief von 1946 in ontologischer Terminologie später formulierte – will das „Subjekt", den „Menschen" und die „Humanität" nicht auslöschen; sie

---

[6] Die Kategorien der Gelassenheit, des Lassens und des Sichgebens weisen in den vergangenen Jahrzehnten bereits eine deutliche Karriere auf. So z. B. bei Heidegger 1983; Kühn 2003, 23 ff.

rückt nur davon ab, diese bekannten Instanzen als wahrheitsbegründend anzuerkennen.

Die Wendung zum Transzendentalen[7] vollzieht sich als hermeneutischer Prozess, der das Erscheinende nicht vernichtet, aber vom Ort der Konvergenz her, aus einer „anderen", eben „transzendentalen Ordnung" her neu zu verstehen sucht. Es handelt sich also nicht um eine Hermeneutik, die bloß auf unbewusste Vorurteile und gespeicherte mentale Ressourcen-Arsenale zurückgreift und diese ins Bewusstsein hebt. Vielmehr ist der Rückgriff auf das „Transzendentale" (Barth 1967, 270 f.) verlangt, der eine neue Erhellung alles Schon-Verstandenen evoziert. Dazu ist vorerst ein Schritt der Negation nötig, der an den „Umweg" durch das „Nichts" von Hermann Cohen erinnert (Holzhey 1990). Man könnte erwägen, ob hier nicht eine Form der Husserlschen „Epoché" vorliegt oder ob sogar ihre transzendentale Voraussetzung benutzt wird. Nicht ganz unangemessen ist es, bei Barth von einer „Gegebenheits-Epoché" zu sprechen. Verlangt ist vor allem ein „Sprung" in eine nicht mehr hinterfragbare Offenheit, weil Erkenntnis in der transzendentalen Ordnung von jener einmaligen Art ist, die alle speziellen Erkenntnisse bedingt, aber nur als „Idee der Erkenntnis" namhaft gemacht werden kann. Dieses hier leicht strapazierte Cohensche Nichts wird nicht selbst als Abstoß für ein „Ursprungsetwas" benutzt (ebd. 106 ff.). Der weitere Schritt besteht im Öffnen des Blicks für das originäre Aktualisierungsgeschehnis, in dem sich Vernunft, Existenz und Kosmos „verwirklichen" und „manifestieren". Es ist dies die Umwendung des Blicks auf die Welt, die neu im Licht eines fundamentalen *fieri* und als Ausdruck einer sich erfüllenden Deontologie darstellt. Nur mit dem Umweg über den „Ort der Konvergenz" ist dieser Zugang zum Kosmos möglich:

> „Nur in der transzendierenden Existenz, und dies heisst: nur in der transzendentalen Voraussetzung aller Existenz kann die letztgiltige Einheitsbeziehung von Mensch und Kosmos aufgewiesen werden." (Barth 1965a, 678) – „Der Ort der Konvergenz von menschlicher und kosmischer Existenz kann nur transzendentaler Ordnung sein. Eine Affinität von Mensch und Kosmos bedarf zu ihrer Begründung der Distanz des Transzendentalen." (Ebd. 679)

Barth wagt durch diese Umkehrung der gewohnten Weltsicht der Existenz eine universale Bedeutung zuzusprechen:

> „Indem wir uns von der Relation ‚Existenz und Sein' Rechenschaft geben, gelangen wir zum Ergebnis, dass ‚Existenz' gewissermassen eine universale Bedeutung hat – ‚universal' in dem Sinne, dass das Universum des Seienden nicht ohne Existenzbezogenheit, ja sogar nicht ohne tragende Existenzbedeutung gedacht werden kann. Nur dass uns im Welt-Sein solche Bedeutung fast entschwindet!" (Ebd. 672 f.)

---

[7] Zur Diskussion über das Transzendentale bei Heinrich Barth siehe: Grund 1999.

3.5 Primat der Existenz gegenüber dem Sein

Es gibt kaum einen Philosophen, der den Gedanken der Existenz derart grundlegend ansetzte wie Heinrich Barth. Er vertritt die These des Primates der Existenz gegenüber dem Sein und dem Kosmos. Dies erinnert natürlich an Kants Primat der praktischen Vernunft gegenüber der theoretischen Vernunft. Barth weiß sich im Grundsätzlichen mit diesem Kantischen Primat in Übereinstimmung, wie er es bereits in seiner *Philosophie der Praktischen Vernunft* in aller Deutlichkeit darlegte. Praktische Vernunft ist Vernunft im Vollzug und im konstanten Übergang vom Nicht-Sein ins Sein. Das deontologische Sein, das Soll-Sein, besitzt eine Eigenbedeutung und eine Eigenwirklichkeit, die, so nach Barth, Kant durch seine „Ethik" und auch durch seine handlungstheoretischen Explikationen verdeckte. Kants Grundlegung der praktischen Vernunft wurde nicht ernst und vor allem nicht wörtlich genug genommen. So auch die Sätze gleich zu Beginn der *Kritik der praktischen Vernunft*: „Sie [die KpV] soll blos darthun, *daß es reine praktische Vernunft gebe*, und kritisirt in dieser Absicht ihr ganzes *praktisches Vermögen* [...]. Denn wenn sie als reine Vernunft wirklich praktisch ist, so beweiset sie ihre und ihrer Begriffe Realität durch die That, und alles Vernünfteln wider die Möglichkeit, es zu sein, ist vergeblich." (KpV A 3) Dass es sich bei dem „moralischen Gesetz" um die deontologische Wirklichkeit handelt und keineswegs nur um eine theoretisch formulierte „praktische" Ethik (was auch immer dies sein mag), wird dadurch deutlich, dass Kant ihr keine „Deduktion" widmet: „Auch ist das moralische Gesetz gleichsam ein Factum der reinen Vernunft, dessen wir uns *a priori* bewußt sind und welches apodiktisch gewiß ist, gegeben, gesetzt daß man auch in der Erfahrung kein Beispiel, da es genau befolgt wäre, auftreiben könnte." (Ebd. 81) Die Sollens-Wirklichkeit ist in Analogie zu der „Welt der Fakten" bestimmt. Sie ist zwar „existent", transzendiert aber zugleich die empirischen Daten auf ein im Sollen bereits existierendes Telos hin. Sie kann durch keine „theoretische, speculative oder empirisch unterstütze Vernunft" (ebd.) und also auch durch keine theoretische Wissenschaft bewiesen werden. Ihr Wirklichkeitsgehalt „steht dennoch für sich selbst fest" (ebd. 82), und zwar allein schon dann, wenn ein Zu-Sollendes von einer Existenz „gedacht", „erwogen" oder „entschieden" wird oder auch die Existenz in „Anspruch", und zwar in einen Aktualisierungs-Anspruch, nimmt (Barth 1965a, 185). Denken und Sein fallen hier zusammen. Darum:

> „Hier wird die These vertreten, dass nicht ‚Sein', sondern ‚Existenz' als das grundlegende Prinzip erkannt wird." (Ebd. 680) – „Philosophie ist letztgiltig nicht Ontologie, sondern Philosophie der Existenz." (Ebd.) – „Von der Einsicht in die zwischen Existenz und Sein bestehende Prioritätsbeziehung wird das Selbstverständnis der Philosophie als solcher nicht unberührt bleiben – der Philosophie, die uns als eine ausgezeichnete Weise des ‚Sich-zu-erkennen-Gebens von etwas' gegenwärtig ist." (Ebd. 682)

4. Der ursprüngliche existentielle Kosmos

Kant bleibt noch weitgehend verhaftet an die cartesischen Voraussetzungen und an die Ontologie der mechanistischen Physik Newtons. Dies beeinträchtigt seine Einsichten, die er im Bereich der praktischen, aber auch der ästhetischen Vernunftphilosophie erreichte. Sie dringen, trotz der großen physikalischen und sogar astronomischen Entdeckungen, nicht zur originalen kosmologischen Dimension vor, auch wenn die *Kritik der Urteilskraft* im Ästhetischen zu tieferem Umdenken ansetzt und sich sogar zu einer symbolischen Einheit von „Sittlichkeit" und „Schönheit" vorarbeitet (KU § 59). Dennoch werden seine Positionen des „Primats der praktischen Vernunft" und des „archimedischen Punktes" der Freiheit (Kant 1959, 393) leicht unter Hybrisverdacht gestellt. Denn angesichts des entpersönlichten, neutral-ontologischen Universums der newtonschen Mechanik wirkt das existentielle Freiheitspathos absurd. Gegenüber dem bewegt-dynamischen Universum von Leibniz fällt Kant trotz seiner fortgeschritteneren Wissenschaftlichkeit zurück. Seine ontologischen Verfestigungen sind kaum rückgängig zu machen. Allgemein ist darum zu sagen: „Erkenntnis", „Ethik" und „Schönheit" verbleiben angesichts der überwältigenden Neutralität, Materialität und Fremdheit des Universums im nach-cartesischen philosophischen Verständnis in einem „ohnmächtigen", „wirkungslosen" Zustand, den auch technisch-wissenschaftliche Erfolge bis anhin nicht beheben konnten. Im Gegenteil: Neurologie, Biologie, Kognitionswissenschaften, Informatik und Kosmologie (und deren mannigfache Auszweigungen) haben den „humanen Erkenntnis-Apparat" in ihre Forschungskontexte einbezogen und bereiten das Design zu einem neuen Menschen vor, der den bisherigen in vielen Fähigkeiten übersteigt und dem sogar eine mögliche Nicht-Sterblichkeit droht – Unsterblichkeit wäre zuviel gesagt.

Wenn auch der monadologische Weltentwurf Leibnizens in ontologischen und physikalischen Aspekten „überholt" ist, so ist doch der Grundgedanke, dass jedes Individuum in einem eigenen perzeptionell, mental und auch perspektivisch bestimmten Universum lebt, von bleibendem Sinn. Der Radikale Empirismus von William James versuchte diesen Gedanken mit einer pragmatisch orientierten Philosophie des „pluralistischen Universums" weiter zu entwickeln (James 1994). Auch Husserls phänomenologische Umweltkonzeption nimmt diesen Gedanken auf, doch ohne dass er daraus Folgerungen zu einer eigenständigen phänomenologischen Kosmologie gezogen hätte. Von einer Vielheit symbolisch konstituierter Welten spricht auch Nelson Goodman, doch seine von Ernst Cassirer inspirierte Symbolik lässt eine Konfrontation mit der ungebrochenen Erscheinung nicht zu.

Leibnizens Weltentwurf monadologisch-individueller Vielfalt kehrt in neuem Sinne wieder in der von Heinrich Barth artikulierten Einsicht, dass das Universum des Seienden nicht ohne Existenzbezogenheit und Existenzbedeutung des Seienden gedacht werden kann (Barth 1965a, 672 f.). Auch Aristoteles sagte einmal, dass die Seele irgendwie alles sei. Er folgte damit der späten Seelenspekulation Platons, die in einem schwachen Sinne auch bei Barth nachwirkt, zählt er doch die Entdeckung der Seele durch Platon zu den größten philosophischen Entdeckungen (Barth 1921, 55 f.). Eingedenk dieser platonischen Erinnerung und alles dessen, was er an existentiell-kosmologischen Einsichten erreichte, zeigt er nun einen Kosmos auf, der sich vom Kosmos der Naturwissenschaft radikal unterscheidet und jener Wirklichkeit angehört, von der auch Jan Patočka fragmentarisch zu wissen scheint.[8] Barth sagt nichts weniger, als dass alles „Seiende" von sich selbst her auf Erkanntwerden und auf Existenz – und zwar für jeden Existierenden in jedem Augenblick seines Existierens – allein schon durch seine Erkennbarkeit bezogen ist. Man kann noch einen Schritt weiter gehen: Auch alle so genannten „psychischen" Zustände und Erfahrungen sind in dieser Sicht von kosmischer Relevanz; sie sind im Sinne Goethes weder „innen" noch „aussen", sie sind erscheinend, wie auch immer. Dieser erfüllte, erkenntnisschwangere Kosmos ist in allen existierenden und durch alle existierende Wesen lebendig. Alles, was in ihm seiend ist, und er selbst als „Ganzes", sind bezogen auf den „Ort der Konvergenz". Dieser ist überall und nirgends.

Der von der Wissenschaft erforschte *physikalische* Kosmos existiert nur dort, wo er durch Existenzen aktuell erfasst und in seinen eidetischen Strukturen „gestellt" wird – und dieser Ort ist das aktuelle Kollektiv der arbeitenden Wissenschaftler. „Wissenschaft" ist eine Haltung zur erscheinenden Wirklichkeit und nicht diese selbst. Was sie entdeckt und was auch die Technik gestaltet, sind Erweise für die bereits exponierte Existenzbezogenheit des Seienden, wie auch immer dieses sich zu erkennen gibt. Mit Barths Einsichten gedacht: Wissenschaft und Technik sind Weisen, wie sich Erscheinendes in bestimmten rationalen Erkenntnisgrenzen zu erkennen gibt. Sie sind zugleich Erweise dafür – wie z. B. die Systemmodelle, die symbolisierenden Formeln der Mathematik und der theoretischen Physik –, dass ein Konnex besteht zwischen Gedachtem und Erscheinendem, auch wenn dieses sich in einen a-phänomenalen Hintergrund zu verflüchtigen droht. Von einer wissenschaftlichen oder technischen Ausschöpfung der Erscheinungen kann nie die Rede sein. Nochmals: Unterschieden von den Erscheinungen ist, wie Patočka sich ausdrückt, das „Erscheinen als solches" zu bedenken; es ist der letzte erschließbare Elementarhorizont, dessen Wesen in seinem Sich-zu-erkennen-Geben zwar völlig aufgeht, doch als Ursprungsdimension für die limitierte humane Denkfähigkeit unvorgreiflich bleibt. Diese kommt als Reflexion in einem unüberholbaren Sinne immer zu spät.

Kommen wir aber zurück zum praktischen Eintritt in die existentielle „Kosmologie" oder in die existenzbezogene „Natur". Erfordert ist paradoxerweise „ein Schritt zurück" – und zwar in den prä-phänomenologischen Bereich des PHAINESTHAI. Das Eigenartige dieses Eintritts liegt darin, dass wir ihn immer schon hinter uns haben und zugleich ihn immer vollziehen. Auch der Mys-

---

[8] Patočka 2000; dazu die Rezension von Wildermuth 2002.

tiker sagt, dass wir eigentlich schon dort sind, wohin wir zu gelangen wünschen. Dieses Allernächste ist leicht zu übersehen. Daran erinnert auch Eugen Finks Wort von der „Weltvergessenheit" (Fink 1990), ein Analogon zu Heideggers „Seinsvergessenheit".

Barths beste Einführungen in den *existentiellen* Kosmos finden sich in seinen Kapiteln über das „magische Weltbewusstsein" und über den „mathematischen Weltbegriff der beginnenden Neuzeit" in der *Philosophie der Erscheinung* (Barth 1959, 1. und 2.). Vor allem leiten seine Darlegungen des alchemistischen Denkens des Paracelsus hinein in die Tiefen des erscheinenden Weltseins. Noch in eine tiefere Dimension dringt Jakob Böhme vor, dem sich aufgrund seiner biblischen Erfahrungen und Intuitionen ein Kosmos erschließt, den er in einer rein existentiellen Sprache beschreiben kann und in dem auch Gut und Böse wirkungskräftige Mächte werden. Hier kommt, so muss man mit Barthschen Einsichten etwas spekulativ schließen, das Erscheinen des existentiellen Kosmos zu sich selbst (ebd. 95 f.). Die späteren Rückgriffe des Romantizismus (z. B. von Novalis) auf das magische Weltbewusstsein und auf die Böhmisch-Weigelsche Theosophie (z. B. von Franz von Baader) erreichen aufgrund ihrer subjektivistischen Zentrierung den von Paracelsus und Jakob Böhme gewonnenen Horizont nicht wieder.

Ein anderer Rückgriff gerade auf das magische Weltbewusstsein und der sich daraus entwickelnden Varianten der modernen theosophischen Weltsicht (Helena Petrowna Blavatzky) geschieht um 1900, zu Beginn dessen, was man die Moderne Kunst nennt. Die Loslösung von den fixierten Phänomenen als Dinge, Gegenstände, Figuren, Narrationen im zentralperspektivischen Ordnungsraster und die Akzeptanz der erscheinenden Formen, Farben, Linien, Spannungen als eigene Inhalte ist ein Prozess, den die Künstler durch einen bewussten „Schritt zurück" in okkulte oder vergessene „Wissenschaften" vollzogen. Die berühmte Schrift von Wassily Kandinsky *Das Geistige in der Kunst* von 1912 war die Vorlage für den Titel der Ausstellung *The Spiritual in Art – Abstract Painting 1890-1985* im Los Angeles County Museum im Jahre 1986 (Tuchman u. Freeman [Hg.] 1988). Wie der Titel verrät, wird der Zugang zu einer ursprünglicheren Kunst und zugleich zu einer anderen, lebendigeren Welterfahrung unter dem Zeichen des „Spirituellen" oder „Geistigen" gesucht. Dies bedeutet eine Distanzierung von der neutralen Faktenwelt, die durch eine Aktivierung psychischer Potenzen oder Empfindungen gesucht wird und die so etwas wie ein Zurückdämmen, ja Auslöschung des Materiellen bewirken soll. Als Inspirationsquellen für die Künstler gelten Theosophie, Anthroposophie, Alchimie, Kabbala, Buddhismus, Schamanismus, Hermetismus, Symbolismus u. a. Das Erscheinen der Erscheinungen wird im Verlaufe des 20. Jahrhunderts selbst zum Thema der Malerei, wie es z. B. Johannes Meinhardt herausarbeitete (Meinhardt 1977).

Der existentielle Kosmos ist zugleich auch der *ästhetische* Kosmos. Es ist das Moment des Ästhetischen und nicht des Theoretischen, in dem die kosmische Erscheinung integral zur Geltung kommt. Dies bedeutet, dass eine unabsehbare

Vielfalt von „Auslegungen" und „Erfahrungen" und darum auch von möglichen Zugängen zu Natur und Kosmos bestehen. Neben Kunst bietet sich heute eine zunehmende Zahl von „alternativen" oder „esoterischen" Kosmologien an, die oft Surrogate einst gelebter und aktiver Welterfahrungen asiatischer oder archaischer Kulturen sind, die verloren in einem kulturontologischen Kontext stehen, der ihnen vollkommen unangemessen ist. Was auch unter dem Titel der „Ökologie" versammelt wird, ist teilweise reine theoretische Wissenschaft, teilweise Pflege und Arbeit am ästhetischen Erscheinen. „Sorge um die Natur" ist ein anderes Schlagwort, das Furore macht, doch lässt es auf eine Ahnung schließen, dass es einen „anderen Kosmos" gibt, der – um sich erschließen zu lassen – auch einen andern Umgang mit den Erscheinungen verlangt. Dieses Anliegen beruht geradezu auf einem In-Anspruch-Genommensein der Existenz durch den Kosmos, gleichsam als Anruf, den andern, tieferen und phänomenal erfüllten Kosmos zu entschleiern. Dieser ästhetische Erfüllungsanspruch durchzieht das ganze existentielle Universum. Barth zitiert bezeichnenderweise in einer Anmerkung zum „magischen Weltbewusstsein der Renaissance" in der *Philosophie der Erscheinung* jenen Blick Platons in einen anderen Kosmos, der den hiesigen in allen Belangen an Glanz übersteigt und der dennoch in ihm als eine reale Utopie oder höhere Wirklichkeit angelegt ist.[9] Der existentiell-ästhetische Kosmos ist analog zu verstehen, nämlich als der ursprüngliche, weil er als der elementar erscheinende der Zentralkosmos aller möglichen Welten ist

---

[9] Barth 1959, 49, Anm. 1, mit Hinweis auf *Phaed.* 109b-111c 3. Dazu bemerkt Barth: „Wenn wir von einem ‚magischen Weltbewusstsein der Renaissance' reden, dann soll es uns freilich ferne liegen, diese Welthaltung auf jene Phase der Weltgeschichte festzulegen. Unser Blick könnte von der Renaissance vorwärts und rückwärts über die Geschichte hingleiten, um allenthalben die Spuren dieses Weltbegreifens zu begegnen. Wir würden sie unschwer in Platos „Phaedo" erkennen, dort, wo sich der Philosoph in der Darstellung eines jenseitigen, und doch wiederum diesseitigen Kosmos ergeht." (Ebd.) – Wie bei Platon „die Erde selbst" sichtbar wird, in ihrer Reinheit und so, wie sie für sich selbst ist, kann ein anderes Beispiel beigebracht werden, das über 2000 Jahre später formuliert wurde, so von Robert Walser in seinen Wander-Schilderungen im „Seeland" (Walser 1978, III, 172): „Indem ich weiterging, ging und marschierte ich, wie mir vorkommen wollte, wiederum neuen und anderen Schönheiten entgegen, deren Glieder und Gesichter mir wie von sich aus entgegentraten, als wenn mich die Gebilde sachte hätten bei der Hand nehmen und zu sich hinziehen wollen. Was ich liebend anschaute, das schaute mich wieder liebevoll an. Wofür ich glühte, war auch mir wieder gut gesinnt. Wonach ich horchte, schien auch für mich wieder Ohren zu haben. Was ich suchte, das strebte wieder zu mir selber hin, und was ich zu wissen begehrte, wollte auch von mir gerne etwas wissen. Alles, was ich sah, war in Freundlichkeit, süsse Güte, sanfte, liebe Unverstandenheit getaucht, gebadet. Die Farben waren tief und feucht [...]." Und weiter: „Tag und Nacht, Morgen und Abend traten in ungetrübtem, durchaus unverwaschenem Ausdruck auf. Was mir auffiel, war, dass jedes Vorhandene seine wesentlich saubere, naturwahre Färbung besass, der Stein die seine, das Holz der Baumstämme die ihrige [...]. Rein und unbenommen stand der Baum als solcher da [...], war niemandem als wieder nur sich selbst unterworfen. Ähnlich war es mit allen übrigen Dingen." (Ebd. S. 192)

Dieser existentiell-ästhetische Zentralkosmos ist auch ein *offener* Kosmos. Allein schon die interpretatorische Unausschöpfbarkeit des unvorgreiflichen Erscheinens der Erscheinung lässt einen Sog ins Apeiron, ins Grenzenlose, spüren. Der philosophischen „Rückfrage" sind keine Grenzen gesetzt, ihr, die nirgends bei einem „prius" anhält, sondern nur die „Frage als solche" als leitendes Erkenntnisprinzip anerkennt. Und wenn ich dazu die Einsicht in die „intensive Mannigfaltigkeit" (Barth 1965a, 454 f.) des stets neuen Erscheinens in Betracht ziehe, so ist eine Offenheit angezeigt, die sogar den Begriff des „Kosmos" oder der „Natur" bedroht und auflöst. Nicht „der Kosmos" ist das zentrale Problem. Vielmehr steht im Mittelpunkt die elementare Emergenz des Erscheinens der Erscheinungen, die als eine unabgeschlossene, durch und durch dynamische „Welt" oder „Natur" oder „Kosmos" in aller abstrakter Vagheit bestimmt werden kann. Und als eigentlicher Ursprung dieser Welt ist die Existenz zu setzen, die in ihrem Wirklichwerden zugleich das erscheinende Weltsein in seiner Bezogenheit auf die Existenz zum Aufgang bringt. Es zeichnet sich ein intensiv-mannigfaltiger Manifestations-Kosmos ab, der – wie Barth in nur wenigen Sätzen verrät – Existenz und Kosmos umfasst. Im „Ereignis der Existenz" liegt auch das Weltsein beschlossen. „Es liegt am Tage, dass von hier aus auf das uralte Problem der Teleologie, verstanden in seiner Natur und Mensch umfassenden Bedeutung, ein Licht fällt." (Barth 2006) Man kann sich fragen, ob die emergentiale existentielle Erscheinungswelt mit jenem Kosmos oder Universum irgendetwas zu tun hat, in dem sich der Mensch der Wissenschaft und Technik bis anhin allzu selbstverständlich eingerichtet hat.

Wie steht es aber nun mit dem „existentiellen Kosmos als solchem"? Sicher ist, dass sich dieser nicht abtrennen lässt von den vielen Kosmen, die im Verlaufe der Darlegung sich zeigten und zugleich große existentielle Herausforderungen erschlossen. So reicht die existentielle Erkenntnis oder „die Existenz" in alle Bereiche und Tiefen der Erscheinungen und trägt alles Erscheinen der Erscheinungen. Doch die Herausforderung, die jede einzelne Existenz in ihrem Wirklichwerden erfährt und der sie sich im Ansturm des Sich-zu-Erkennen-Gebens der Welt bestehen muss, ist nicht in einer philosophischen Reflexion einzuholen. Selbst auch der anvisierte transzendentale „Ort der Konvergenz von Existenz von Sein und Kosmos", von dem die Wirklichkeit zu „überwinden" oder „aufzuheben" wäre, ist nicht durch eine a-kosmistische Mystik erreichbar. Diesem Weg der Versenkung wird seine Berechtigung durchaus nicht abgesprochen. Die religiösen und philosophischen Kulturen Europas und Asiens haben ihn durch ihre Leistungen längstens beglaubigt. Der existentielle Kosmos ist konvergent mit der unabschließbaren existentiellen Erkenntnis und als Vollzug und Emergenz wirklichen Seins dem der Philosophie unvermeidlichen „Abstrahieren" nur indirekt zugänglich.

Literatur

Barth, H. (1921): *Die Seele in der Philosophie Platons*, Tübingen.
- (1926): „Platonische Wahrheit", in: *Zeitwende*, März 1926, 294.
- (1927): *Philosophie der Praktischen Vernunft*. Tübingen.
- (1947): *Philosophie der Erscheinung. Eine Problemgeschichte*. 1. Teil: *Altertum und Mittelalter*, Basel.
- (1959): *Philosophie der Erscheinung. Eine Problemgeschichte*. 2. Teil: *Neuzeit*, Basel.
- (1965a): *Erkenntnis der Existenz. Grundlinien einer philosophischen Systematik*, Basel.
- (1965b): „Gotteserkenntnis" [1919], in: *Anfänge der dialektischen Theologie*, München.
- (1967): *Existenzphilosophie und neutestamentliche Hermeneutik. Abhandlungen*, Basel.
- (1999): *erscheinenlassen. Ausgewählte Texte aus Heinrich Barths Hauptwerk „Erkenntnis der Existenz"*; m. Hinführungen v. R. Bind, G. Maier u. H. R. Schweizer, Basel.
- (2003): „Thesen: Begriff, Eidos, Idee" [Sommersemester 1955], in: *Bulletin der Heinrich Barth-Gesellschaft Basel*, Nr. 10, 47 f.
- (2006): „Thesen: Grundlagen der philosophischen Systematik" [Sommersemester 1958], in: *Bulletin der Heinrich Barth-Gesellschaft Basel*, Nr. 13.

Belussi, F. (1990): „Reflexion und Manifestation. Zur Theorie des existentiellen Selbstbezugs im systematischen Spätwerk Heinrich Barths", in: Hauff, Schweizer u. Wildermuth (Hg.) 1990, 147-167.

Brühlmann, O. (1955): „Von der metaphysikalischen Grundlage der Physik", in: *Studia philosophica. Jahrbuch der Schweizerischen Philosophischen Gesellschaft* XV [Basel], 10-34.

Fink, E. (1990): *Welt und Endlichkeit*, Würzburg.

Graf, Chr. (2004): *Heinrich Barths Erkenntnis der Existenz im Kontext heutigen Denkens*, Regensburg.

Grund, D. (1999): *Erscheinung und Existenz. Die Bedeutung der Erscheinung für die Ansatzproblematik der transzendental begründeten Existenzphilosophie Heinrich Barths*, Amsterdam/Atlanta.

Hauff, G., H. R. Schweizer u. A. Wildermuth (Hg.) (1990): *In Erscheinung Treten. Heinrich Barths Philosophie des Ästhetischen*, Basel.

Heidegger, M. (1983): „Zur Erörterung der Gelassenheit. Aus einem Feldweggespräch über das Denken" [1944/1945], in: ders.: *Aus der Erfahrung des Denkens 1910-1976 (Gesamtausgabe*, Bd. 13), hg. v. H. Heidegger, Frankfurt/M., 37-74.
- (2000): „Das Ding", in: *Vorträge und Aufsätze (Gesamtausgabe*, Bd. 7), hg. v. F.-W. von Herrmann, Frankfurt/M., 165-187.

Holzhey, H. (1990): „Heidegger und Cohen. Negativität im Denken des Ursprungs", in: Hauff, Schweizer u. Wildermuth (Hg.) 1990, 97-114.

Husserl, E. (1962): *Die Krisis der europäischen Wissenschaften und die transzendentale Phänomenologie (Husserliana*, Bd. VI), hg. v. W. Biemel, Den Haag.

James, W. (1994): *Das pluralistische Universum* [engl. 1909], Darmstadt.

Kant, I. (1959): „Von einem neuerdings erhobenen vornehmen Ton in der Philosophie", in: *Werke in sechs Bänden*, Bd. II, Darmstadt.

Kipfer, D. (1990): „Die begründende Funktion der Aporie für die Existenzphilosophie Heinrich Barths", in: Hauff, Schweizer u. Wildermuth (Hg.) 1990, 169-204.

Kühn, R. (2003): *Radikalisierte Phänomenologie*, Frankfurt/M.

Luhmann, N. (1984): *Soziale Systeme. Grundriß einer allgemeinen Theorie*, Frankfurt/M.

Meinhardt, J. (1977): *Ende der Malerei und Malerei nach dem Ende der Malerei*, Stuttgart.

Natorp, P. (1958): *Philosophische Systematik*, Hamburg.

Patočka, J. (2000): *Vom Erscheinen als solchem. Texte aus dem Nachlaß* (*Orbis Phaenomenologicus Quellen*, Bd. 3), hg. v. H. Blaschek-Hahn u. K. Novotný, Freiburg/München.

Tuchman, M. u. J. Freeman (Hg.) (1988): *Das Geistige in der Kunst – Abstrakte Malerei 1890-1985*, Stuttgart.

Walser, R. (1978): *Das Gesamtwerk*, Zürich.

Wildermuth, A. (2002): „Phänomenologie als Lehre vom Erscheinen" [Rezension zu: Patočka 2000], in: *Bulletin der Heinrich Barth-Gesellschaft Basel*, Nr. 7, 3-7.

Vorfragen zum Phänomen-Begriff bei Eugen Fink[*]

Guy van Kerckhoven

I. Die kathartische Potenz des Vorfragens

In seinen im Jahre 1940 verfassten „Elementen einer Husserl-Kritik" schreibt
Eugen Fink: „Muß nicht angesichts des Anspruchs, die Philosophie durch phänomenologische Forschungsmethoden reformieren zu wollen, zuvor eine Re-
form der phänomenologischen Forschung durch Philosophie geleistet werden?"
(Fink 1940, These 46) In diesen Worten meldet sich zuerst eine innere Unruhe
an, in der die phänomenologische Forschung zunehmend fragwürdig wird. Das
Motiv eines „Vor-fragens" klingt an, das hinter die vorgängige Verfestigung der
phänomenologischen Forschungsmethoden in Maximen zurückfragt. Ein solches Vorfragen ist in einem ausgesprochenen Sinne „suchend", indem es, sich der
Verblendung durch die „Idole" der phänomenologischen Forschung erwehrend
(ebd., These 47), nunmehr nach dem „Lebendig-Bewegten" innerhalb derselben
ausspäht, nach den „gleichsam noch schwebenden, noch nicht zur eigens abgehobenen Methode verdichteten Einstellungen und Grundhaltungen, die gleichsam die Atmosphäre eines Philosophems ausmachen" (ebd., These 34).

Wie dieses Vorfragen sich um den Phänomen-Begriff, den Grundbegriff der
phänomenologischen Forschung, kristallisiert, ist ebenfalls allererst den „Elementen einer Husserl-Kritik" zu entnehmen. Fink notiert: „Husserl überwindet
nicht die Erscheinung, vielmehr versucht er ja die Rückkehr in die ‚Unmittelbar-
keit' und ihre Rehabilitierung." (Ebd., These 29) „Husserl verabsolutiert die
Erscheinung, fixiert sie aber als absolut, streicht das Seiende an sich, streicht die
Transzendenz des Übermenschlichen (des Theion) und setzt die endliche Subjektivität absolut an." (Ebd., These 31) Diese „Thesen" sind gewagt und auf ihre
Richtigkeit zu prüfen. Sie legen jedoch keine *orthe doxa* auf die Waage der Phänomenologie, weisen vielmehr auf die Richtung hin, in der eine grundsätzliche
Frage sich anbahnt – über die die phänomenologische Parole ‚Zu den Sachen
selbst' nicht im vorweg schon entschieden haben mag. Einem solchen Schlagwort „erliegt man" insofern, als man als „Höriger des Schlagwortes Objekt der
Beeinflussung ist, sich aber nicht frei von sich aus einem Gedanken verbindet"

---

[*] Besonderer Dank gebührt Herrn B. Orlowski M. A. von der Dilthey-Forschungsstelle am Institut für Philosophie der Ruhr-Universität Bochum für die vielen wertvollen
Ratschläge und Korrekturen.

(Lipps 1977, 116 f., Anm. 6). Gerade was die Sache der Phänomenologie selbst sei, gilt keineswegs als schon ausgemacht, sondern – wie Fink schreibt – als erst noch „zu setzen" (Fink 1940, These 35). Die am Phänomen-Begriff haftende Vorfrage entpuppt sich als eine „Grundfrage". Fink formuliert sie folgendermaßen: „Grundfrage: analysiert Husserl eine gegebene Offenbarkeit des Seienden, – oder sucht er zuvor das Eigentlichseiende?" (Ebd., These 33) Am Phänomen-Begriff ergreift Fink eine innere Unruhe und Spannung des Denkens, die „von der stehenden Welt der Phänomene" abrückt und in „die solchem Stand zugrundeliegende Seinsströmung" fortrückt, um in „die Nähe zum Eigentlich-Seienden", zum „seiendsten Seienden" zu kommen (Fink 1958, 42; 1940, These 11) – selbst wenn, wie Fink in den „Elementen" notiert, diese Nähe zum *ontos on* einzig nur „in der entbehrenden Sehnsuchtsbeziehung" greifbar wird (ebd., These 11). Diese Ergriffenheit, die sein Denken in den Grund der Phänomenologie hineintreibt, dieses denkende Auf-den-Grund-Gehen des Phänomen-Begriffs ist – Sprengstoff.

In den „Elementen einer Husserl-Kritik" tritt sie als eine einzigartige „kathartische" Potenz auf. Fink schreibt dazu:

> „Die Offenheit für die Sache, die Sachlichkeit der Phänomenologie, ist, wenn es hoch kommt, die kathartische Befreiung aus dem ‚Verfängnis', die Überwindung des menschlichen ‚Interesses' an den Dingen. Die spezifische Gefahr dieser Einstellung: das Sichverlieren an die gegebene Sache, d. h. die Stilllegung des kathartischen Entwurfes, die Erstarrung im Dogmatismus der ‚Sachlichkeit'. Erst die Setzung der Sachlichkeit der Sachen, der Entwurf des ontologischen Modells der Sachlichkeit, macht eine rein-sachliche Einstellung als eine philosophische möglich." (Ebd., These 13)

Diese „Reinigung" der Sache der Phänomenologie, die von der „Erscheinung" als einem „Feld der Gegebenheit" abrückt, „wiederholt" in radikalisierter Form die phänomenologische Epoché, die den Seinsglauben an die vorgegebenen Dinge suspendiert, um sie „rein" als Phänomene des Bewusstseins zu betrachten. Dazu notiert Fink in den „Elementen": „Eine radikalisiertere Form der Reduktion als Desiderat: Prüfung der in den urlichtenden Begriffen sich vollziehenden Setzungen." (Ebd., These 10) Was sich im Geschehen der „Erscheinung" „urlichtend" als „Setzung" vollzieht, diese harte Prüfung muss ein Vorfragen des Phänomen-Begriffs bestehen, das der phänomenologischen Forschung ihren Grundbegriff erst „philosophisch" geben soll.

Fink erläutert in diesem Zusammenhang, gerade im Hinblick auf Husserls Phänomenologie, die Hegel entliehene „These, daß die Philosophie zuerst ‚das Geben ihrer Begriffe' sei" (ebd., These 44). Er schreibt: „Das Geben von Begriffen ist das Setzen des Begriffs des Seienden und zwar nicht als einer subjektiven Vorstellung vom Seienden, die das Seiende an sich selbst nichts angeht, sondern ist der Entwurf der ontologischen Fundamentalbegriffe, die schon jeder Unterscheidung von Seiendem an sich und subjektiver Vorstellung davon zugrundeliegen." (Ebd.) Indem Finks Vorfragen zum Phänomen-Begriff diesen in den Umkreis der ontologischen Fundamentalbegriffe hineinstellt, tritt seine Sprengkraft voll heraus. Das Erscheinen ist ein Grundgeschehen, das das Seiende selbst und als solches angeht und nicht etwa ein „Datum" eines intentionalen Bewusstseins. Der ontologische Entwurf-Charakter des Phänomen-Begriffs rührt daher, dass die im Erscheinen sich urlichtend vollziehende „Setzung" nicht ohne weiteres und ausschließlich aufs Konto eines subjektiven Vorstellens vom Seienden geht, nicht schlicht und einfach der „doxisch-thetischen" Natur intentionaler Bewusstseinsakte entstammt. Im „Geben" des Begriffs der Erscheinung ist das Seiende selbst und als solches mit im Spiel und nicht etwa, wie im Falle der Erscheinung als eines Feldes der Gegebenheit, als eines Datums, der Gegenstand für unser Vorstellen.

Ergreifend in allem Vorfragen zum Phänomen-Begriff ist im Grunde diese Differenz, zu der es zwischen dem Seienden selbst und als solchem und dem Gegenstand kommt, wie zwischen dem Erkennen als einem lediglich Für-wahr-Halten und dem Erkennen als einem Sich-zu-einer-Sache-Bekennen, d. h. Dafür-Einstehen. Das Geben des Begriffs der Erscheinung betrifft, genau genommen, unsere menschliche „Inständigkeit" im Sein, nicht dessen Bevormundung dadurch, dass man das menschliche Subjekt zum Vorstand beruft. „Das Wesen des Begriffs", notiert Fink weiter in den „Elementen", „ist die Begreifung, d. i. die Setzung des urlichtenden Entwurfs" (ebd., These 43). Für den Grundbegriff der Phänomenologie, den Phänomen-Begriff, bedeutet diese „Begreifung" die Prüfung seiner ontologischen Tragkraft. Wie diese Prüfung die deskriptive Phänomenologie und ihre theoretische Haltung zutiefst erschüttert, entnehmen wir ebenfalls einigen Sätzen der „Elemente":

> „Deskription als Haltung ist das Offenstehen für das Seiende in seiner Fülle; dieses Offenstehen muß aber aus einem Sich-Öffnen herkommen, aus einer Selbstbindung der menschlichen Freiheit – und nicht, wie bei Husserl, als Bindung, die nicht aus einem Entwurf stammt, sondern Bindung an eine gegebene Vorstellung von ,Gegebenem' ist." (Ebd., These 6) „Ist Beschreiben zuverlässig und gültig überhaupt möglich, solange das ontologische Modell des Seienden als des Gegenstandes der Beschreibung nicht feststeht?" (Ebd., These 20) „Ist die Theoria eine existenzielle Indifferenz oder eine Tat der menschlichen Freiheit, in der sich der Mensch an das Seiende selbst bindet?" (Ebd., These 22) „Es ist eine Naivität, zu glauben, es genüge still zu sein, an sich zu halten, nur zu horchen und zu schauen, eben nichts zu tun, um in die theoretische Haltung zu kommen, vielmehr ist es eine Aktion der Freiheit, sich freizumachen für das stille ewige Gesicht der Dinge, für ihr unendlich einfaches Sein." (Ebd., These 24)

Diese Sätze lassen sich mühelos vermehren. Die Bewegtheit des Vorfragens spricht aus einem jeden von ihnen. Die Stoßkraft des Vorfragens ist darin unverkennbar. Von einem spekulativen „Ikarusflug" des Denkens ist dabei ebensowenig die Rede wie von einem Rückfall in die alt-ehrwürdige Metaphysik. „Philosophie", schreibt Fink in den „Elementen", „ist die Phänomenologie genau in dem Maße, als in ihr ein Suchen lebendig ist, wenn auch in noch so verdeckter

Form." (Ebd., These 33) Das genaue Maß dieses Suchens ist die „entbehrende Sehnsuchtsbeziehung", die Suche nach dem „eigentlichen und wahrhaften Seienden", wie sie den Boden der Phänomenologie Husserls aufwühlt. „Aber bei Husserl nicht eine Wendung zum Seienden, sondern nur zum Objekt in seiner gegebenen Gegebenheit." (Ebd., These 54) Die kathartische Potenz von Finks Vorfragen skandiert die „Nähe" und die „Distanz" zur Phänomenologie Husserls. Die Entfaltung der Vorfragen zum Phänomen-Begriff geschieht in jenen phänomenologischen Vorträgen und Aufsätzen, für deren Sammlung Fink diesen Titel vorgeschlagen hat (Fink 1976, 323).

II. Die Entstellung des phänomenologischen Gesichtspunktes

Finks im Jahre 1951 auf dem Brüsseler *Colloque international de phénoménologie* gehaltener Vortrag: „L'analyse intentionelle et le problème de la pensée spéculative" zündet erneut die Flamme des philosophischen Vorfragens zum Phänomen-Begriff, wie sie in den „Elementen einer Husserl-Kritik" zuerst aufflackerte (ebd. 139-157). Im Widerschein des *pyr aeizoon* Heraklits, des immer lebendigen Feuers, das alle Gestalten verzehrt, tritt die fragile Gestalt des Phänomenologen Husserls wieder in den Lichtschein der Fackel, die Fink an sie heranträgt (ebd. 139). Zündstelle ist von neuem das Streben der Phänomenologie, „ein neues, ursprüngliches und unmittelbares Verhältnis zu den ‚Sachen selbst' zu gewinnen – und zwar im Rückgriff auf die ‚originär gebende Anschauung'" (ebd. 143).

> „Die ‚Sache selbst' wird interpretiert als das Gegebene, das Unmittelbare, das Anschauliche. D. h., die ‚Sache selbst' ist in ihrem Sich-Zeigen (Erscheinen), ihrem direkten Daliegen, in ihrer sinnlichen Konkretion genommen. Das aktuell wahrgenommene Sinnending ist der methodologische Prototyp dessen, was als die ‚Sache selbst' gilt." „Der Umstand, daß Husserl eine Vielzahl von originären Gegebenheitsweisen anerkennt, so viele nämlich, als es Regionen von Sachen selbst gibt, schließt nicht aus, daß im grundsätzlich methodologischen Sinne das unmittelbar anwesende, anschaulich gegebene Sinnending das Modell abgibt, wie die Selbstheit der Sache selbst von der beginnenden Phänomenologie gedacht wird." (Ebd.)

Dieser Rückgriff auf das unmittelbar Gegebene, in der originären Anschauung Sich-Zeigende, Anschaulich-Konkrete hat den methodischen Sinn eines Zurückfindens zu einem „vor-begrifflichen, vor-theoretischen und vor-prädikativen Seienden" (ebd. 146), wie es Gegenstand der Erfahrung, allem voran der sinnlichen Wahrnehmung ist. Drei wesentliche Momente des phänomenologischen Grundansatzes prägen somit den spezifisch methodischen Sinn des phänomenologischen „Phänomen"-Begriffs, auf die Fink behutsam hinweist. Erstens:

> „Die ‚Sache selbst' muß zurückgewonnen werden durch die Abtragung der verdeckenden Sinn-Auflagen der wissenschaftlichen Theorie; das originär gegebene Ding ist noch nicht das Ding, das durch exakte Metrik in einem ideali-

sierten Zeit- und Raumgefüge bestimmt ist, – ist nicht das Ding, das aus Wellenschwingungen und Energiepaketen z. B. besteht, sondern das an ihm selbst farbig, hart, schwer u. dgl. ist." (Ebd. 143)

Das Konkret-Anschauliche, in der originären Anschauung Sich-Zeigende ist das in der „subjektiv-relativen" Lebenswelt konkret erfahrene Ding in seinen sinnlichen Qualitäten. Zweitens:

> „Die ‚Sache selbst' wird so vermeint, daß sie prädikativ bestimmbar, durch logisch-syntaktische Formen der Sprache betreffbar und auslegbar ist, aber in ihrer autarken Selbstheit der Sprache nicht bedarf. Mit anderen Worten: die Sprache wird als ein dem Menschen zukommendes Vermögen verstanden, die an sich sprachfreien Dinge sinnhaft zu artikulieren. [...]. Die Prädikation gilt als eine logische Operation an dem an sich vor-logischen Ding." „Die Phänomenologie will die Dinge des gewohnten Sprachkleides entkleiden, um sie zuvor einmal ‚logisch nackt' zur Sicht zu bringen. Ihr Desiderat ist eine behutsame Sprache, die ihre eigene Natur kennt – die die Dinge nicht vergewaltigt und immer noch die prädikative Form von der ‚Sache selbst' zu unterscheiden vermag." (Ebd. 143 f.)

Als ausgesprochenes Ziel der Phänomenologie gilt das Vorhaben: „d'amener l'expérience muette encore à l'expression pure de son propre sens" – die noch stumme Erfahrung zur reinen Aussprache des ihr innewohnenden Sinnes zu bringen.[1] Drittens:

> „Damit hängt aufs engste zusammen die phänomenologische Auffassung des Begriffs überhaupt. Begriffe gelten als ‚ideale Gebilde', sie haben die Seinsart der ‚Idealität', sagt man. Dieser Titel aber bleibt so weit gefaßt, daß er zusammen enthält so etwas wie ‚Sinn', als das, was in einem Verstehen verstanden wird, und so etwas wie ‚Wesenheit'. Sofern Begriffe, Kategorien durch umständliche, logische Operationen gebildet und entwickelt werden, also Gebilde einer aktiven Spontaneität des Menschen sind, sind sie grundsätzlich mittelbar und fundiert in vorlogischen Gegebenheiten. Logische Operation gründet in vorlogischer Intuition. Andererseits kennt Husserl selbst eine Intuition des Logischen, dort nämlich, wo es sich um formale oder materiale Wesenheiten handelt. Die Intuition, sei es die Selbstgebung des individuellen oder generellen Gegenstandes, hat bei ihm einen unbedingten Vorrang." (Fink 1976, 144 f.)

Das phänomenologische Phänomen liegt als ein „Vor-Begriffliches" der Ideation und der kategorialen Anschauung noch voraus, und zwar als eine Sphäre der „Fundierung" mit einem der sinnlichen Anschauung ur-eigenen „intuitiven Gehalt".

Gerade diese dreifache methodische Bestimmung des Phänomen-Begriffes „fordert", wie Fink schreibt, „zu nachdenklichen Fragen auf" (ebd. 145). „Eine kurze Besinnung schon zeigt", so stellt er fest, „daß der Leitbegriff der phänomenologischen Methode, die vor-begriffliche und vor-sprachliche ‚Sache selbst'

---

[1] Merleau-Ponty 1945, X; vgl. Husserl 1963, 77.

auf dunklen, ungeklärten Voraussetzungen basiert, – daß hier Entscheidungen gefällt sind in verhüllter Weise, welche offen zu prüfen [...]" sind (ebd. 147). Der offene Charakter dieser Prüfung, die nur fragend geschehen kann, soll auch dann nicht zugeschüttet werden, wenn Fink im weiteren Verlauf seiner Ausführungen, wie übrigens auch in den „Elementen einer Husserl-Kritik" (Fink 1940, These 26), an ein spekulatives Denken appellieren wird und den ursprünglichen Bezug der Phänomenologie Husserls zur Metaphysik und zur Geschichte der Metaphysik wiederherzustellen versucht. Die Dimension der Frage wird erst durch den Gedanken eröffnet, dass „der Grundsatz der phänomenologischen Methodik", die „Rückkehr zu den Sachen selbst", gerade „als Methode vollzogen wird." „Methode", so notiert Fink, „ist doch primär eine durchdachte und vorentworfene Weise des menschlichen Zugangs zum Seienden" (Fink 1976, 145). Im Rückgriff auf das in der originären Anschauung Sich-Zeigende, Erscheinende ist das Seiende, wie es dem Menschen zugänglich ist, vorentworfen. Dieser Vor-Entwurf wird dann spürbar, wenn wir darauf achten, dass es sich um das in der subjektiv-relativen Lebenswelt konkret erfahrene Ding in seiner sinnlichen Qualifiziertheit handelt, d. h. um das Ding innerhalb des Verweisungszusammenhangs zu unseren subjektiven Wahrnehmungserlebnissen. Dieser Verweisungszusammenhang prägt den der stummen Erfahrung innewohnenden Sinngehalt, der sich in den Erlebnissen des wahrnehmenden Subjektes ausweist. Wenn auch dieser Sinngehalt der Ideation und der kategorialen Anschauung als ein Vor-Begriffliches vorausliegt, so weist der Charakter der ausweisenden Erfahrung darauf hin, dass er gehalten werden kann, Bestand hat, und zwar kraft seiner intuitiven Fülle. Grundsätzlich gilt von diesem dreifachen Vorentwurf, wie Fink feststellt, „daß das Seiende als dem menschlichen Zuschnitt unterworfen, dem Maße der menschlichen Faßbarkeit konform gedacht wird" (ebd.).

Wie dieser menschliche Zugriff charakterisiert werden muss, dem das Seiende phänomenologisch unterstellt wird, welches das Maß menschlicher Fassbarkeit ist, dem das Seiende als Phänomen entspricht, erfordert, wenn man die fragile Gestalt der Phänomenologie Husserls nicht zerbricht, genaueres Zusehen. „Vielleicht", und darin drückt sich wiederum die Unruhe von Finks philosophischem Vorfragen aus, „ist schon der Grundsatz der phänomenologischen Methodik in einer verborgenen Weise dem neuzeitlichen Wesen der Metaphysik gemäß" (ebd.). Ob „die Phänomenologie Husserls implizit auf dem Boden der neuzeitlichen Wandlung der Metaphysik steht, ohne sie ausdrücklich mitzuvollziehen oder das Problem zu erfahren" (ebd. 149) – sollte jedoch nicht voreilig entschieden, sondern am fraglichen Vorentwurf erstmals prüfend festgestellt werden. „Fixiert", wie in den „Elementen einer Husserl-Kritik" zuerst festgehalten wurde, Husserls Phänomenologie „die Erscheinung als absolut", „streicht sie das Seiende an sich" (Fink 1940, These 31) – oder ist es nicht vielmehr eine noch offene Grundfrage, ob Husserl „eine gegebene Offenbarkeit des Seienden analysiert, oder zuvor das Eigentlichseiende sucht" (ebd., These 33)? Stoßen wir hier nicht vielmehr in den Bereich jener „noch schwebenden Grundhaltungen" vor, die, als Konstituens der phänomenologischen „Atmosphäre", „nicht zu eigens abgehobener Methode verdichtet werden können" (ebd., These 34)? Im Vorentwurf der phänomenologischen Methode ist zumindest impliziert, dass Husserl die Erscheinung *nicht isoliert* betrachtet. Dieses Implikat ist folgenreich – und verhindert, dass das philosophische Vorfragen sich an der Phänomenologie Husserls verhebt. Die Richtung, in welcher eine Abhebung von Husserls Phänomenologie erstmals möglich wird, bahnt sich hier an. Denn Husserl stellt die Erscheinung in eine Welt hinein und besteht auf ihrer Welthaftigkeit.

Das in der originären Anschauung Sich-Zeigende (Erscheinende) steht in einen Verweisungszusammenhang subjektiver Wahrnehmungserlebnisse hinein, in denen es zur „Ausweisung" gelangt. Es gehört somit einer subjektiv-relativen Lebenswelt an, an die es verwiesen ist, einer Erfahrungswelt. Zur Ausweisung gelangt es, indem es eine intuitive Fülle aufweist, die es bekräftigt. Diese intuitive Fülle verdankt es aber einem Prozess der Erfüllung. Was sich in der originär gebenden Anschauung gibt, wird in diesem Erfüllungsprozess bestandhaft, und zwar auf das hin, was sich darin selbst zeigt. Diese „Selbstheit" ist der Quellpunkt beunruhigender Fragen. Untersteht das Seiende in diesem Fluchtpunkt der phänomenologischen Analytik nicht einem Eigentlichkeitsanspruch? Ist das „An-sich-Sein" des Seienden nicht, wenigstens der Idee nach, im phänomenologischen Ansatz mitenthalten? Und zwar als die Husserl vorschwebende, im Unendlichen liegende Idee einer vollkommenen Erfahrungsevidenz?

Das „Woraufhin" des Vorentwurfs der phänomenologischen Methode Husserls ist ein Bereich grundsätzlicher Vor-Entscheidungen, die, wie Fink andeutet, ihrerseits „gar nicht im Bereich der phänomenologischen Methode liegen" (Fink 1976, 149). Das erscheinende Seiende ist daraufhin vorentworfen, wie es im Verweisungszusammenhang subjektiver Erlebnisse zur Ausweisung kommt, und zwar hinsichtlich seiner ‚Selbstheit'. Das in der originären Anschauung Sich-Zeigende (Erscheinende) wird daraufhin angesprochen, wie es in diesem Zusammenhang zur „Selbstgegebenheit" kommt. Was das Erscheinende an sich sei, hat prinzipiell nur Sinn im Hinblick auf die fortschreitende Evidenz der Erfahrung. Sowenig jedoch der Verweisungszusammenhang als prinzipiell abgeschlossen betrachtet werden kann, sowenig ist auch dem Prozess fortschreitender Erfahrungsevidenz ein endgültiger Endpunkt gesetzt. Die Welthaftigkeit des erscheinenden Seienden entspringt der Offenheit des erfahrenden Lebens.

Der menschliche Zuschnitt, dem Husserl das Seiende unterwirft, das Maß der menschlichen Fassbarkeit, dem er das Seiende konform denkt, muss umsichtig bestimmt werden; es darf, im Hinblick auf seine intellektuelle Redlichkeit, nicht vorweg und grundsätzlich über die Tragweite seiner phänomenologischen Methode schon entschieden sein, sondern sie muss allererst auf die Probe gestellt werden. Der Rückgriff auf das in der originär gebenden Anschauung Sich-Zeigende gilt einer „offenen" Welt lebendiger Erfahrung. Zum analytischen Gehalt der phänomenologischen „intentionalen" Analytik gehört, und zwar wesentlich, dass Husserl den doxisch-thetischen Ansatz eines intentionalen „Aktes" zunehmend in ein komplexes synthetisches „Leisten" eines intentionalen Aktgefüges auflöst. Denn das Wesen der Intentionalität erschöpft sich nicht etwa darin, dass ein reines Ich sich meinend auf irgendeinen vorgestellten Gegenstand bezieht, sondern dass ein kinästhetisches, leiblich fungierendes Ich sich in einer offenen Umwelt lebendiger, präsumptiver Erfahrung umtut. Das in der originär gebenden Anschauung Sich-Zeigende, Erscheinende ist nicht mit einem Schlag auch „gegeben", sondern vielmehr „aufgegeben". Das heißt, es ist einem „Tun" zugestellt, das Husserl als „synthetisches Leistungsgebilde" zu beschreiben unternimmt. Die originär gebende Anschauung enthüllt sich als ein komplexes Fungieren spezifischer synthetischer Leistungen. Der spezifische Charakter dieser synthetischen Leistungen des intentionalen Aktgefüges entspringt zunächst den unterschiedlichen Modi des „Sich-Ausweisens". Diese unterschiedlichen Modi sind auf die spezifische Darstellungskraft der jeweils in Frage kommenden Sinnesbereiche zurückbezogen. Denn die „erkenntnismäßige Tragfähigkeit der spezifischen Sinnesqualitäten" (vgl. dazu Lipps 1976, § 22 ff.) ist eine je nach Sinnesbereich spezifisch verschiedene. Weiterhin sind die Modi des „Sich-Ausweisens" innerhalb des synthetischen Fungierens in differenzierte Systeme der Kinese, der leiblichen Bewegung, eingebettet, welche die jeweiligen Sinnesbereiche prägend bestimmen.

Fink ist sich dieser Entwicklung der intentionalen Analytik in der Phänomenologie Husserls genau bewusst: „Wenn zuvor die ,Sache' als das unmittelbar und vor-begrifflich ,Gegebene' galt, so tritt jetzt das ganze System der Selbstgebung mit allen ihren objektiven und subjektiven Momenten in den Blick." (Fink 1976, 149 f.) Vor einer ,realistischen', naiven Hingabe an die Sachen selbst ist bei Husserl jedenfalls nicht die Rede. Denn der methodische Rückgriff auf die originär gebende Anschauung gehorcht erkenntniskritischen Motiven. Gleichzeitig ist aber auch die Behauptung, „Husserl wäre in seiner Spätphilosophie geradezu in einen extremen subjektivistischen Idealismus verfallen", wie Fink notiert, „ganz falsch" (ebd. 147). Dass bei Husserl die Idee des An-sich-Seins des erscheinenden Seienden als „Idee im Kantischen Sinne", d. h. als ein regulatives Prinzip des gesamten Erfahrungsprozesses, eine gewisse Rolle spielt, ist unverkennbar. Aber grundsätzlich gilt, dass der vorgreifende Charakter des lebendigen Erfahrungsprozesses offen wie auch korrelativ der Verweisungszusammenhang, in den das erscheinende Seiende hineinsteht, nicht in sich geschlossen ist. „Die intentionale Analyse", so stellt Fink fest, „ist Husserls eigentliches philosophisches Forschungsverfahren" (ebd. 150).

Angesichts des wesenhaft vorläufigen Charakters des phänomenologischen Ansatzes bedeutet das endgültige Festnageln der Phänomenologie Husserls auf grundsätzliche Vorentscheidungen, die noch im Vorfeld der phänomenologischen Analytik liegen, ein Risiko. Bereits in den „Elementen einer Husserl-Kritik" geht Fink dieses Risiko ein, den von Husserl selbst gesteckten Rahmen der intentionalen Analytik zu sprengen. Diese „Entstellung" des phänomenologischen Gesichtspunktes, die sich fragend vollzieht, setzt sich im Beitrag „Die intentionale Analyse und das spekulative Denken" fort. Dieses Fragen muss man sich zueigen machen, um die Stoßrichtung seines philosophischen Denkens zu erfahren.

> „Wo die Methode zur unbedingten Vorherrschaft gekommen ist, gilt – ausgesprochen oder stillschweigend – der Mensch als das Maß aller Dinge. Auch eine Methode, die nur den Sachen selbst das Wort geben will und sich weit entfernt wähnt von einer vermessenen Selbstherrlichkeit des Menschen, kann, weil sie als Methode operiert, auf einer verdeckten metaphysischen Grundstellung beruhen, welche das Subjekt absolut setzt." (Ebd. 145 f.)

Diese durchaus gewagten Sätze wiederholen das Fazit, das Fink schon in den „Elementen" in aller Klarheit gezogen hat: „Husserls Philosophie kennt keine metaphysica generalis, d. h. keine Theorie der urlichtenden Begriffe. Husserls Philosophie gehört in die neuzeitliche Tendenz der Austreibung des Eigentlich-Seienden aus dem Bereich des menschlichen Fragens, gehört in die Situation des Stolzes des Menschen auf sich als ‚autonomes Kultursubjekt'." (Fink 1940, These 32) Zur unbedingten Vorherrschaft der phänomenologischen Methode gehört nämlich eine implizite Radikalisierung der kopernikanischen Wende, der Fink sich erwehren möchte: „Gewiß können wir nur erkennen, was unter den Bedingungen unseres Erkenntnisvermögens steht, aber es ist Vermessenheit, zu sagen, daß nur ‚ist', was erkennbar für uns ist." (Fink 1976, 145) Und diese implizite Radikalisierung ist das Grundmotiv der Beunruhigung angesichts des philosophisch fundamentalen Anliegens der Phänomenologie Husserls. Fink schreibt:

> „Denn die ‚Sache selbst' als Thema der phänomenologischen Methode ist nicht das Seiende, wie es an sich ist, sondern das Seiende, das wesenhaft Gegenstand, d. i. Seiendes für uns ist. Wie das reine Sein eines Seienden sich verhält zum Gegenstand-Sein dieses Seienden – diese Frage wird ausdrücklich als ein falsch gestelltes Problem zurückgewiesen. In Wahrheit aber ist dies das kardinalste Problem, das die Phänomenologie Husserls überspringt, weil sie vor dem spekulativen Denken zurückweicht." (Ebd. 147)

In den durchaus impliziten grundsätzlichen Vorentscheidungen, die zum Vorfeld der phänomenologischen Methode gehören, erblickt Fink die Weichenstellung, die einer unbedingten Vorherrschaft derselben und damit einer zuhöchst fragwürdigen Radikalisierung der kopernikanischen Wende Vorschub leistet.

> „Die Phänomenologie dekretiert einfach, das Seiende ist gleich dem ‚Phänomen', gleich dem sich zeigenden und sich darstellenden Seienden. Ein Ding an sich, das grundsätzlich dem Erscheinen entzogen bliebe, habe keinen Sinn, wäre ein leerer Unbegriff. Auf eine massive Formel gebracht, lautet die Argumentation: was nicht als Phänomen zur Ausweisung kommen kann, kann überhaupt nicht sein." (Ebd. 147 f.)

Diese Sätze verleihen noch einmal dem Gedanken Ausdruck, den Fink in den „Elementen" als fundamentalen Vorwurf der Phänomenologie seines Lehrmeisters kritisch entgegenhält: „Husserl verabsolutiert die Erscheinung, fixiert sie

aber als absolut, streicht das Seiende an sich, streicht die Transzendenz des ‚Ü-
bermenschlichen' (des Theion) und setzt die endliche Subjektivität absolut an."
(Fink 1940, These 31)

Gewiss enthalten diese Sätze eine Entstellung des phänomenologischen Gesichtspunktes, die dadurch entsteht, dass Fink den durchaus noch offenen und
vorläufigen phänomenologischen Ansatz Husserls als „implizit auf dem Boden
der neuzeitlichen Wandlung der Metaphysik stehend" denkt , in der „das Seiende
sich ins Phänomen verwandelt hat", so dass „die Entscheidung jetzt feststeht:
das Seiende ist Gegenstand und weiter nichts". „Die ontologische Fragwürdigkeit derselben wird nicht diskutiert." (Fink 1976, 149) Husserl verbaut sich die
Möglichkeit zu einer ontologischen Befragung des Phänomens durch seine anti-
spekulative Haltung, die nach Fink „vielleicht einer radikalen Revision bedarf"
(ebd. 153), vor allem aber durch seine „Ablehnung der Metaphysik" (ebd. 154),
und d. h., wie Fink in den „Elementen" erläutert, „der Metaphysik im Sinne des
‚ontologischen Entwurfs'" (Fink 1940, These 26), zu der Husserl keinen Zugang
zu gewinnen vermag.

„Ein krasses Vorurteil der phänomenologischen Deskription", notiert Fink
in den „Elementen", „ist die Vorstellung einer schlichten Gegebenheit vor allem
denkenden Urteilen als vorprädikativer Grundlage ausdrückender Urteile."
(Ebd., These 48) Diesen Satz greift er in seinem Aufsatz über „die intentionale
Analyse und das spekulative Denken" wieder auf.

> „[...] weiterhin bleibt als eine offene Frage, ob dasjenige, wobei die phäno-
> menologische Methode ankommen will: das vor-begriffliche, vor-theoretische und
> vor-prädikative Seiende überhaupt existiert. Sicherlich lassen sich Charaktere,
> die für uns den Dingen zugewachsen sind aus unseren wissenschaftlichen
> Kenntnissen, auch wieder von ihnen abziehen. [...] Wir können aber niemals
> die kategoriale Struktur des Dinges wegdenken. Die ontologischen Begriffe
> stecken in den ‚Sachen selbst'." (Fink 1976, 146)

In der Struktur des Dinges ist „das Gefüge, der ontologische Grundriß" anwesend, „demgemäß jedes Seiende ist, was es ist". „Was wir *über* ein Ding denken,
ist belanglos; was wir aber *als* ein Ding denken, ist die ontologische Verfassung
(état ontologique) desselben, ist seine ‚Natur'. Die Sache selbst ist also durch
Begriffe wesentlich bestimmt, welche nie ‚abgezogen' werden können. Es gibt
keine vor-begriffliche Sache, wenn wir Begriff streng im ontologischen Sinne
verstehen." (Ebd.) Streng im ontologischen Sinn ist der Begriff, wie in den „E-
lementen" angedeutet: „die Setzung des urlichtenden Entwurfs" (Fink 1940,
These 43). „Von einer der antiken Skepsis (ohne aber deren ontologische
Grundhaltung) nachgesprochenen Kritik der Sinnlichkeit" (ebd., These 44) –
etwa einer erkenntniskritischen Prüfung der Tragfähigkeit der Sinnesqualitäten
im Hinblick auf ihre Darstellungskraft – dürfte somit nicht die Rede sein.

Zur Frage steht, was diese zunehmende Entstellung des phänomenologischen Gesichtspunktes, die vom erscheinenden Seienden als Gegenstand unserer
Vorstellungen abrückt, wie dieser in der sinnlichen Wahrnehmung hinsichtlich

seiner ,Selbstheit' zur Ausweisung gelangt, im Grunde vorantreibt. In seinem Beitrag „Die intentionale Analyse und das spekulative Denken" lässt Fink den ihn innerlich bestimmenden, bis dahin aber still gehegten Grundgedanken in wenigen, programmatischen Worten verlauten. „Die Phänomenalität der Phänomene aber ist nie selber eine phänomenale Gegebenheit. Sie ist immer und notwendig ein Thema spekulativer Bestimmung. Daß das Ausweisbare allein ,ist', den vollen und gültigen Umfang des Begriffs ,seiend' erfüllt, kann nicht wiederum durch Ausweisung dargetan werden. Das Erscheinen des Seienden ist nicht etwas, was selbst erscheint." (Fink 1976, 148)

Diese Sätze sind ein Salvo. Sie markieren den Absprung vom phänomenologischen Gesichtspunkt und den Vorsprung in eine Dimension, die sich diesem Gesichtspunkt im Prinzip entzieht. Das Grundgeschehen des Erscheinens entzieht sich der Anschaubarkeit, die ihrerseits wiederum gar nicht „originell", sondern wesentlich im Verzug zu dem ist, was sich im Grunde des Erscheinens ereignet. Die Entstellung des phänomenologischen Gesichtspunktes ist dadurch motiviert, dass er dasjenige, was im Grunde des Erscheinens geschieht, grundsätzlich verstellt. Der „urlichtende Entwurf", der das Ganze des Seienden durchziehende „ontologische Grundriß" bleibt ihm wesentlich fremd. Da das Erscheinen des Erscheinenden grundsätzlich *als Entzug* geschieht, ist es der „intentionalen Bezugnahme" nicht einmal zugänglich. Diese kommt vielmehr zu spät, bildet nur einen Nachtrag zum Grundgeschehen des Erscheinens. Die Konzentration auf die „Selbstgegebenheit" ist Anzeichen dafür, dass dem Phänomenologen die im Grunde des Erscheinens sich vollziehende „Seinslichtung" entgeht, deren „Setzung" weder doxisch-thetisch angesetzt noch etwa „synthetisch-leistend" vollzogen werden kann. Da sie ihrem phänomenologischen Wesen nach „Entzug" ist, kann sie nur in einer „entbehrenden Sehnsuchtsbeziehung" aufgenommen werden. Diese ist, wie Fink in den „Elementen" notiert, „eine Selbstbindung der menschlichen Freiheit", „eine Bindung, die aus einem Entwurf stammt" (Fink 1940, These 6). Diese Selbstbindung der menschlichen Freiheit, sich einem Entzug zu verbinden, der der Phänomenalität der Phänomene wesentlich zugehört, nennt Fink „Spekulation" – soweit diese spiegelt, was „jeder Unterscheidung von Seiendem an sich und subjektiver Vorstellung zugrunde liegt" (ebd., These 44).

III. Die entbehrende Sehnsuchtsbeziehung

Die kathartische Potenz von Finks philosophischen Vorfragen zum Erscheinungsbegriff ergreift sich darin, dass sie den phänomenologischen Gesichtspunkt Husserls entstellt. Sie knüpft die Erscheinung nicht an die Darstellung eines Gegenstandes für ein vorstellendes Subjekt. Denn diese Darstellung verstellt, als was sich das Erscheinen des Erscheinenden vollzieht. Diese Verstellung wird durch Husserls Umsicht, die Erscheinung nicht isoliert zu betrachten, sondern sie in einen Verweisungszusammenhang hineinzustellen, der uns an ein kinästhetisches, leibliches Subjekt verweist, nicht behoben. Dass die Anschauung nicht originär, sondern wesentlich im Verzug, Nachtrag ist, darüber gibt der phänomenologische Ansatz, diese in ein synthetisch-leistendes Fungieren zu entbinden, das Husserl wiederum als ein „ursprüngliches" bezeichnet, noch keine Auskunft. Zwar trägt die Ausweisbarkeit des erscheinenden Gegenstands jetzt den Index der Weltoffenheit des lebendig erfahrenden Subjektes, das sich in einer Umwelt umtut; und dieses Tun dürfte an der Darstellung des erscheinenden Gegenstandes insofern mitbeteiligt sein, als es für die Mannigfaltigkeit der Erscheinungen eine „gestaltende Kraft" besitzt. Die der menschlichen Sinnlichkeit innewohnende Sinnhaftigkeit beschränkt sich nicht auf die „noetische Auffassung" von Empfindungsdaten, die durch eine „darstellende Funktion" ausgezeichnet sind. Sowenig die Vorstellung ein von den Dingen abgezogenes mentales „Bild" ist, sowenig sind die Empfindungsdaten in ihrer Darstellungskraft bloße „Impressionen", die nur „aufgefasst" zu werden brauchen. Grundsätzlich jedoch bleibt der Verweisungszusammenhang auf ein Tun angewiesen, wenn auch – wie Fink mit Recht betont – dieses von Husserl analytisch erforschte komplexe intentionale „Leben" sich als ein „Geflecht" enthüllt, das weder als rezeptiv im Sinne eines bloßen Hinnehmens noch aber als produktiv im Sinne einer „Kreation" bezeichnet werden kann (Fink 1976, 152).

Als was das Erscheinen des Erscheinenden sich vollzieht, hat der phänomenologische Gesichtspunkt im Rücken – auch dann noch, wenn er die „Punktualität" des phänomenologischen Sehens gegen ein Feld phänomenologischer „Sichtbarkeit" eintauscht, sich von der „Gegenstandskonstitution" abwendend nun der „Feldkonstitution" zukehrt. Diese Verstellung ist weder ein Zufall noch ein Fehler. Sie ist der „Rückhalt", der „Habitus" der phänomenologischen Forschung selber. Die philosophische Gestalt Husserls „stellt sich" darin. Die Flamme von Finks philosophischem Vorfragen beleuchtet diese Gestalt im Hinblick auf diesen ihren Rückhalt. Das aber erfordert eine Verrückung der phänomenologischen Einstellung selber und als solcher, welche die Verstellung, die deren Rückhalt bildet, hinter sich bringt. Diese Verrückung ist die Sehnsucht einer „entbehrenden Beziehung", die wiederum der „Ausweisbarkeit" im Prinzip entbehren muss, weil sie zu etwas fortrückt, was in keinem Verweisungszusammenhang erscheinender Sinnendinge überhaupt je vorkommen kann.

Wir folgen den spärlichen Hinweisen, die Fink in seinem Beitrag über „die intentionale Analyse und das spekulative Denken" an die Hand gibt. Sie sind die Wahrzeichen eines „Vorausdenkens" in das hinein, was für Husserls Phänomenologie ein „Unvordenkliches" ist. „Wesenhafter und eigentlicher ist das Denken dort", schreibt Fink, „wo es über die endlichen Dinge hinausdenkt ins Ganze des Seins." (Ebd. 155) Dieses Ganze leuchtet ursprünglich im Grund des Erscheinens des Erscheinenden auf, als ein Riss, der jedwedes erscheinende Seiende durchzieht und durchwaltet.

Meldet er sich aber nicht etwa schon am erscheinenden Seienden? Ein „reißendes Unterscheiden" (ebd. 156) vollzieht sich nämlich am erscheinenden Sinnending selbst, das sich in der sinnlichen Wahrnehmung perspektivisch „abschattet"; eine „Verschattung" gehört, wie Husserl selbst betont, wesentlich hierzu, und zwar im Wechselspiel von „Leerintention" und „Erfüllung", das auf die Gebundenheit des wahrnehmenden Subjektes an einen Standpunkt verweist. Ein reißendes Unterscheiden trifft durchaus auf die Vielfalt der Aspektdaten als Dingmomente zu, in der der erscheinende Gegenstand zur Selbstgegebenheit kommt. Dieses ‚Selbst' des erscheinenden Gegenstandes ist nicht etwa nur ständig im Verzug, soweit keines der Aspektdaten mit ihm selbst zusammentrifft. Es entzieht sich grundsätzlich, soweit es, wie Husserl analysiert, in der aktuellen Ganzheit aller möglichen Aspekte, d. h. in dem Moment der Aufhebung der gegenseitigen perspektivischen Abschattung und Verschattung, verschwindet. Nur in einem schattenhaften Aufriss stellt das erscheinende Seiende sich in der sinnlichen Wahrnehmung – spezifisch im Sehen – dar, und zwar nur für ein situiertes, jeweils eine Stelle im Raum beziehendes Subjekt; und dies wiederum in einer Mannigfaltigkeit zeitlicher Phasen, welche nacheinander durchlaufen werden.

In diesem Aufriss wechselnder Aspekte, die einander gegenseitig verschatten, steht das erscheinende Sinnending in ein kinästhetisches Feld hinein. Die jeweiligen Aspektdaten verweisen auf Stellungsdaten innerhalb eines koordinierten Motivationszusammenhangs des ‚wenn-so'. Der Stellenwechsel bezieht sich auf ein leiblich bewegendes Wahrnehmungssubjekt, das in einen offenen Umraum eingelagert ist, in dem die erscheinenden Dinge vorkommen, andauern und aus dem sie wieder verschwinden. Sie begrenzen das leiblich bewegende Subjekt, üben Druck und Stoß aus oder weichen zurück. Die Offenheit des Umraums meiner Lage ist eine durch den Umstand der Dinge eingegrenzte, ein Ort des Sich-Aufhaltenkönnens, der durch Ortsbewegung gewechselt werden kann. In diesem Wechsel vollzieht sich zugleich eine perspektivische Verschiebung. Soweit die Dinge einander in den Weg treten, ist mir ein Zugehenkönnen, um sie für meine Um- und Übersicht ins Freie kommen zu lassen, untersagt. Nur im freien Umstand kann ich die Verschiebung zurechtrücken. Dabei trete ich in einen Stand zu ihnen, stelle mich. Die verschiedenen „Kanten", in denen das erscheinende Ding auskippt, nehme ich im Wenden, Kehren und Drehen auf, und zwar im Hinblick auf ein vorzügliches Mich-Benehmen, womit ich mich in meinem leiblichen Gehaben im vorweg auskenne. Eine Vertrautheit „mit der Struktur dessen, in dem das Subjekt den Horizont seiner Lage hat", d. h. ein Bewandtnisganzes, bildet dazu die Grundlage (vgl. Lipps 1976, II, 41). Dieser Umraum der Vertrautheit ist der Raum meiner eingespielten Verhältnisse zu den Dingen. Er ist der Spielraum meines Verhaltens. Dieses ist auf das Bewenden mit den Dingen in den „Einstellungsantizipationen" (ebd. I, 49) des leiblichen Sich-Benehmens im Voraus zugeschnitten. Nicht die intuitive Fülle, sondern der „Treff", durch Aussparung alles Flüchtig-Verschwommenen, ist hier ausschlaggebend. Gerafft, spitz und zügig wird das im Fortrücken innerhalb des Perspektivenwechsels in Kanten, Seiten auskippende, in Schieflagen entstellte Ding in einer umrisshaften, prägenden „Situationsgestalt" aufgegriffen, gestützt und zurechtgerückt, die für es einstehen kann. In diesem Zugriff er-steht es schicksalhaft, rückt es heraus (ebd. I 50 ff.).

In dem Stand, in den ich zu ihm trete, für den ich aufkommen muss, steht es aufrecht, sofern ich mich an seiner Gestaltung beteiligt habe. Von einer existentiellen Entscheidung ist hier noch nicht die Rede, ebensowenig aber vom Herausschneiden gewisser kausaler oder finaler Beziehungen. Die zum leiblichen Gehaben gehörigen Einstellungsantizipationen sind ihrem Wesen nach „Motive" oder „Tendenzen", von denen meine in die Wirklichkeit verschränkte Existenz im Umgang mit den Dingen angegangen wird, denen sie nachgibt. „Es ist willkürlich, was man hier als Ursache oder als Wirkung betrachtet. Beides sind Glieder eines in sich zurücklaufenden Gestaltkreises." (Ebd. II, 10, Anm. 1) Der bannende Gestaltkreis ist umrandet; er schneidet sich aus einem Feld hintergründiger „Streuung" heraus, soweit die Dinge sich nicht gegenseitig verstellt haben, sich in ihrem Ins-Freie-Kommen aber dem zügigen Zugriff, der im wörtlichen Sinne „handgreiflich" ist, nicht stellen (ebd. I, 48). Wie Husserl selbst bemerkt, ruht das kinästhetische Feld des leiblichen Sich-Umtuns in einem offenen Umraum auf einem tragenden Boden. Dessen werde ich im Gehen und Stehen gewahr. In diesem Gewahren kann er als die „unbewegliche Ur-Arche: Erde" angesprochen werden, die Tragfläche all meiner Kinesen (Husserl 1940, 313 bzw. 324). Dem entspricht aber, auf dem Feld der mit ihnen verkoppelten „Ästhesen", für die „offene Weite" der Welt bei Husserl kein treffender Ausdruck.[2] Der Ort für die Ankunft der Dinge ins „Offene ihres Anwesens", das kein schattenhafter Aufriss, sondern ein gestalthafter Umriss ist, bleibt namenlos. Wie ich in Freiheit zu den Dingen stehen kann, diese Frage macht betroffen.

Die Verrückung der entbehrenden Sehnsuchtsbeziehung dringt bis zur äußersten Grenze der Phänomenologie Husserls vor. Das ist bisher kaum beachtet und unzureichend bedacht worden. Fink verhebt sich nicht an Husserls Phänomenologie. Er kehrt sie. Das ist allerdings nur in einer sorgfältigen Prüfung ihres Rückhalts möglich. Diese kehrt die Entzugsphänomene heraus, die der Phänomenalität der Phänomene eigenwesentlich sind. Sie prägen hinterrücks die intentionale Analytik. Husserl hat sie in seinen konkreten Analysen hinterlegt, seine Schüler haben sie dort aufgegriffen. Finks Vorgehen drückt jedoch eine eigen-

---

[2] Zu Husserls Begriff des „Himmels" als Limesgestalt der „Horizontkugel" verschwindender „Fernerscheinungen" sowie zur möglichen Homogenisierung der Himmelsferne unter Voraussetzung „fliegender Archen": ebd. 318 ff. Während für Husserl die Urarche als Boden gerade nicht einen Körper bzw. einen austauschbaren „Bodenkörper" – wie etwa einen Schnellzug oder ein Flugzeug – bildet, bleibt die Himmelsferne durchgängig an Fernerscheinungen der Himmelskörper bzw. der Sterne orientiert. Die Vor-Frage Finks, inwiefern Husserl „den Gedanken der Welt im Horizontphänomen auflöst", ob „die Horizonte in der Welt oder die Welthaftigkeit der Welt im Horizontphänomen gründet", erweist sich auch hier als berechtigt. – Vgl. Fink 1976, 170.

tümliche Ergriffenheit aus, der sich Husserl zeitlebens enthielt: den „weltoffenen Aufenthalt des Menschen im Ganzen des Seins" zu denken, die strittigen Momente, die diesen Aufenthalt bestreiten, herauszukehren.

Der schattenhafte Aufriss des erscheinenden Seienden bezieht sich auf dessen Oberflächenerscheinung, der gestalthafte Umriss auf dessen Tiefe. Den Hunger nach dem „stillen, ewigen Gesicht der Dinge", das Verlangen, ihr „unendlich einfaches Sein" zu vernehmen (Fink 1940, These 24), stillen weder Oberfläche noch Tiefe des Dinges. In sich selbst ist das Ding verschlossen. Nur im „Zwischen-Raum" zwischen dem tragenden Boden der „Erde" und der offenen Weite des „Himmels" kann es erscheinen. Dort hat es nur eine „vergängliche Weile" für das Geschick seines Erscheinens (Fink 1976, 148). Dieser eingeräumte Raum und diese zugestellte Weile der Zeit bedingen das Ding als ein erscheinendes. Sie bilden die „Mitte" des Erscheinens. Sie wird vom menschlichen Aufenthalt, soweit er weltoffen existiert, ausgehalten. Er verfügt aber nicht frei über sie, sie steht gar nicht in seiner Gewalt. Bestritten wird die Mitte des Erscheinens durch das „Walten" der Welt, deren Gewalt sie anheimgestellt ist. Diese aber ist abgründig.

Für das in sich verschlossene Ding ist sein Erscheinen nicht wesentlich. Indem es in die Mitte des Erscheinens einrückt, tritt es aus sich heraus, geht darin auf, kommt hervor; aber dieses sein Hervorkommen und Aufgehen ist ihm zutiefst gleichgültig, wie auch sein Zurücksinken und Verschwinden aus dieser Mitte es nicht berührt. Die Mitte des Erscheinens, die zwischen Erde und Himmel ausgespannt ist, ist ihrerseits wiederum nicht das kinästhetische Feld, das Feld der leiblichen Berührung und Bewegung. Die Tragfläche der Erde und die offene Weite des Himmels schließen das Feld des kinästhetischen Fungierens auf, das in seinen Vermöglichkeiten zwischen ihnen einbehalten ist. Himmel und Erde sind aber keine Entzugsphänomene der Phänomenalität der Phänomene, welche im Grund des Erscheinens sich vollziehen, sofern darin die „Seinslichtung" des erscheinenden Seienden geschieht, das Heraufkommen des Dinges in die Mitte des Erscheinens sich ereignet. Sie sind vielmehr Phänomene des reinen „Enthalts" Das heißt, sie gehören weder dem Aufriss an der Oberfläche des Dinges noch dem Umriss in seiner Tiefenlage. Sie reißen in das Seiende im Ganzen. Ihr Riss ist ein Auseinanderreißen des Ganzen des Seins. Sie gehören der „Gegend" der Begegnung eines jeden Dinges an.

IV. Das dem Sinn Entrückte

Finks philosophisches Vorfragen zum Phänomen-Begriff ist eine Prüfung seiner ontologischen Tragfähigkeit. Diese deckt die Verwandlung auf, in die sie vordenkt. Diese Verwandlung prägt eine Mehrdeutigkeit des Phänomen-Begriffes, die Husserl abhanden gekommen ist. „Die abendländische Metaphysik", so Fink, „denkt das Seiende als Substanz und Subjekt. Substanz aber ist es als die reine Insich-selbst-Verschlossenheit. Die Substanz ist das Wesen, die *ousia*. Das Wesen liegt allem Erscheinen zugrunde." (Ebd.) „Subjekt" dagegen meint den „Gegenstand" für die prädikative Bestimmung. Der Wissensbezug wird darin „so zentral, daß er den Erscheinungsbegriff vorwiegend bestimmt" (ebd.). Husserl gelingt es nicht, die Wandlung der Metaphysik, die „metaphysische Interpretation der Substanz als Subjekt" „ausdrücklich mitzuvollziehen" (ebd. 148 f.). Er deutet das Phänomen auf den „Gegenstand" hin, der, als vorgestellter, der prädikativen Bestimmung eines ihn vorstellenden Ich unterstellt ist. Er verstellt die *ousia*. Diese aber ist das Eigentlich-Seiende.

Die Mehrdeutigkeit des Phänomen-Begriffs gewinnt damit an Profil. „Der Ausdruck ‚Erscheinen'", schreibt Fink, „hat eine rätselhafte Vieldeutigkeit. Er bedeutet einmal das Aufgehen des Seienden, das Hervorkommen in das Offene zwischen Himmel und Erde. Alles Erscheinen kommt zum Vorschein, indem es in den Zwischen-Raum und die Zwischen-Zeit einrückt und dort sein vergängliches Weilen hat." (ebd. 148) Vom Erscheinen als „Vorschein" unterscheidet Fink einen zweiten Begriff des Erscheinens, den des „Sich-Darstellens", und zwar im spezifischen Sinne des „Sich-Zeigens". Er notiert:

> „Erscheinen kann aber ferner meinen das Sich-Darstellen des schon zum Vorschein gekommenen endlichen Seienden. Jedes Ding bleibt nicht in sich, nicht in sein Wesen verhüllt, es steht in Beziehungen zu anderen, benachbarten Dingen, an welche es angrenzt. [...] Erscheinen bedeutet jetzt das Im-Verhältnis-Stehen eines Seienden zu anderen Seienden. Dieses Sich-Darstellen ist allgemeiner als die darin gegründete besondere Weise, daß sich ein Ding für ein wissendes Subjekt darstellt. Das Wissen gründet seiner ontologischen Möglichkeit nach in dem allgemeinen Sein der Dinge für andere Dinge." (Ebd.)

Diese ontologische Möglichkeit „wird nicht diskutiert", sondern übersprungen. „Das Seiende hat sich ins Phänomen verwandelt. Dabei gilt das Phänomen nicht als eine Weise, wie dann und wann das Seiende ist im Bezug zu anderen Dingen oder zu einem vorstellenden Ichsubjekt. Vielmehr steht die Entscheidung jetzt fest: das Seiende ist Gegenstand und weiter nichts." (Ebd. 149) Das Phänomen wird absolut gesetzt, als absolut fixiert. Nennt man dies allgemeinere „Sich-Darstellen" oder „Sich-Zeigen" des zum Vorschein gekommenen endlichen Seienden seinen „Anschein", so ist dessen ausschließliche Verkoppelung mit dem vorstellenden Subjekt die Erscheinung als „Datum", als eine „Gegebenheit".

Diese Sätze haben programmatischen Charakter. In seiner im Wintersemester 1955/1956 in Freiburg gehaltenen Vorlesung „Sein – Wahrheit – Welt. Vorfragen zum Problem des Phänomen-Begriffs" hat Fink dieses Programm ausgeführt.[3] „Die dabei leitende Absicht war", so heißt es im Vorwort, „in einer Begegnung mit phänomenologischen Motiven der Philosophie Husserls und Heideggers den kosmologischen Horizont der Seinsfrage aufleuchten zu lassen."

---

[3] Fink 1958, insbes. die Kapitel 7-12, 79-156. – Vgl. dazu van Kerckhoven 1998, 125-142.

(Fink 1958, V, Vorbemerkung) Die in *Nähe und Distanz* nur flüchtig – im Zuge der Auseinandersetzung mit Husserls Phänomenologie – gestreiften Begriffe „Vorschein" und „Anschein" werden in dieser Vorlesung ausführlicher geprüft. Die nicht-ontische Bedeutung des Erscheinens als eines „absoluten Mediums" rückt Fink hier ins Zentrum seiner Überlegungen. Den Zeit-Raum der Welt nennt er die „Gegend aller Gegenden". Und die versagenden Modelle von „Krug, Helle und Stille" reichten ihm nicht aus, um den reinen „Enthalt" anklingen zu lassen.

In seinem am 6. Dezember 1970 an Fink gerichteten Brief fand Jan Patočka dennoch für die „entbehrende Sehnsuchtsbeziehung" einen alten, aber treffenden Spruch. „Du weißt, daß ich aber mit allen Kräften der Geistesgegenwart bei Dir bin – λεῦσσε δ'ὅμως ἀπεόντα νόῳ παρεόντα βεβαίως." – „Betrachte das dem Sinn Entrückte als ebenso zuverlässig wie das Gegenwärtige."[4]

Literatur

Fink, E. (1940): „Elemente einer Husserl-Kritik" [Frühjahr 1940]; Ineditum aus dem Nachlass Finks.
- (1958): *Sein, Wahrheit, Welt. Vor-Fragen zum Problem des Phänomen-Begriffs*, Den Haag.
- (1976): *Nähe und Distanz. Phänomenologische Vorträge und Aufsätze*, hg. v. F.-A. Schwarz, Freiburg/München.

Fink, E. u. J. Patočka (1999): *Briefe und Dokumente 1933-1977* (*Orbis Phaenomenologicus Quellen*, Bd. 1), hg. v. M. Heitz u. B. Nessler, Freiburg/München.

Husserl, E. (1940): „Grundlegende Untersuchungen zum phänomenologischen Ursprung der Räumlichkeit der Natur", in: *Philosophical Essays in Memory of E. Husserl*, Cambridge, 307-325.
- (1963): *Cartesianische Meditationen und Pariser Vorträge* (*Husserliana*, Bd. I), hg. v. St. Strasser, 2. Aufl. Den Haag.

van Kerckhoven, G. (1998): „Diesseits des Noumenon. Welt als epiphanisches Phänomen bei E. Fink und J. Patočka" in: *Internationale Zeitschrift für Philosophie* 1, 125-142.

Lipps, H. (1976): *Untersuchungen zur Phänomenologie der Erkenntnis* (*Werke*, Bd. I), Frankfurt/M.
- (1977): *Die Verbindlichkeit der Sprache* (*Werke*, Bd. IV), Frankfurt/M.

Merleau-Ponty, M. (1945): *Phénoménologie de la Perception*, Paris 1945.

---

[4] Fink- Patočka 1999, 76 f. – H. Diels: „Schaue jedoch mit dem Geist, wie durch den Geist das Abwesende anwesend ist mit Sicherheit."

Wirklichkeit der Illusion

Finks Lehre vom Schein

Jakub Čapek

Was ist Erscheinung, und wie verhält sie sich zur Existenz des Menschen? Ich werde bestimmt nicht übertreiben, wenn ich sage, dass die phänomenologische Philosophie in allen ihren Formen einen eindrucksvollen Versuch darstellt, auf diese Frage eine Antwort zu finden. Die Frage setzt jedoch etwas voraus: die Überzeugung nämlich, dass wir beim Phänomen ansetzten sollen. Verschiedene Phänomenologien teilen dieses Vorhaben und sind sich darin einig. Sobald man jedoch fragt, was *Phänomen* eigentlich ist, laufen ihre Wege auseinander – und insbesondere die Wege von Husserl und Heidegger. Trotzdem kann man eine Annahme finden, die ihnen noch gemeinsam ist und die mit dem Phänomenbegriff eng zusammenhängt. Sie lässt sich folgendermaßen formulieren: Phänomen ist kein bloßer Schein. Das ist natürlich eine Minimalbestimmung der Phänomenologie, aber sie ist zumindest eine. Ich möchte in meinem Beitrag zeigen, dass Eugen Fink – in einem Teil seines Werkes – diese Annahme nicht teilt.

Man findet bei Eugen Fink mehrere Richtungen, in denen er sich mit dem Thema „Phänomen" oder „Erscheinung" befasst hat. Zu nennen sind erstens seine Überlegungen zum Phänomenbegriff selbst, die z. B. in der Vorlesung *Sein, Wahrheit, Welt* (Fink 1958) oder in einigen Aufsätzen – insbesondere im Aufsatz „Die intentionale Analyse und das Problem des spekulativen Denkens" (Fink 1951) – zu finden sind. Fink stellt hier die Frage nach dem Erscheinen selbst. Man kennt den berühmten Satz, der diese Fragerichtung knapp ausdrückt: Die Phänomenalität der Phänomene ist kein phänomenales Datum, oder: Das Erscheinen selbst erscheint nicht. Eine zweite Richtung, in der Fink den Phänomenbegriff entfaltet, ist seine Lehre von den Grundphänomenen des menschlichen Daseins (Fink 1987; 1995). Grundphänomene sind gleichursprüngliche Dimensionen des menschlichen Lebens, die in ihrer Vielfalt die Fülle und die Spannung des Lebens ausmachen: Arbeit, Kampf, Liebe, Tod, Spiel. Man kennt die Analysen dessen, was Fink „bedeutsame Dinge" nennt – Dinge, an denen sich etwas Grundlegendes kundgibt. Diese Dinge werden transparent, weil durch sie eines der Grundphänomene erscheint: Wiege und Sarg, Pflug und Schwert, Krug und Leier... In diesen beiden Richtungen – Frage der Phänomenalität der Phänomene, Grundphänomene des menschlichen Daseins – würde

Fink an der allgemein phänomenologischen Minimalbestimmung festhalten: Phänomen ist kein bloßer Schein. Es gibt jedoch eine dritte Richtung in Finks Denken, wo er in gewisser Hinsicht und in bestimmten Bereichen bereit ist zu sagen: Phänomen ist bloßer Schein.

Finks Überlegungen zum Schein kreisen um drei Bereiche: das Spiel, die Mode und das epikureische Gartenglück. In welchem Sinne kann man hier vom Schein reden? Ist hier Schein gleichbedeutend mit Unwahrheit, Illusion? Finks überraschende Antwort ist: in gewissem Sinne ja. Das bedeutet jedoch nicht, dass der Schein abgeleitet und nicht-ursprünglich ist. Nur darf man ihn nicht mit den Kriterien der Wahrheit beurteilen.

Ich werde mich erstens mit der näheren Bestimmung des Scheins befassen. Ich werde, zweitens, seinen Zeitcharakter untersuchen. Der Schein in den erwähnten Bereichen ist immer kurz, zeitlich beschränkt. Seine Vergänglichkeit ist jedoch eigenartig, sie hängt mit der Anziehungskraft dieses Scheins eng zusammen. Wir bezeichnen sie geläufig als *Kurzweil*. Schein und Kurzweil, anders gesagt, Illusion und ihre Vergänglichkeit, sind Gesichtspunkte meiner folgenden Betrachtungen.

Schein

Schein ist eine Dimension, ohne die Phänomene wie Spiel oder Mode unvorstellbar sind. Fangen wir mit dem Spiel an.

Eines der charakteristischen Kennzeichen des Spiels ist zweifellos seine Unwirklichkeit. Wie sollte man diese merkwürdige Unwirklichkeit fassen? Sollte man sie als eine Nachahmung deuten? (Fink 1960, 101)[1] Das Spiel wäre dann eine unvollkommene Abbildung der Wirklichkeit. Die Spielwelt stellt in der Tat nichts Reales dar, sie bewegt sich im Modus des „als ob", und sie „paraphrasiert" die wirkliche Welt. Bringt aber diese Paraphrase auch eine Herabsetzung mit sich? (Fink 1960, 108) Es ist jedem, der spielen kann, klar, dass diese Paraphrasierung der Wirklichkeit keinen Verlust darstellt. Der Schein, den wir spielend hervorbringen, darf nicht negativ gedacht werden. Es geht vielmehr umgekehrt darum, die Unwirklichkeit, den Schein des Spiels, positiv zu denken, also nicht als sekundär, abgeleitet und unwahr, nicht im Vergleich zu etwas *anderem*, was primär und wahr ist, zur Wahrheit des Abgebildeten. „Es steht zu vermuten, daß am Ende, die ‚Unwirklichkeit' des Spieles einen verwandelten Sinn gewinnt, wenn es im Modus seiner Ursprünglichkeit erfaßt wird. Vielleicht ist dann die ‚Unwirklichkeit' nicht *weniger*, sondern eher *mehr* als die schlichte Wirklichkeit von Dingen. Der ‚Schein' könnte etwas anderes sein als nur bloßer Anschein." (Fink 1960, 118)

---

[1] Fink bezieht sich vor allem auf Platons *Staat*, X. Buch; vgl. auch Fink 1995, 397 und 421.

Wenn wir genauer sagen sollen, warum der Schein positiv sein soll, müssen wir zeigen, wogegen er sich abgrenzt. Wenn Spiel etwas Unwirkliches, Unernstes ist, gilt es zu fragen, wogegen es sich absetzt.[2] Finks Antwort lautet: Das Spiel ist unwirklich im Gegensatz zum projektiven Sein des Menschen. Wir verhalten uns zu unserer Existenz, d. h. zu bestimmten Möglichkeiten dieser Existenz. Wir wählen eine bestimmte Alternative aus, wobei wir andere Möglichkeiten verlieren. Dabei sind wir immer imperfekt, bezogen auf die Zukunft, immer über uns hinaus. So sind wir wirklich. Das Los des Menschen besteht Fink zufolge eben darin: „Nur ‚wirklich' werden zu können im ständigen Verlust von Möglichkeiten."(Fink 1960, 79) Und diese „Wirklichkeit" der menschlichen Handlung bezieht sich stets auf ein Ziel oder einen Zweck (ebd. 75).

> „Wir haben unsere tagtäglichen Ziele, Aufgaben und Zwecke, weil wir mit unserem ganzen Leben auf ein Ziel, auf einen Zweck zugehen: auf das Ziel der Eudaimonie. [...]. Gelingen oder Mißlingen des Lebens. [...] bis zum Tode sind wir uns selber ein Projekt." (Ebd. 191) – „Wir wissen uns ‚unterwegs', immer werden wir aus jeder Gegenwart vertrieben, vorwärtsgerissen von der Gewalt des inneren Lebensentwurfes auf das Daseinsziel der Eudaimonie hin." (Fink 1995, 361; vgl. auch 1957, 19 ff.)

Wie ist der Gegensatz zu diesem „Futurismus" der menschlichen Existenz zu denken? Wenn wir etwas spielen, ist vom Standpunkt des projektiven Lebens aus es gleichgültig, was wir spielen. Es wirkt sich nicht auf dieses Leben aus.[3] Die Zwecke und Pläne, die wir spielend verfolgen, übersteigen nicht die kurze Weile des Spielens. So gesehen ist das Spiel zweck- und planlos. Es bietet uns *als solches* ein Vergnügen: die Illusion „des freien uneingeschränkten Beginnens." Wir können „unserem wirklichen entschiedenen Leben entrinnen" (Fink 1960, 78 f.), „man kann wieder alles sein" (ebd. 159; Fink 1995, 413 f.). Das Spiel ist im Gegensatz zum Ernst des wirklichen Lebens, das immer einen Sinn hat und einen unbestimmt schwebenden Zweck verfolgt, unwirklich, unernst, sinnlos und zwecklos. Kann aber aus diesem Grunde das Spiel als *nur* scheinbar bezeichnet werden? Das Spiel schafft einen spezifischen Schein. Wie steht es um diesen Scheincharakter des Spiels?

Das, was im Spielen erscheint, begreifen wir nicht als eine bloße Scheinbarkeit. Eine solche Einstellung würde das Spiel verderben. Wir spielen ernsthaft. Wir sind bezaubert und eingenommen durch eine fast dämonische Macht des

---

[2] H.-G. Gadamer kritisiert in seiner Besprechung von *Spiel als Weltsymbol* diese Vorstellung, der zufolge der Unernst des Spiels im Gegensatz zum Ernst des wirklichen Lebens steht. In *Wahrheit und Methode*, das im gleichen Jahr erschienen ist, stellt er diesen Gegensatz in Abrede und versucht das Geschehen des Verstehens, das Gespräch, als eine Art Spiel zu fassen (Gadamer 1962). Gadamer und Fink (in *Oase des Glücks*) hatten für ihre Spielbetrachtungen sogar dasselbe Rilke-Gedicht als Motto gewählt.

[3] „Die Spielproduktion kommt nicht in einem Resultat an [...] Spielen ist *als* Produzieren von spielweltlichem Schein." (Fink 1960, 111)

Spiels (Fink 1960, 102 f., 136).[4] Diese Züge, die man im kultischen Spiel besonders gut sehen kann, sind auch für unser geläufiges Spielen gültig. Ein Spiel, z. B.
das Maskenspiel, weist eine merkwürdige Zweideutigkeit auf. Einerseits *scheinen*
wir nur wirkliche Handlungen zu vollziehen, andererseits sind wir dadurch, dass
wir *nur scheinbar* handeln, *bezaubert*. „Die Maske soll nicht irreführen, sie soll
verzaubern." (Fink 1960, 159; Fink 1995, 406) Sie soll nicht etwas repräsentie-
ren, sondern die menschliche Einfachheit und Eindeutigkeit auflösen (Fink
1960, 166). Fink scheut sich sogar nicht, von einem *positiven Schein* zu sprechen
(Fink 1960, 173).[5] Warum kann der Schein positiv sein? Fink antwortet: Wenn
die Unwirklichkeit des Spiels ein Mehr bedeutet, dann nicht als Nachahmung,
sondern als Symbol, als Vergegenwärtigung eines Sinnganzen. Darin drückt sich
die Grundthese seines Buches aus: Das Spiel sei Symbol der Welt. Ich möchte
Fink in dieser spekulativen Aussage nicht folgen, ich lasse sie dahingestellt und
glaube, dass man dennoch von einem positiven Schein sprechen kann, ohne ihn
auf die angedeutete Weise spekulativ auslegen zu müssen. Der Schein ist positiv,
weil er uns bezaubert, einnimmt, gewinnt und nicht loslassen will. Hier müssen
wir aber noch eine überraschende Feststellung hinzufügen. Wir haben zwar gesagt, dass wir ernsthaft spielen, das Spiel nicht als bloßen Schein begreifen, jetzt
müssen wir aber das fast Umgekehrte behaupten. Wir spielen nur, wenn wir
wissen, dass wir „nur" spielen.

Wir wissen „um die Fiktivität der Wirklichkeit in der Spielwelt. [...] Nur wo
das Imaginäre als solches gewußt und offen eingestanden ist, kann man strenggenommen von einem Spiel reden". „Das Spiel bewegt sich im eingestandenen
‚Schein'." (Fink 1995, 400 f., 406) Wie ist das ernsthafte Spielen mit dem Wissen
um seine Fiktivität zu verbinden? Wie kann der Schein positiv und zugleich eingestanden sein? Das sind Fragen, die das Problem des Scheins, des Erscheinens
in eine merkwürdige Konstellation bringen, auf die wir noch zurückkommen.

Ist der Schein, den uns die Mode vor Augen stellt, dem spielweltlichen
Schein ähnlich? Jedes Kleid, nicht nur das modische, ist mehr als nur Verkleidung, Verdeckung natürlicher Nacktheit. Indem die Nacktheit verdeckt wird,
werden die Reize vermittelter, die Triebe mildern sich und werden dauerhafter.
Das zeigt schon für Kant eine gewisse Vernunftgestaltung der Natur.[6] Im Fall
des modischen Kleids tritt dieses „mehr als" jedoch besonders zutage. Schon das
biblische Feigenblatt war mehr als nur Verdeckung, es war zugleich „das erste

---

[4] „Produktion eines ‚Scheins' [...] einer Irrealität, die eine fascinierende, eine bannende und berückende Kraft hat." (Fink 1995, 379).

[5] An einer anderen Stelle (Fink 1995, 359) spricht Fink über die „eigene Positivität"
des Spiels. Gegen diese Tendenz, das Spiel selbständig zu verstehen, stellt Fink aber eine
andere: das Spiel als eine „Selbstdarstellung und Selbstanschauung" des Menschen, als
„sinnhafte Vergegenwärtigung" (ebd. 402, 406 ff.).

[6] „Eine Neigung dadurch inniglicher und dauerhafter zu machen, daß man ihren Gegenstand den Sinnen entzieht, zeigt schon das Bewußtsein einiger Herrschaft der Vernunft über Antriebe." (Kant 1983, 89)

erotische Licht um den geliebten Körper" (Fink 1969, 22). Die Leistung der Mode besteht darin, dass sie eine Vermittlungssphäre hervorbringt, wo „Reize spielen, aber die Urgewalten der Tiertriebe sich mildern und mäßigen" (ebd. 69). Das Kleid ist also keineswegs nur ein abgeleitetes Phänomen, das als Verdeckung von Nacktheit verstanden werden soll. Es spricht seine eigene Sprache, die zwar von seinem Träger nicht abzutrennen, aus ihm aber auch nicht abzuleiten ist.

„Das Kleid ‚spricht', es spricht eine bezaubernde Sprache [...]." Es negiert die Nacktheit, aber auch die Verkleidung, „sofern dadurch geschlechtliche Naturbefunde eigens akzentuiert werden" (ebd. 52 f.). Der Schein des Kleides *verdeckt und zeigt* zugleich. All das könnte man nur vom Kleid als solchem sagen. Worin aber besteht die Leistung der Mode? Sie tritt mit einer gewissen Leichtigkeit oder mit einem merkwürdigen Freisein auf. Das modische Kleid gibt gleichsam zu, dass es im Verhältnis zu Material und Kosten überflüssig und verschwenderisch ist. Das freie, ungebundene Verhältnis zum Material, aber auch zur Nützlichkeit ermöglicht der Mode, jeder und jedem individuelle Ausdrucksmöglichkeiten anzubieten. Sie ist also „Lebenserscheinung des Überflusses [...] Spielraum von Freiheit, Überschwang, Übermut und Selbstgefühl in stilvoller Eleganz" (ebd. 41, 46). Die Tatsache, dass man sich auf verschiedene Weise kleiden kann, stellt die oder den Einzelnen vor die zuweilen den Kopf zerbrechende Frage, wie sie oder er sich kleiden soll. Was soll ich anziehen? Wer hilft mir bei der Wahl? Das sind Fragen, die unsere Freiheit als eine schwere Last bloßlegen. Fink sagt dazu, dass „es nichts Schwereres und Mühsameres gibt als das Freisein" (ebd. 88). Wer hilft uns, diese existenzielle Frage des Sich-Kleidens zu beantworten? Finks Antwort lautet: die Mode. Man kann sich so kleiden, wie *man* es heute macht. Man braucht nur Kleinigkeiten zu verändern, Akzente zu verschieben, und schon drückt man sich selbst durch das aus, was man heute trägt. Die Mode ist also noch in einem anderen Sinne frei und ungebunden: Sie ist frei im Verhältnis zur „wahren Freiheit". Es ist nicht notwendig, man selbst zu sein, sich selbständig zu entscheiden.

Wenn Fink den Schein charakterisiert, den die Mode hervorbringt, scheut er auch davor nicht zurück, von Illusion zu sprechen – von einer Illusion, die für das Leben in gleichem Maße notwendig ist wie die Wahrheit. Was bei diesem Motiv aus Nietzsches Philosophie auffällt, ist die Banalität der Applikation. Finks Deutung des provozierenden Gedankens scheint vulgär und oberflächlich zu sein, sie bringt die lebensnotwendige Illusion in Zusammenhang mit der Schwachheit, sich durch oberflächliche Schönheit verführen zu lassen. Der Schein, den man im Modebereich antrifft, ist kein bloß negativer Anschein, sondern eine verführerische Kraft. Und wenn er etwas verdeckt, z. B. die nicht besonders gefällige Figur eines Mannes oder einer Frau, so ist dies nichts Schlimmes, im Gegenteil, wenn es hier doch etwas Betrachtenswertes gibt (ebd. 99 f.).

Zeit

Das Spielen ist immer zeitlich beschränkt, es ist „zeitweise Entspannung der Lebensspannung"(Fink 1960, 9). Die Weile des Spiels ist vom Fluss des Lebens abgegrenzt, ausgesondert (ebd. 130 f.), was durch räumliche Umstände unterstützt werden kann: Es gibt Spielräume, Spielplätze. Wenn wir spielen, benehmen wir uns ein wenig wie ein Kind, das die projektive Struktur des Lebens noch nicht angenommen hat und nicht für die Zukunft lebt: „Es hat Gegenwart, hat ruhiges Verweilen, hat fast Ewigkeit." (Ebd. 191) Was heißt es, „Gegenwart haben"? Warum kann diese Gegenwart als „fast ewig" bezeichnet werden? Darin sind zwei unvereinbare Dinge vereint: Wie kann der flüchtige Augenblick erhaben über die Zeit sein? Die kurze Weile des Spielens bildet nicht einen Teil der linearen Zeit, sie verweist nicht auf ein „bevor" und „danach". Spielend sind wir völlig unbesorgt darum, was davor geschehen ist und was wir danach machen werden. Oder mir Finks Worten: „Weil wir [in der Kindheit] noch nicht von der Zeit wissen, noch nicht im Jetzt schon das Vorbei, das Nicht-mehr und das Noch-nicht sehen [...]. Die reine Gegenwart der Kindheit sei die Zeit des Spiels." (Fink 1995, 359 f.)[7]

Man kann hier in gewisser Hinsicht von selbstgenügsamer Gegenwart sprechen, von einer Zeit also, die ihre eigene Zeitlichkeit gleichsam bestreitet. Diese zeitlose Gegenwart des Spiels weist auf ein anderes Problem hin: Wie ist das Spiel in der Zeit? „Die Spielwelt ist nirgendwo und nirgendwann, und hat doch im wirklichen Raum einen Spielraum und in der wirklichen Zeit eine Spielzeit." (Fink 1995, 380)[8]

Wie steht es nun um den Zeitcharakter der Mode? Fink betont die Kurzweiligkeit, das schnelle Vorübergehen des modischen Modells noch stärker als die Kurzweiligkeit im Falle des Spiels. Dieser Aspekt spielt eine große Rolle schon in der Definition der Mode, die Fink gibt: „Phänomen des Geschmackwandels in kürzeren Zeiträumen, in schnellerem Tempo und vorwiegend auf die Gewandung des Menschen bezogen. [...] ‚schnelllebig', vorübergehend, temporär unständig [...] immerzu im Gang." (Fink 1969, 31) Oder in einer anderen Formulierung: Die Mode „feiert das Momentane und den Sieg des Augenblicks, intensiviert das Jetzt, sofern es quillt und den unendlichen Reiz der Neuheit bringt" (ebd. 77).

---

[7] Das Spiel ist „in sich schon ‚Glück' [...] beglückende Gegenwart, absichtslose Erfüllung" (ebd. 362); „tiefe Sorglosigkeit [...] heitere, in sich selbst bleibende Gegenwart" (ebd. 374); „in sich verweilende ‚reine Gegenwart'" (ebd. 378).

[8] „Der Spielweltraum verbraucht wirklichen Platz, und die spielweltliche Handlung verbraucht wirkliche Zeit – und läßt sich dennoch nicht orten und nicht datieren im Koordinatensystem der Wirklichkeit." (Ebd. 384) „Der zeitverhaftete Mensch verliert die Bindung an den Zeitlauf." (Ebd. 414)

Das Momentane der Mode ist jedoch kein bloßes Vorübergehen, nicht einfach die Flüchtigkeit eines Augenblicks, der präsent ist und rasch im Fluss der Zeit verschwindet. Das Momentane der Mode stellt eher einen solchen Augenblick dar, der auf sich selber aufmerksam machen will, solange er da ist. Diese Tatsache setzt sich in verschiedenen Einstellungen durch, wie z. B. im Gefühl „ich muss es haben", „ich muss es tragen", oder „dieses Kleid ist schon ganz unmöglich". Was uns an diesen Äußerungen auffällt, ist erstens ihre zwingend präsente Form, mit der sie sich auf die sprechende Person selbst beziehen, sie sind fast performativ, und zweitens das Sollen, die Unbedingtheit, die mit ihnen verbunden ist. *Ich muss jetzt.* Es handelt sich offenbar nicht um eine Augenblicklichkeit, die bald dahin sein wird. Sie zwingt uns, an ihrem kurzen Leben teilzunehmen, es mitzuvollziehen, wenn es noch da ist. Dieses *schnell, solange es noch da ist* – das ist etwas, was diese Form von Augenblick auszeichnet. Die Tatsache, dass der Augenblick auf sich aufmerksam machen will, erscheint äußerlich in der Gültigkeit oder sogar Verbindlichkeit einer bestimmten Mode. Sie tritt als normativ auf – für eine Saison (ebd. 95).

Man könnte an dieser Stelle auf eine Parallele im Werk von Roland Barthes hinweisen, der in seinem Buch *Système de la mode* eine tiefgreifende Analyse dieser zwingenden Präsenz anbietet. Barthes entdeckt hinter Aussagen, die anscheinend eine aktuelle Wirklichkeit ausdrücken – diesen Frühling trägt man das und das –, einen Imperativ. Indem eine Modezeitschrift etwas konstatiert und die Leser es glauben, wird es geschaffen. Mit anderen Worten, die Rhetorik verdeckt sich hinter bloßen Feststellungen. Diese „Rhetorik des reinen Konstatierens" ist sehr klug: Sie schreibt etwas vor, indem sie es konstatiert (Barthes 1967, 300-303, 297, 293). Der zwingend präsente Anspruch der Mode wird mit den Mitteln unterstützt, die wir normalerweise gebrauchen, um eine Wahrheit auszudrücken. Hier werden Wahrheitsaussagen instrumentalisiert.

Fink erblickt das Momentane der Mode in noch ephemereren Zeitfiguren: in der Bewegung. Mode – das ist nicht nur ein Stil, es ist auch eine bestimmte Präsentationsweise, Körperhaltung, ein bestimmtes Benehmen. All das muss als im Gang befindlich vorgeführt werden, und auf diese Weise provoziert es augenblickshafte, rasch verschwindende Reizwirkungen.

Und schließlich weist der Augenblick in der Mode eine merkwürdige Struktur auf. Das modische Kleid zeigt eigentlich immer dasselbe: den menschlichen Körper. Vielleicht macht dieses augenblickshafte Hinweisen auf dasselbe einen merkwürdigen Charakter des Erscheinens als solchen sichtbar: Um dasselbe zu zeigen („Naturbefunde"), muss man es auf immer neue Weise zeigen. Oder, mit weniger erhabenen Worten: Die Verpackung muss wechseln, wenn der Inhalt interessant bleiben soll.

Ergebnisse und Konsequenzen

Es zeigte sich, dass das Spiel und die Mode eine doppelte Struktur aufweisen. Sie bringen einen rätselhaften Schein hervor und schaffen so eine spezifische Gegenwart. Wie hängen diese beiden Aspekte zusammen?

Der spielweltliche Schein hat seine eigene Bedeutung nicht darin, dass er uns täuscht, sondern darin, dass er uns bezaubert und einnimmt, uns gewinnt und nicht loslassen will. Er ist jedoch als Schein eingestanden. Darin gründet seine Zweideutigkeit: Er ist erstens ein *positiver Schein*, und zweitens wissen wir von seiner Irrealität. Dieses Wissen zerstört jedoch nicht seinen positiven Charakter, im Gegenteil, es ermöglicht ihn.

Ich möchte hier zwei Unterscheidungen vorschlagen. Man kann, erstens, zwischen Erscheinung und Schein unterscheiden. Die Erscheinung ist immer Erscheinung von etwas, auf dieses „etwas" bezogen, das erscheint. Das beunruhigende Problem, das uns interessiert, wenn wir uns mit der Erscheinung befassen, ist das Verhältnis zwischen Erscheinung und Wirklichkeit. Der Schein hingegen, in seiner positiven Bedeutung, soll nicht auf ein anderes, sondern auf sich selber aufmerksam machen. Es geht nicht darum, was wirklich ist, sondern darum, den Spielenden zu bezaubern und zu bannen. Der Schein ist auf die Wirkung angelegt. Daraus ergibt sich die zweite Unterscheidung: Erscheinung bewegt sich im Spielraum von Wirklichkeits- oder Wahrheitsverhältnissen, positiver Schein treibt sein Spiel im Feld von Macht- oder Wirkungsverhältnissen. Der spielweltliche Schein oder der Schein der Mode ist eine verführerische Kraft. Das Wirklichkeitsverhältnis wird dabei als das eingestanden, worauf es nicht ankommt. Und durch dieses Eingeständnis setzt sich der positive Schein durch als Wirkung, die der Wahrheit gegenüber rücksichtslos ist.

Richten wir uns auf den zweiten Aspekt des Spiel- und Mode-Phänomens, d. h. auf ihren Zeitcharakter, so taucht hier eine seltsame Gegenwart auf, nämlich eine solche Gegenwart, die man haben kann. Was heißt es, Gegenwart haben? Man kann eine Gegenwart haben, die nicht einen Teil der linearen Zeit bildet, die nicht auf ein „davor" und „danach" verweist. Damit sie aber nicht in der extensiv gedachten Zeit auftritt, muss sie scheinbar sein, da alles Wirkliche in der Zeit ist. Nur als unwirklich kann sie „den Sieg des Augenblicks" feiern, das Jetzt intensivieren. Das wurde am Beispiel des Spiels sichtbar gemacht. Das Phänomen der Mode unterstreicht noch stärker die Wirkung des Augenblicks, der auf sich selber aufmerksam machen will: schnell, solange er noch da ist. Und auch die epikureische Gartenweisheit, die ich hier außer Acht gelassen habe, betont einen solchen Augenblick, der noch in seiner Präsenz wahrgenommen wird. Sie stellt uns ein Glück vor Augen, das präsent sein kann, und eine Präsenz, die glücklich machen kann. Ein scheinbares Glück und eine unzeitliche Präsenz.

Wir haben zwei Kontexte unterschieden: Erscheinung und Schein, Wahrheit und Wirkung. Wenn wir in Wirklichkeits- oder Wahrheitsverhältnissen stehen, ist für uns Phänomen Erscheinung, es verweist auf das, was über unsere Erfahrung hinausgeht, was immer anders ist, was unser Treiben nach der Wirklichkeit, die sich immer zeitlich entfaltet, motiviert. Man verliert jede selbstgenügsame Präsenz, um Wirklichkeit zu gewinnen. Wenn wir in Macht- oder Wirkungsverhältnissen stehen, ist für uns das Phänomen einfach ein Schein, der sich selbst genügt, keiner Ergänzung bedarf, sogar keine Ergänzung zulässt, da jede Ergänzung ihn als Schein vernichtet und aus ihm eine Erscheinung macht. Man verliert jede Wirklichkeit, um Präsenz zu gewinnen.

Die zwei Einstellungen stehen zueinander im Streit. Fink sagt dazu: Jedes Grundphänomen hat die verhängnisvolle Tendenz, sich gegen andere durchzusetzen, sich selbst zu totalisieren. Die selbstgenügsame Präsenz ist irreell, scheinbar und unwahr; was reell und wahr ist, kann nie in diesem Sinne präsent sein. Wie fasst Fink diesen Streit auf? Er spricht häufig von fünf Grundphänomenen des menschlichen Daseins, und er will diese Pluralität der Existenz nicht auf ein Prinzip oder eine Rangordnung zurückführen. Die Grundphänomene sind gleichursprünglich, gleichrangig, unableitbar und wechselseitig miteinander verwoben (Fink 1995, 423 ff.). Und so stellt auch der Streit von Erscheinung und Schein, von Wahrheit und Illusion nicht eine Schwierigkeit dar, die überwunden werden sollte. Sie ist eher ein unhintergehbarer Sachverhalt.

Alles, was im angeführten Sinne präsent sein kann, ist falsch, und seine Falschheit ist nicht auf Wahrheit, sondern auf Wirkung angelegt. Oder anders gewendet: Alles, was präsent sein kann, ist falsch, weil es keine anderen Mittel besitzt als die Verführung, um sich am Leben zu erhalten.

Wirkung und Wahrheit sind zwei selbständige Phänomene, und es geht nicht darum, das eine zugunsten des anderen zu beseitigen. Und so gibt es auch mindestens zwei Welterfahrungen, auf die man hinweisen kann, ohne sie in ein System des Welt-Alls eingliedern zu können. In dieser Denkfigur macht sich Finks Anspruch eines nicht-metaphysischen Denkens geltend.

Zusatz

Ich möchte meine Überlegungen mit einem Beispiel beenden. Es wird sich zeigen, dass aus dem Aussagewert der bisherigen Gedanken neue Konsequenzen gefolgert werden können.

Nehmen wir als Beispiel militärische Computerspiele, wir könnten jedoch das gleiche von irgendwelchem Kriegsspiel behaupten. Ein solches Spiel schafft einen Schein, der uns einnimmt. Es kann aber zugleich sehr gewaltsam sein. Solange man es aber nur als Spiel ansieht, wird dieser Hinweis unterdrückt, und in solcher Rücksichtslosigkeit des Spiels setzt sich das Spiel als eine unwirkliche Wirkung (als „nur" gespielter Krieg) durch. Es wird also in einer „diesseitigen" Welterfahrung wahrgenommen – als selbstgenügsam gegenwärtig und unwirklich. Es kann aber die andere Welterfahrung zur Geltung kommen: „Ich kann nicht mehr mitspielen, es ist zu grausam!" Jetzt setzen sich Wirklichkeitsbezüge durch und verderben das Spiel. Die Waffen und ihre Zielscheiben sind nicht mehr gleichgültig, sondern sie werden in die Struktur der wirklichen Hinweise eingegliedert (Täter, Opfer, Gewaltbesessenheit etc.).

Wir können aus diesem Beispiel eine neue Konsequenz ziehen: Im Streit der zwei genannten Einstellungen kann es nicht darum gehen, ein angemessenes Maß zu suchen, eine goldene Mitte (soundso viel unwirklicher Schein, soundso viel wirklicher Lebensernst). Es handelt sich ja um eine Veränderung der Sichtweisen, der Welterfahrungen, zwischen denen keine Vermittlung bestehen kann. Sie lassen sich überhaupt nicht vergleichen: Man kann Stellung beziehen, nicht weil eine der Erfahrungsweisen im Vergleich zur anderen „besser", „günstiger" wäre, sondern weil sie die andere ausschließt. Daher kann einer die grausamsten Kriegsspiele spielen mit der Begründung, es sei nur Spiel, und ein anderer kann z. B. unfähig sein, an einem Wurfpfeilspiel teilzunehmen, da es für ihn allzu beunruhigende Andeutungen hervorruft. Beide Welterfahrungen sind also unvergleichbar, es kann kein orientierendes Maß gefunden werden. Und doch sind wir häufig genötigt, zu wählen und unsere Wahl zu begründen. Anders gewendet: Wir sind gezwungen das Unvergleichbare zu vergleichen.

Wenn *Phänomen* in bestimmten Bereichen als bloßer Schein eingesehen werden kann, dann eben darum, weil es sich als bloßer Schein durchsetzen will. Ich habe versucht Finks Analyse der gewählten Phänomene als ein Plädoyer für die Eigenständigkeit der Dimension zu deuten, die wir als *Illusion* bezeichnen.

Literatur

Barthes, R. (1967): *Le système de la mode*, Paris.

Fink, E. (1951): „Die intentionale Analyse und das Problem des spekulativen Denkens", in *Nähe und Distanz. Phänomenologische Vorträge und Aufsätze*, hg. von F.-A. Schwarz, Freiburg/München 1976, 139-157.
- (1957): *Oase des Glücks*, Freiburg/München.
- (1958): *Sein, Wahrheit, Welt. Vor-Fragen zum Problem des Phänomen-Begriffs*, Den Haag.
- (1960): *Spiel als Weltsymbol*, Stuttgart.
- (1969): *Mode. Ein verführerisches Spiel*, Basel.
- (1987): *Existenz und Coexistenz. Grundprobleme der menschlichen Gemeinschaft*, Würzburg.
- (1995): *Grundphänomene des menschlichen Daseins*, hg. v. E. Schütz u. F.-A. Schwarz, 2. Aufl., Freiburg/München.

Gadamer, H.-G. (1962): Rezension zu: Fink, *Spiel als Weltsymbol*, in: *Philosophische Rundschau*, 9, Heft 1, 1-8.

Kant, I. (1983): „Mutmaßlicher Anfang der Menschengeschichte", in: ders.: *Schriften zur Anthropologie, Geschichtsphilosophie, Politik und Pädagogik*, Darmstadt, 85-102.

Sichtbarkeit und Erscheinung
Ein Blick auf Husserl und Patočka

Christian Rabanus

Einleitung

Obwohl Edmund Husserl immer wieder *„reines Schauen"* (Husserl 1950, 9) als Methode zum Erlangen von Einsichten in der philosophischen Forschung propagiert und sich auch ausführlich mit unterschiedlichen Formen der Anschauung beschäftigt hat, findet sich in seinem Werk keine detaillierte Untersuchung des Phänomens, das reines Schauen erst möglich macht, nämlich des Phänomens der Sichtbarkeit. Dieses – und auch das reinen Schauen übrigens selbst auch – bleibt bei ihm unterbestimmt.

Es drängt sich der Verdacht auf, dass Husserl hier methodisch ein Vorurteil hat, dass er nämlich das Phänomen der Sichtbarkeit als so klar und (selbst-) verständlich erachtet hat, dass er es keiner weiteren Untersuchung würdigte. Doch obwohl er Sichtbarkeit nicht explizit zum Thema gemacht hat, findet sich in seinem Werk genügend Material, um Grundzüge einer Phänomenologie der Sichtbarkeit skizzieren zu können. In diese Richtung wollen die folgenden Überlegungen weisen, die auf der von Husserl 1907 vorgetragenen und in den *Husserliana* 1950 unter dem Titel *Die Idee der Phänomenologie* publizierten fünf Vorlesungen über die phänomenologische Methode und einer durch diese Vorlesungen angeregten, 1973 niedergeschriebenen Untersuchung des tschechischen Husserlschülers Jan Patočka basieren.

In den *Fünf Vorlesungen* präsentiert Husserl zum ersten Mal systematisch zusammenhängend die philosophischen Elemente, die den Charakter der transzendentalen Phänomenologie wesentlich prägen, nämlich die phänomenologische und die eidetische Reduktion sowie die Gedanken der Epoché und der Konstitution. Diese Konzepte wurden von Husserl im Laufe seines Schaffens immer weiter ausgearbeitet und differenziert, aber auch ihre Ausarbeitung in der frühen Fassung von 1907 ist schon ausreichend, um eine grobe Skizze von Husserls Verständnis von Sichtbarkeit anzufertigen.

Entstanden sind die *Fünf Vorlesungen* vor dem Hintergrund einer Beschäftigung mit Kant und dessen Kritik der Vernunft. Eine solche Kritik verstand Husserl als eine existenzielle Herausforderung, die für sein eigenes Selbstverständnis als Philosophen große Bedeutung hatte. Im Kontext der *Fünf Vorlesungen* ist es das „reine Schauen", das ihm die gesuchte Klarheit über die Vernunft und ihre Leistungen bringen soll. Reduktion und Epoché konzipiert Husserl als methodische Momente, die ein solches Schauen ermöglichen und begleiten sollen. Denn: „[D]ie Forschung hat sich eben im *reinen Schauen* zu halten, aber darum nicht an das reell Immanente: Sie ist Forschung in der Sphäre reiner Evidenz und zwar Wesensforschung. Wir sagten auch, ihr Feld ist das *Apriori innerhalb der absoluten Selbstgegebenheit*." (ebd. 9)

Reduktion und Epoché eröffnen dem reinen Schauen ein „Feld absoluter Erkenntnisse" (ebd.). Wenn dieses Feld einem Schauen zugänglich ist, dann muss es notwendigerweise etwas Sichtbares präsentieren. Im Ausgang von Husserls Überlegungen zu Reduktion, Epoché und seiner Idee eines Feldes absoluter Erkenntnisse sollte es also möglich sein, dem Phänomen der Sichtbarkeit zumindest in Grundzügen auf die Spur zu kommen.

Jan Patočka hat sich in seinem erst posthum publizierten Text „Phänomenologie als Lehre vom Erscheinen als solchem" (Patočka 2000, 16-172) ebenfalls mit Epoché und Reduktion beschäftigt, und zwar einerseits explizit in kritischer Anknüpfung an Husserls *Fünf Vorlesungen,* andererseits in Bezug auf Husserls 1913 erschienenes Werk *Ideen zu einer reinen Phänomenologie und phänomenologischen Philosophie.* Patočka gelangt in seinen Überlegungen über eine Ablehnung von Husserls Konstitutionsgedanken zu einem erneuerten Erscheinungsbegriff. Versuchte Husserl nämlich mittels seiner Methode des durch Reduktion und Epoché ermöglichten reinen Schauens das bereits erwähnte „Feld absoluter Erkenntnisse" (ebd.) zu gewinnen, von dem aus die sinnstiftende Subjektivität intentional Gegenständlichkeiten konstituiert, so verwirft Patočka gerade diese subjektorientierte Herangehensweise und damit die gesamte Theorie der Konstitution: „Die angeblichen Intentionen sind nichts anderes als Kraftlinien des Erscheinens am Erscheinenden. Sie formen und ‚konstituieren' auch nichts, sondern zeigen bloß und weisen auf anderes, als es das schon Erscheinende ist." (Patočka 2000, 124)

Der in einer subjektiven Leistung fundierten Sinnstiftung Husserls setzt Patočka das Erscheinen des Erscheinenden in einen subjektunabhängigen Sinne entgegen, das anders als bei Husserl zu analysieren sei: „Was man also in der Erscheinungssphäre als solcher zu analysieren hat, ist keineswegs die ‚Konstitution' z. B. des Dinges, sondern die Erscheinungskorrespondenz, die gegenseitigen Hinweise der Seiten des Erscheinenden nicht in subjektiv-werdender, sondern in fertig apriorischer Gestalt." (Ebd. 127)

So steht auch bei Patočka ein mit der Sichtbarkeit verwandtes Phänomen an systematisch zentraler Stelle, nämlich das Erscheinen als solches. Aber während Husserl vermutlich in der Tat zu wenig die subjektunabhängigen Aspekte der Sichtbarkeit berücksichtigt hat, scheint Patočka die subjektive Perspektive des Erscheinens zu sehr zu vernachlässigen. Diese Vermutung soll in den folgenden Überlegungen plausibel werden, die zu diesem Zweck den Phänomenen Sichtbarkeit und Erscheinen nachspüren und damit den angedeuteten Versuch einer

Klärung des Sinnes von Sichtbarkeit und Erscheinen bei Husserl und Patočka unternehmen.

Vorüberlegungen zu Sichtbarkeit und Erscheinen

Auf den ersten Blick gibt es einen offensichtlichen Zusammenhang zwischen Sichtbarkeit und Erscheinen: Das Erscheinende muss sichtbar sein, andernfalls könnte es nicht erscheinen. Mit anderen Worten, im Erscheinen manifestiert sich die Sichtbarkeit dessen, was erscheint. Aus dieser Perspektive erweist sich die Sichtbarkeit als ein objektiver Charakter des Erscheinenden. Wenn Sichtbarkeit eine Grundvoraussetzung für Erscheinung ist, ist von einer Klärung des Phänomens der Sichtbarkeit auch ein gewisser Aufschluss über das Erscheinen als solches zu erwarten – und umgekehrt. Sollte die Struktur des Erscheinens geklärt werden können, wäre damit auch viel über den Charakter der Sichtbarkeit gewonnen.

Die eben skizzierte Herangehensweise setzt allerdings eine weitgehend subjektunabhängige Objektivität und ein Erkenntnis- bzw. Wahrnehmungsmodell voraus, das auf einer Art Ursache-Wirkung-Beziehung basiert. Ursache ist das Sichtbare, das durch sein Erscheinen eine Wirkung auf einen Betrachter ausübt, der ein Erscheinendes zur Kenntnis nimmt. Dieses Modell lässt sich mit guten Gründen bezweifeln – und es ist in der Philosophie der Neuzeit spätestens seit Kant bekanntlich grundsätzlich in Frage gestellt worden. Nach Kant ist subjektunabhängige Objektivität eine Fiktion bzw. zumindest solches, über das wir nichts aussagen können. Alles, worüber der Mensch Aussagen machen kann, muss derart sein, dass es den menschlichen Anschauungs- und Denkformen entspricht. Empirische Objekterkenntnis entspringt nach Kant einer synthetisierenden Aktivität des menschlichen Verstandes, der das anschaulich Gegebene in dieser Aktivität verarbeitet. Das alles unterliegt nach Kants Überzeugung der autonomen, gleichwohl aber apriorischen und also nicht willkürlichen menschlichen Gesetzgebung.

Aus einer derart kantisch geprägten Perspektive verliert Sichtbarkeit seinen nur objektiven Charakter. Sichtbarkeit erscheint vielmehr als dasjenige, was in die erscheinenden Dinge hineingelegt wird, indem sie durch eine subjektive Aktivität zum Erscheinen gebracht werden. So verstanden ist Sichtbarkeit ein subjektiver Charakter einer speziellen, durch das Sichtbarkeitserlebnis ausgezeichneten Gegebenheit.

Auf der Grundlage der Texte Husserls kommt man zu einer Sichtbarkeitskonzeption in diesem letzteren Sinne. Mit Patočka muss man an der sehr stark subjektorientierten Konzeption Husserls einige die objektiven Momente des Erscheinens betonende Modifikationen vornehmen.

Sichtbarkeit in Husserls Fünf Vorlesungen

Ausgangspunkt für die Annäherung an das Phänomen der Sichtbarkeit in den *Fünf Vorlesungen* soll eine Untersuchung der Charaktere sein, die Husserl dem „reinen Schauen" zuspricht. Sichtbarkeit und Schauen sind Korrelatbegriffe: Nur das ist dem Schauen zugänglich, was sichtbar ist. Also bedeutet eine Aufklärung des Sinnes des Schauens zugleich eine Klärung des Sinnes von Sichtbarkeit. Es wird sich herausstellen, dass bei Husserl ein sehr weiter, insbesondere vom physiologischen Sehsinn unabhängiger Begriff des Schauens Verwendung findet.

Das Schauen ist nach Husserl etwas wesentlich Praktisches und A-logisches. Das, was dem Schauen zugänglich ist, ist als solches nicht rational zu vermitteln: „Das Schauen läßt sich nicht demonstrieren oder deduzieren." (Husserl 1950, 38) Schauen muss man also praktizieren. Tut man dies, so eröffnet sich nach Husserl mit dem rein Geschauten ein Feld *„absoluter* und *klarer Gegebenheit, Selbstgegebenheit im absoluten Sinn"* (ebd. 35). In diesem Feld sieht Husserl das unbezweifelbare Fundament für jegliche Erkenntnis und philosophische Einsicht. Den in diesem Feld vorzufindenden Gegebenheitsmodus charakterisiert Husserl als „unmittelbare Evidenz": „Dieses Gegebensein, das jeden sinnvollen Zweifel ausschließt, ein schlechthin unmittelbares Schauen und Fassen der gemeinten Gegenständlichkeit selbst und so, wie sie ist, macht den prägnanten Begriff der Evidenz aus, und zwar verstanden als unmittelbare Evidenz." (Ebd.)

Schauen im reinen Sinne Husserls bedeutet also eine Zugangsweise zu evidenter Gegebenheit – allerdings nur zu evidenter Gegebenheit des Gegenstandes so, wie er gegeben ist, nicht so, wie er gemeint oder antizipiert ist. Die absolute Evidenz des reinen Schauens wird von Husserl in den *Fünf Vorlesungen* dem Bereich der Immanenz zugeordnet und der Transzendenz des gemeinten oder antizipierten, als vom Subjekt unabhängig vorgestellten Gegenstandes gegenüber gestellt.

Um ein klares Verständnis davon zu gewinnen, in welchem Sinne Husserl das Schauen in den Bereich der Immanenz einordnet, ist Husserls Unterscheidung von zwei verschiedenen Formen der Immanenz wichtig. Einerseits nämlich kennt er die Immanenz des „reellen Enthaltenseins" (ebd.) im Sinne des Bewussthabens einer gewissen Mannigfaltigkeit, andererseits die Immanenz, die durch absolute Evidenz und reines Schauen, nicht aber durch reelles Enthaltensein ausgezeichnet ist. Die nicht-reelle Immanenz geht über das reelle Enthaltensein, d. h. das, was in diesem zweiten Sinne immanent ist und was Patočka später als „intentional immanent" bezeichnen wird (vgl. Patočka 2000, 134), hinaus; sie muss nicht in allen ihren Qualitäten reell im evidenten Akt oder Erlebnis enthalten sein, sie muss aber in einer bestimmten Qualität durch ein reines Schauen aufgenommen worden sein. Diese Differenzierung lässt sich anhand des von Husserl oft herangezogenen Beispiels einer Tonwahrnehmung verdeutlichen: Wie Husserl in einem in das Jahr 1909 datierten und im Rahmen der Texte zur *Phänomenologie des inneren Zeitbewusstseins* publizierten Manuskript ausführt, ist der Ton ein *„adäquat* gegebenes Objekt, wir können auch sagen, ein immanent gegebenes Objekt" (Husserl 1966, 272), das über das in der reell immanenten Wahrnehmung Gegebene hinausgeht: Er ist nämlich „eine *Einheit im Fluss seiner Zeitphasen*" (ebd.) und damit – obgleich immer noch immanent – mehr als nur reell immanent; es liegt die Wahrnehmung einer Tongestalt vor. Die Einheit aus Retentionalem, Gegenwärtigem und Protentionalem bildet das immanente Objekt, das im reinen Schauen in der Immanenz gegeben ist und dem somit die Erlebnisqualität absoluter Evidenz zuzusprechen ist.

Das Immanente also wird durch das Schauen letztgültig in den Blick genommen: „Schauen, selbstgegebenes Fassen, wofern eben wirkliches Schauen, wirkliche Selbstgegebenheit im strengsten Sinn vorliegt und nicht eine andere Gegebenheit, die ein Nichtgegebenes meint, ist ein Letztes. Das ist die *absolute Selbstverständlichkeit*." (Husserl 1950, 50) Es gibt nichts, wodurch das Schauen noch fundiert werden könnte oder müsste. Dadurch empfiehlt es sich als Zugang zu philosophischen Einsichten, und deshalb gehört es zum Grundbestand phänomenologischer Methoden, ist nach Husserl quasi die Basismethode der Phänomenologie: *„Die Phänomenologie verfährt schauend aufklärend, Sinn bestimmend und Sinn unterscheidend.* Sie vergleicht, sie unterscheidet, sie verknüpft, setzt in Beziehung, trennt in Teile, oder scheidet ab Momente. Aber alles in reinem Schauen. Sie theoretisiert und mathematisiert nicht; sie vollzieht nämlich keine Erklärungen im Sinne der deduktiven Theorie." (Ebd. 58)

Diese A-logizität des Schauens bringt es mit sich, dass die Phänomenologie nicht eine Wissenschaft unter anderen ist. Phänomenologie zu betreiben bedarf einerseits der Gabe der Sicht, andererseits der Redlichkeit, das durch das Schauen Gegebene in seinem So-Sein zu akzeptieren. Phänomenologie ist also keine (methodische) Technik, sondern eine Haltung. Diese Haltung ist dadurch ausgezeichnet, dass sie nicht erlernt werden kann, sondern dass man sich in sie durch Übung hineinfinden muss. Aus der phänomenologischen Haltung heraus wird das bereits vorphänomenologisch Bekannte auf neue Art und Weise sichtbar.

Dieser besondere, das rein Rationale übersteigende Charakter macht die Besonderheit der Phänomenologie als philosophischer Methode aus – und macht ihre Fruchtbarkeit von der Entscheidung abhängig, die Dinge so sein zu lassen, wie sie sich zeigen. Husserl schreibt dazu in den *Fünf Vorlesungen*:

> „Wer nicht sieht oder nicht sehen mag, wer redet und selbst argumentiert, aber immerfort dabei bleibt, alle Widersprüche auf sich zu nehmen und zugleich alle Widersprüche zu leugnen, mit dem können wir nichts anfangen. Wir können nicht antworten: ‚offenbar' ist es so, er leugnet, daß es so etwas wie ‚offenbar' gibt; etwa so, wie wenn ein Sehender das Sehen leugnen wollte; oder noch besser, wenn ein Sehender, daß er selbst sehe und daß es Sehen gibt, leugnen wollte. Wie könnten wir ihn überzeugen, unter der Voraussetzung, daß er keinen anderen Sinn hätte?" (Ebd. 61)

Im Blick auf den Korrelatbegriff des Schauens, nämlich die Sichtbarkeit, ergibt sich aus dem bisher Ausgeführten, dass die Sichtbarkeit eine besonders ausgezeichnete Gegebenheit darstellt: Sichtbarkeit ist absolut evidente Gegebenheit.

Sie besitzt also subjektiven Charakter: Es ist nicht eine Eigenschaft, die einen vom Subjekt unabhängigen Gegenstand auszeichnen würde, sondern ein Charakter des wahrnehmenden, des schauenden Subjekts. Im Rahmen von Husserls Konstitutionstheorie ist das konsistent und konsequent. Schließlich ist alles Objektive nach Husserl – soweit es ein Objekt für uns ist – nichts anderes als eine Leistung der konstituierenden Subjektivität.

Diese These der Objektkonstitution als subjektiver Leistung ist freilich ein Ergebnis, das bei Husserl am Ende seiner Untersuchungen über Wahrnehmung und Kenntnisnahme steht. Um den Prozess der Objektkonstitution in den Blick zu bekommen, musste Husserl selbst eine Blickwendung vollziehen – die Einübung in die Phänomenologie besteht aus dem Versuch dieser Blickwendung. Phänomenologie selbst ist die Praxis dieses gewendeten Blickes. In dieser Praxis bleibt das Schauen zentral, ja es wird eigentlich erst in der phänomenologischen Haltung zentral und avanciert zur einzig akzeptablen Quelle von Gegebenheit:

„Also möglichst wenig Verstand, aber möglichst reine Intuition (*intuitio sine comprehensione*); wir werden in der Tat an die Rede der Mystiker erinnert, wenn sie das intellektuelle Schauen, das kein Verstandeswissen ist, beschreiben. Und die ganze Kunst besteht darin, rein dem schauenden Auge das Wort zu lassen und das mit dem Schauen verflochtene transzendierende Meinen, das vermeintliche Mitgegebenhaben, das Mitgedachte und ev[entuell] das durch hinzukommende Reflexion Hineingedeutete auszuschalten." (Ebd. 62)

Zwei unterschiedliche Formen einer „Reduktion" genannten Gedankenoperation motivieren die erwähnte Blickwendung. In dem die Publikation der *Fünf Vorlesungen* einleitenden Kapitel „Gedankengang der Vorlesungen", das Husserl erst kurz vor Abschluss der gesamten Vorlesungsreihe anfertigte, unterscheidet er drei Stufen der phänomenologischen Betrachtung: Auf der ersten Stufe wird alles transzendente Seiende im Rahmen der phänomenologischen Untersuchung ausgeklammert, nämlich um die „Probleme der Gegebenheit" (ebd. 14) von Gegenständen der Erkenntnis zu lösen, um also herauszufinden, wie von transzendenten Gegenständlichkeiten Erkenntnis erlangt werden kann: „Was ich will ist *Klarheit*, verstehen will ich *die Möglichkeit* dieses Treffens [gemeint ist das Zutreffen einer Erkenntnis auf etwas Transzendentes, C.R.], d. h. aber, wenn wir den Sinn davon erwägen: das Wesen der Möglichkeit will ich zu Gesicht bekommen, es schauend zur Gegebenheit bringen." (Ebd. 6)

Um diese Klarheit zu erlangen, schaltet Husserl dasjenige, dessen Möglichkeit er untersuchen will, zunächst methodisch aus. Dieses Ausschalten bezeichnet er als „phänomenologische Reduktion": „Sie besagt: alles Transzendente (mir nicht immanent Gegebene) ist mit dem Index der Nullität zu versehen, d. h. seine Existenz, seine Geltung ist nicht als solche anzusetzen, sondern höchstens als *Geltungsphänomen*." (Ebd.)

Nach der phänomenologischen Reduktion bieten sich dem Schauen die einzelnen Phänomene rein als Phänomene und damit als neue Gegenständlichkeiten. Husserl bemerkt aber, dass er auf diesem Feld noch nicht das Wesen der Erkenntnis in den Blick bekommt. Um dieses schauen zu können, ist eine weitere Reduktion nötig, nämlich die Reduktion der Phänomene auf ihr Wesen. Diese zweite Reduktion nennt er *ideierende Abstraktion"* (ebd. 8); sie eröffnet ein Feld von „Wesensobjektivitäten" (ebd.), über die „Wesensaussagen" (ebd.) gemacht werden können. Die Bezeichnung „Abstraktion" ist dabei insofern missverständlich, als es sich nicht um einen abstrahierenden Verstandesakt handelt, sondern um eine besondere Art des Schauens, das Husserl an anderer Stelle als „generelles Schauen" (ebd. 57) und „ideierende [...] Betrachtung" (ebd.) bezeichnet.

Die Idee des „generellen Schauens" hatte Husserl bereits – wenngleich unter anderer Bezeichnung – in den *Logischen Untersuchungen* ausgearbeitet. Dort unterscheidet er in der VI. Logischen Untersuchung zwischen sinnlicher und kategorialer Anschauung, wobei die letztere durch sinnliche bzw. übersinnliche Wahrnehmung gegeben wird (vgl. Husserl 1984, 670 ff.). Ein besonderer Typus der kategorialen Anschauung ist die „allgemeine Anschauung" (ebd. 690), für deren Gewinnung Husserl auch in den *Logischen Untersuchungen* schon den Begriff der „ideierenden Abstraktion" (ebd.) verwendet. In diesem Kontext verwahrt sich Husserl explizit gegen die Missdeutung des Ausdrucks „Abstraktion" als einer „Abstraktion in dem bloßen Sinne der Hervorhebung irgendeines unselbständigen Moments an einem sinnlichen Objekte" (ebd.), vielmehr betont er den Wahrnehmungs- bzw. Anschauungscharakter der ideierenden Abstraktion. In dieser komme „statt des unselbständigen Moments seine ‚Idee', sein Allgemeines zum Bewusstsein, zum *aktuellen Gegebensein"* (ebd.). Die zweite Stufe der phänomenologischen Betrachtung, von der Husserl in der Darstellung des Gedankengangs seiner *Fünf Vorlesungen* spricht, führt also weg von den einzelnen Phänomenen hin zum Wesen der Phänomene.

Es drängt sich allerdings der Verdacht auf, dass Husserl hier einen Irrweg einschlägt: Worauf er nämlich eigentlich abzielt, wenn er seine Meinung des Ungenügens an der ersten Stufe der phänomenologischen Betrachtung äußert, ist nicht das Wesen je spezifischer Phänomene, sondern das Wesen des Phänomenalen schlechthin, bzw. – um mit Patočka zu sprechen – das Phänomen des Phänomens und die Struktur der Phänomenalität. Durch die Ideation erreicht Husserl aber nicht dieses Phänomen, sondern wieder nur Einzelnes, nämlich einzelne Wesen. Um in Husserls eigener, logischer Terminologie die Problemlage zu beschreiben: Nicht der von Husserl eingeschlagene Weg über eine Generalisierung der einzelnen Phänomene führt zur Klarheit über das Erscheinen des Erscheinenden und damit auch zur Klarheit über die Sichtbarkeit des Sichtbaren. Vielmehr wäre eine Formalisierung notwendig. Nicht der Generalbegriff zu einzelnen Rotphänomenen, also nicht das Wesen Rot führt in Husserls Untersuchung wirklich weiter, sondern eine Formalisierung, mittels der eine Untersuchung der Phänomenalisierung schlechthin möglich würde. Patočka wird letztere Untersuchung ins Zentrum seiner Überlegungen stellen.

Hat Husserl nun auf den beiden ersten Stufen der phänomenologischen Betrachtung das methodische Instrumentarium benannt, mit dem er seine Untersuchung durchzuführen gedenkt, und hat er darüber hinaus auch das Feld bereitet, auf dem er diese Untersuchung starten wird, so wird auf der dritten Stufe das eigentliche Problem exponiert und damit die Aufgabe der Phänomenologie herausgestellt:

> „Mag man unter dem Titel Aufmerksamkeit das an sich unbeschreibliche und unterschiedslose Schauen noch festhalten, so zeigt es sich doch, daß es eigentlich gar keinen Sinn hat von Sachen zu sprechen, die einfach da sind und eben nur geschaut werden brauchen, sondern dieses ‚einfach dasein' das sind gewisse Erlebnisse von spezifischer und wechselnder Struktur, als da ist Wahrnehmung, Phantasie, Erinnerung, Prädikation, usw., und in ihnen sind nicht die Sachen etwa wie in einer Hülse oder einem Gefäß, sondern in ihnen *konstituieren* sich die Sachen, die reell in ihnen gar nicht zu finden sind." (Husserl 1950, 12)

Diese Konstitution basiert auf einer notwendigen Korrelation zwischen Erscheinung und Erscheinendem. Sowohl die Erscheinung als auch das Erscheinende sind in der Immanenz, d. h. in absoluter Evidenz gegeben. Insbesondere die Gegebenheit des Erscheinenden – freilich nicht als transzendenter Gegenstand, sondern rein in phänomenologischer Reduktion – geht über die reelle Immanenz hinaus und entlarvt das „Vorurteil der Immanenz als reeller Immanenz" (ebd. 10). Das Schauen ist also kein bloßes Zur-Kenntnis-Nehmen eines bereits fertig Vorzufindenden, sondern im Schauen konstituiert sich der Sinn des Geschauten, und dadurch wird das Geschaute erst etwas für mich. Mit anderen Worten: Im Erscheinen kommt das Erscheinende zum Vorschein. Das Schauen ist damit zugleich das Sichtbarmachende, das Erscheinen das Erscheinenmachende. Dem Schauen eignet also ein grundsätzlich kreativer Charakter: Sichtbarkeit kommt den Dingen durch das menschliche Schauen zu. Die Haltung der Epoché wiederum macht diese Leistung des Schauens erst sichtbar – was letztlich eine triviale Einsicht ist: Das Innehalten macht den Blick frei für das zu Sehende und lässt es allererst richtig sehen.

Husserls Überlegungen sind nicht ontologischer Natur. Es geht ihm primär nicht darum, das Sein der Dinge zu bestimmen, sondern darum zu verstehen, wie wir die Dinge und die Welt wahrnehmen und wie es zu den Wahrnehmungen kommt, die wir haben. Die Strukturen der menschlichen Zugangsweisen zu Dingen zu erforschen, die Weisen aufzuklären, wie uns Gegenstände gegeben sind und wie die Konstitution von gegenständlichem Sinn vonstatten geht – das ist Husserls Anliegen in den *Fünf Vorlesungen* und auch in seinen späteren Schriften. Dieses Suchen nach den Prinzipien der Konstitution bedeutet zugleich eine Suche nach Prinzipien der Sichtbarkeit.

Das Erscheinen des Erscheinenden bei Patočka

Während bei Husserl die Frage im Mittelpunkt steht, wie das betrachtende Subjekt zur Kenntnis des Phänomenalen kommt, sucht Patočka eine Bestimmung des Seins des Phänomenalen und der Struktur der Phänomenalisierung – allerdings nicht aus der Perspektive des betrachtenden Subjekts. In Husserls Bestreben, durch eine Reduktion auf die Immanenz des Bewusstseinsstroms zu einer Sphäre originaler und absoluter Gegebenheit zurückzugehen, in der alles Phänomenale nur noch „Bestimmungsstück" (Husserl 1977, 108) der betrachtenden Subjektivität ist – nämlich insofern, als es in phänomenologisch reduzierter Einstellung keinerlei transzendente Charaktere mehr hat –, sieht Patočka eine verhängnisvolle Wendung zum Subjektivismus, die den wahren Charakter von Erscheinung und Erscheinendem und damit verbunden auch von Gegebenheit und Selbstgegebenheit verhüllt. Patočka legt seinen Analysen einen von Husserls Auffassung unterschiedenen Begriff der Selbstgegebenheit zugrunde, nämlich einen solchen, der die Erscheinungscharaktere stärker in den Gegenständlichkeiten verwurzelt:

> „Dieser [Husserlsche, C.R.] Subjektivismus beruht auf der angeblichen Einsicht, daß das ‚reflexiv‘, d. h. in der Selbstgegebenheit der inneren Wahrnehmung erfaßte innere Geschehen, das Wahrnehmen, Denken, Sich-Erinnern der eigentliche Grund, das Gegebene in der Gegebenheit ist: das eigentlich Selbstgegebene. [...] Wenn wir aber bedenken, daß jene angeblichen ‚inneren Selbstgegebenheiten‘ nichts anderes sind als eine *Verdoppelung* der ursprünglich als nichtichlich sich auf der Gegenseite zum leeren Ich abzeichnenden Gegebenheitscharaktere, dann präsentieren sich die Dinge anders. [...] Selbstgegeben und ursprünglich gegeben sind da Dinge in Perspektiven und Erscheinungscharakteren, in Nähe und Ferne, in Optimum der Fülle oder schwindender Fülle bis zum Verdecktsein und Verschwinden im Leerhorizont, der gar nicht so leer ist. [...] Die Selbstgegebenheit ist Gegebenheit der Sache selbst [...] und keineswegs ausschließlich die Gegebenheit der qualitativen Fülle in ihrem Optimum." (Patočka 2000, 121 f.)

Selbstgegebenheit will Patočka also nicht auf die Sphäre der Immanenz reduzieren; die Befähigung dieser Sphäre, erkenntnis- oder evidenzgründend zu sein, lehnt er vielmehr ab. Für ihn ist sie nichts anderes als eine reflexive Konstruktion, durch die Aspekte des Erscheinenden ins Subjekt verschoben werden. Seiner Ansicht nach sind Husserls Bestimmungsstücke der Subjektivität nichts anderes als Aspekte der Gegenständlichkeiten: „Nicht am Ich und im Ichlichen gibt es Verweisungen, sondern am Erscheinenden selbst." (Ebd. 123)

Husserl würde gegen diese Kritik vermutlich vorbringen, dass Patočka die Sachlage aus einer naiven, vor-phänomenologischen Haltung heraus analysiere. In dieser sind die Dinge gegeben und damit verbunden ihr Sinn in seiner vollen, transzendenten Bedeutung. Husserl fragte aber gerade danach, wie es dazu kommt, dass *wir* die Dinge mit einem bestimmten transzendenten Sinn auffassen – der Frage, was es auf der dinglichen Seite ermöglicht, dass wir von den Dingen überhaupt Kenntnis erlangen können, ist er nicht nachgegangen. Dieses war aber die zentrale Frage für Patočka: Deshalb ging er vom Gegenständlichen aus und untersuchte die Struktur des Erscheinens – freilich ohne das Subjekt dabei ganz zu missachten. Allerdings räumt er ihm keine so zentrale Rolle ein wie Husserl, sondern relativiert es als ein Moment in der Ganzheit der Erscheinungsstruktur. Dieser Struktur selbst gilt Patočkas vorrangiges Interesse. Er ist überzeugt, dass er ein Verständnis dieser Struktur erlangen kann, ohne eine subjektive bzw. subjektivistische Perspektive einnehmen zu müssen. Dabei stellt er fest, dass sich das Erscheinen des Erscheinenden nicht in isolierten, voneinander abgetrennten Vorkommnissen für einzelne Subjekte ereignet, sondern in einer Einheit: „Die echt phänomenologischen Begriffe sind keine solchen, welche das Wesen *des Erscheinenden* betreffen, sondern das Wesen *des Erscheinens*. Dies Erscheinen kann freilich nur aufgrund dessen bestimmt und eventuell erkannt werden, daß etwas erscheint, und daß dieses Erscheinende eine Einheit ausmacht, die man als die Welt, die seiende Allheit bezeichnen kann." (Ebd. 128) In dieser Allheit mit dem Namen Welt ist auch das Subjekt aufgehoben. Es ist, wie Patočka ausführt, „*nur* dasjenige, *dem* es [das konkret Einzelne als Moment der Ganzheit, C.R.] erscheint" (ebd.) – nicht mehr, aber eben auch nicht weniger.

Die genaue Unterscheidung zwischen der Untersuchung der Struktur des Erscheinenden, die für die phänomenologische Frage nach dem Sein nebensächlich ist, und der Struktur des Erscheinens, der bei Patočka das primäre phänomenologische Interesse gilt, vermisst man bei Husserl; Patočka ist sich dieses Unterschieds bewusst und sieht in der Nichtdifferenzierung dieser beiden Untersuchungen ein Hauptproblem des Husserlschen Ansatzes – auch wenn er Husserl in diesem Zusammenhang nicht explizit nennt (vgl. ebd. 119).

Oben wurde bereits darauf hingewiesen, dass Husserl durch eine Generalisierung von einzelnen Erscheinungen zur Struktur der Erscheinung als solcher überzugehen bestrebt war. Aber was er erfasste, war eben nur die Struktur von einzelnen Erscheinungen, nicht die Erscheinungsstruktur als solche. Patočka ist sicherlich zuzustimmen, wenn er sich rhetorisch fragt, „ob die Welt als solche nicht erst von dieser Struktur ausgeht, von *ihr* ‚konstituiert' wird" (ebd.). In diesem Punkt unterscheidet er sich vermutlich nicht wirklich von Husserl. Husserl würde zwar nicht davon sprechen, dass Welt von einer Struktur konstituiert wird, aber die Aussage, dass Welt von einer Erscheinungsstruktur ausgeht, würde seine Zustimmung finden. Allerdings verortet er das Zentrum dieses „Ausgehens" im Subjekt – und darin wird seine von derjenigen Patočkas abweichende Perspektive auf das Erscheinungsproblem deutlich. Aber Husserls und Patočkas Überlegungen widersprechen sich nicht, vielmehr ergänzen sie sich dadurch, dass beide aus unterschiedlichen Perspektiven das gleiche Problem untersucht haben und davon ausgehend unterschiedliche Aspekte dieses Problems geklärt haben – und das obwohl sich Patočka über den Unterschied seiner Perspektive von derjenigen Hussels vermutlich nicht immer im Klaren war und er deswegen meinte, mit seinen Ergebnissen Husserls Auffassung widerlegt zu haben.

Die Gemeinsamkeiten zwischen Husserl und Patočka werden etwa da deutlich, wo Patočka konstatiert, dass „das Phänomen, das Sichzeigen [...] als Momente dasjenige [hat], was sich zeigt (die Welt), dasjenige, dem es sich zeigt (Subjektivität) und die Art und Weise, *wie* es sich zeigt" (ebd. 123). Dass sich etwas jemandem in einer bestimmten Perspektive zeigt, ist genau auch Husserl Position, der ja gerade das Wie der Gegebenheit einer Gegenständlichkeit der philosophischen Aufmerksamkeit zugänglich gemacht hat. Husserls Analysen betreffen aber ausschließlich die subjektive Perspektive auf das Erscheinungsphänomen. Soweit das Erscheinende nicht als reines Phänomen betrachtet wird, sondern als Ding, ist das Wesentliche dieser subjektiven Perspektive die Konstitution des Sinnes der Gegenständlichkeit. Patočka missversteht Husserl also, wenn er ihm eine Konstitution (vgl. ebd. 127) oder gar eine Konstruktion (vgl. ebd. 163) von Dingen oder Welt selbst unterstellt – Subjektivität konstituiert nach Husserl nicht die Dinge, sondern den Sinn von Dingen in der menschlichen Auffassung. Husserls Anliegen war es nicht, durch „belebende Intentionen" aus sinnlichem Material Gegenständlichkeiten „hervorzuzaubern", wie Patočka kritisiert (vgl. ebd. 135). Zwar gibt es in der Tat in den *Ideen* einige missverständliche Passagen, in denen Husserl von „hyletischen Daten" und einer noetischen Beseelung derselben spricht (vgl. Husserl 1976, 194, 196), aber nicht ohne Grund hat er diese Terminologie später aufgegeben und auch schon in seinen Vorlesungen von 1907 diese auf rein reelle Immanenz fixierte Auffassung als verhängnisvollen Irrtum zurückgewiesen (vgl. Husserl 1950, 36).

Dennoch – auch wenn Patočkas Kritik Husserls Überlegungen im Kern nicht treffen sollte, der Sache nach sind seine Analysen ein wichtiger Beitrag zur Phänomenologie. Sie nehmen das Ganze der Welt in den Blick und stoßen damit in einen Bereich vor, zu dem Husserl systematisch nicht mehr gelangte. Trotz Husserls Entdeckung von Epoché und Reduktion blieb sein Denken einem subjektiven Standpunkt verhaftet. In gewisser Weise radikalisierte Patočka also die Haltung der Epoché, indem er diese subjektive Sichtweise ablegte und damit versuchte, das Ganze der Welt und das Ganze der Erscheinungsstruktur in den Blick zu bekommen. Machte Husserls Epoché noch bei der fungierenden Subjektivität halt, so fällt bei Patočka auch das Subjekt in die Klammer der Epoché. Dadurch gewinnt er eine ontologische Perspektive, die als eine Frucht der radikalen, die Subjektivität mitumfassenden Epoché angesehen werden kann. Aus dieser ontologischen Perspektive, in der das Subjekt ein Seiendes unter anderen ist, in der das „Erscheinen eine Dinge und Subjekt umspannende und umfassende Struktur" (Patočka 2000, 123) ist, gelingt Patočka eine Klärung der Struktur des Erscheinens, die subjektiven genauso wie objektiven Charakteren ontologisch gerecht wird:

> „Als zur Struktur des Erscheinens als solchem gehörig betrachten wir diese Allheit des Erscheinenden, das große Ganze, weiter dasjenige, dem es erscheint, die Subjektivität (welche nicht mit einem geschlossenen Einzelsubjekt zu identifizieren ist, sondern eine pronominal-leere Struktur hat) und das Wie des Erscheinens, zu welchem die Polarität Erfüllung-Entleerung gehört (wobei Entleerung nie eine absolute Leere, ein Nichts bedeutet)." (Ebd. 129)

Die „pronominal-leere Struktur" ist nichts anderes als das Erscheinungsfeld selbst. Patočka führt aus, „daß Subjektivität [...] nichts anderes bedeutet als dies: die Welt erscheint, und Erscheinungscharaktere drücken sachlich das Verständnis der Dinge, ihres Seins, ihres Wesens aus" (ebd. 145). Subjektivität im „üblichen" Sinne ist ein Aspekt des Erscheinungsfelds, das in diesem Sinne ein asubjektives Feld der Erscheinung ist – a-subjektiv, da es nicht einem Subjekt auf die von Husserl her bekannte Weise erscheint, sondern selbst das All der Erscheinungen ist. Und als solches ist es wiederum Subjektivität. Versetzt man sich in die „kleine" Subjektivität hinein, die Aspekt des großen Erscheinungszusammenhangs ist, so eröffnet sich die Perspektive, von der aus Husserl das Erscheinungserlebnis analysiert hat.

Natürlich stellt sich dann die Frage, ob die von Patočka eingenommene Perspektive überhaupt noch phänomenologisch zu nennen ist oder ob er mit dem Ausschalten der Subjektivität, die unabwendbar in all unserem Denken und Handeln unser Ausgangspunkt ist – der Nullpunkt all unserer Perspektiven, von dem Husserl spricht –, nicht den Bereich übersteigt, von dem er selbst noch sagen würde, dass er innerhalb der „phänomenologischen Kontrollierbarkeit" (Patočka 1991, 248) liegt. In einem ebenfalls erst posthum erschienenen Fragment zur Epoché kritisiert Patočka Husserl, indem er feststellt: „So kann ich aber auch keinen ‚Strom' dieses ‚rein Geistigen', Nichtfeldhaften absondern, um Gegenständlichkeit ihm gegenüberstehen zu lassen. Ich kann nicht aus dem ‚Bild' heraus, das Bild hat keinen Rahmen, der es abgrenzte, und das ‚Reflektierte' ist auch nicht dieser Rahmen. Ich stehe nie *vor* dem Bild, sondern immer darin." (Patočka 2000, 233) Wie hat Patočka selbst diese Einsicht in seinem eigenen Philosophieren beachtet? Ein Ansatz zu einer Antwort auf diese Frage ist vermutlich Patočkas Programm einer „Dialektisierung" (vgl. Patočka 1990, 195) der Phänomenologie – allerdings kann diesem Gedanken hier nicht mehr nachgegangen werden.

Im Blick auf die Ausgangsfrage nach der Sichtbarkeit muss abschließend angemerkt werden, dass das zentrale Kennzeichen für Sichtbarkeit bei Husserl, nämlich die Evidenz der Selbstgebung, bei Patočka kaum eine Rolle spielt – was nicht weiter verwundert, wenn Patočkas a-subjektive Perspektive auf das Erscheinungsproblem berücksichtigt wird. Allerdings ist fraglich, ob unter Verzicht auf Evidenz das Phänomen Sichtbarkeit wirklich hinreichend verstanden werden kann, ob nicht vielmehr Evidenz in der Tat ein wesentliches Konstituens von Sichtbarkeit darstellt. Dass andererseits aber Evidenz nicht ausreicht, um Sichtbarkeit zu verstehen, muss ebenso festgehalten werden. Eine Erhellung des Phänomens der Sichtbarkeit scheint also sowohl die Aufnahme von Ergebnissen aus Husserls subjektorientierter Untersuchung zu erfordern wie auch an Patočkas Analyse der Erscheinungsstruktur mit seinen drei Momenten desjenigen, was erscheint, desjenigen, dem es erscheint, und der Art und Weise, wie es erscheint, nicht vorbei zu kommen. Vielleicht bedeutet Sichtbarkeit dann nichts anderes als: Etwas erscheint jemandem in Evidenz in einer bestimmten Art und Weise. Dieses Ergebnis mag trivial erscheinen – die vorliegenden Überlegungen sollten auch nicht mehr als ein Betrag dazu sein, den Sinn dieses Satzes aus der (vermeintlichen) Selbstverständlichkeit in echte Verständlichkeit zu überführen.

Literatur

Husserl, E. (1950): *Die Idee der Phänomenologie (Husserliana*, Bd. II), Den Haag.
- (1966): *Zur Phänomenologie des inneren Zeitbewußtseins (Husserliana*, Bd. X), Den Haag.
- (1976): *Ideen zu einer reinen Phänomenologie und phänomenologischen Philosophie. Erstes Buch (Husserliana*, Bd. III, 1), Den Haag.
- (1977): *Cartesianische Meditationen*, Hamburg.
- (1984): *Logische Untersuchungen. Zweiter Band: Untersuchungen zur Phänomenologie und Theorie der Erkenntnis. Zweiter Teil (Husserliana*, Bd. XIX, 2), Den Haag.

Patočka, J. (1990): *Die natürliche Welt als philosophisches Problem (Phänomenologische Schriften*, Bd. 1), Stuttgart.
- (1991): *Die Bewegung der menschlichen Existenz (Phänomenologische Schriften*, Bd. 2), Stuttgart.
- (2000): *Vom Erscheinen als solchem (Orbis Phaenomenologicus Quellen*, Bd. 3), Freiburg/München.

Vom Erscheinen als solchem

Patočkas „Erscheinen als solches" – eine „neuartige Subjektivität"?

Helga Blaschek-Hahn

Die Geschichte ist alt und allen wohlbekannt: Da sitzt im fernen Holland ein Gelehrter „mit einem Winterrock am Ofen", schließt seine Augen, stopft seine Ohren zu, ruft alle Sinne zurück und tilgt alle Abbilder körperlicher Dinge aus seinem Denken oder erachtet sie wenigstens wegen ihres eitlen Truges für nichts. Indem er aber mit sich allein spricht und sich genauer anschaut, versucht er, allmählich sich selber bekannter und vertrauter zu werden. Schließlich und endlich kommt er zu dem berühmten Ergebnis, womit diese Paraphrase all zu bekannter Sätze abgekürzt werde: Das Denken ist, nur dies kann man mir nicht entwinden; ‚ich bin', ‚ich existiere' ist gewiss. Wie lange aber? Nun, solange ich denke.[1] Diese denkwürdigen Worte von René Descartes, die wohl zu den meist zitierten der Geistesgeschichte gehören, markieren bekanntlich den Beginn neuzeitlichen Denkens, das seither mit zunehmender Schärfe, aber wechselndem Erfolg das Problem Subjektivität versus Objektivität zu lösen versucht.

Auf seinem langen Siegeszug provozierte dieses Denken schließlich fast 300 Jahre später unter vielen anderen auch Edmund Husserl dazu, in eigenen *Cartesianischen Meditationen* kritisch anzumerken, dass für Descartes „in unserem apodiktischen reinen Ego" noch „ein kleines *Endchen der Welt gerettet*" sei (Husserl 1950, 63). Demgegenüber forderte Husserl eine „Wendung [...] zur *transzendentalen Subjektivität*" (ebd. 7), die allein eine „neuartige unendliche Seinssphäre [...] als eine Sphäre einer neuartigen, einer *transzendentalen Erfahrung*" (ebd. 11) freizulegen im Stande wäre.

Husserls Diktum provozierte seinerseits, nun nur noch 30 Jahre später, Jan Patočka zu ungewöhnlich scharfer Kritik an seinem sonst so verehrten Lehrer. Ihn hatte er 1929 als Stipendiat an der Sorbonne erstmals gehört, und zwar mit dessen sogenannten „Pariser Vorträgen", aus denen später die *Cartesianischen Meditationen* hervorgegangen sind. 1933 war Patočka auch nach Deutschland gekommen, in Freiburg von Husserl sogar persönlich als „Landsmann" begrüßt und sogleich in die Gespräche mit Eugen Fink, Husserls damaligem Assistenten, einbezogen worden. Diese umfassenden, menschlichen und philosophischen

---

[1] Vgl. dazu Descartes 1897 ff., VII, 34 bzw. 28.

Begegnungen mit der Phänomenologie bzw. deren Begründer bewegten und prägten Patočkas Wirken lebenslang; seine Habilitationsschrift *Die natürliche Welt als philosophisches Problem* (vgl. Patočka 1990) bildete diesbezüglich nur den Beginn seines Bemühens, auf dem Denkweg fortzuschreiten, der sich ihm damit eröffnet hatte. Die Schrift war 1936, kurz vor dem ersten Teil von Husserls *Krisis*-Schrift, erschienen, deren Grundzüge Husserl auf Einladung des Prager *Cercle philosophique*, in dem Patočka damals als Sekretär fungierte, 1935 vorgelegt hatte (vgl. Husserl 1954). Patočka war also in mehrfacher Hinsicht in Husserls spätes Philosophieren direkt involviert, was sich natürlich in seiner eigenen damaligen Arbeit noch besonders deutlich niederschlug. Nach mehr als drei Jahrzehnten unablässigen Nach- und konsequenten Weiter-Denkens der Husserlschen Phänomenologie, bei dem die Heideggersche Fundamentalontologie – übrigens der ausdrücklichen Warnung Husserls zum Trotz, nur ja nicht „seine Philosophie mit der Heideggers zu verbinden"[2] – von Anfang an keine geringe Rolle gespielt hatte, konnte Patočka in seinem Aufsatz „Der Subjektivismus der Husserlschen und die Möglichkeit einer ‚asubjektiven' Phänomenologie" Husserl, unmittelbar an dessen Descartes-Kritik anknüpfend, offenbar den ungewöhnlich scharf formulierten Vorwurf doch nicht ersparen:

> „Die Reduktion auf die reine Immanenz [...] hat unbesehen nicht ein Zipfelchen der Welt, sondern eine grob metaphysische Theorie benutzt, um sich zu etablieren, denn die Subjektivität, auf deren Immanenz sie schließlich rekurriert, wurde nur durch Aufspaltung der phänomenalen Sphäre als solcher ermöglicht, und diese Aufspaltung geschah, weil man nicht einsah, wie die phänomenale Sphäre als etwas Eigenständiges zu denken wäre, und ihr deshalb ein Reales unterzuschieben [...] sich genötigt sah." (Patočka 1991, 280)

Es muss hier dahin gestellt bleiben, ob Patočka Husserl nicht am Ende nur missverstand. Seine Bestrebung, die „künstliche Subjektivierung des Phänomenalen", die er bei Husserl auszumachen glaubte, zu überwinden, eine „Katharsis des Phänomenalen wirklich durchzuführen und der Phänomenologie dadurch den Sinn einer Erforschung des Erscheinens als solchen zurückzugeben", sah er jedenfalls als das „Vermächtnis des Schöpfers der Phänomenologie" (ebd. 282) an und machte es zu seiner Lebensaufgabe. Man dürfte deshalb vielleicht behaupten, dass, genau besehen, Patočkas vielfältige Arbeitsansätze von Anfang an um nichts anderes kreisen als um die Vision einer von ihm später sogenannten asubjektiven Phänomenologie, wenn er sie auch erst in seinen letzten Lebensjahren so auf den Begriff brachte.

---

[2] Josef Zumr überlieferte dieses nicht uninteressante Detail aus Patočkas Freiburger Zeit. So habe Husserl den nach 1933 durchaus verständlichen Wunsch geäußert, Patočka möge Heideggers Vorlesungen nicht besuchen. Das habe aber den jungen Kollegen aus Prag nicht davon abhalten können, sehr aufmerksam „die Beziehung zwischen beiden" zu beobachten, die er später sogar als „das Hauptproblem der gegenwärtigen Metaphysik" bezeichnet hat. – Vgl. dazu Zumr 1991.

Nur wenige Meilensteine auf diesem Denkweg aufzuzeigen, ist die Absicht der folgenden Überlegungen. Sie gehen von der Annahme aus, dass Patočka eine aus den oben geschilderten Gründen für unabdingbar erachtete Überholung des Husserlschen Ansatzes in gewisser Hinsicht gelang; erschien ihm doch nun selbst, wie zuvor Husserl, eine „neuartige" Sphäre, jedoch eine ganz anderer Art: Er erkennt und benennt sie ausdrücklich nicht als „Seinssphäre", sondern vielmehr als eine „phänomenale Sphäre", also eine Sphäre der Erscheinung, des Erscheinens. Den Unterschied zwischen diesen beiden Sphären deutet er stichwortartig in Arbeitsnotizen an, die er, vermutlich gegen Ende der sechziger Jahre, auf Deutsch verfasst und mit „Seinsstrukturen – Erscheinungsstrukturen" überschrieben hat: „Seinsstrukturen, kausale, objektive Zusammenhänge. Erscheinung: Bedeutungsstrukturen, Verstehen, Verständnis dessen, was sich da präsentiert, als Seiendes in Präsenz, als zu einem Ganzen des Seins gehörig [...]." (Patočka 2000, 281)

Und doch hat er anscheinend nicht vermocht, über eine Abgrenzung dieses damit avisierten Phänomens, das er in den verschiedenen Texten der späteren Jahre direkt als „Erscheinen als solches", „Erscheinungsstruktur" oder sogar als „Weltphänomen" anspricht unter ausdrücklicher Betonung, dass es einen „Vorrang des Subjektiven beim Sich-zeigen" nicht gebe (ebd. 165), ex negativo hinaus zu kommen, seine „neuartige Sphäre" also gegen die Husserlsche „Sphäre einer neuartigen transzendentalen Erfahrung" konkret und positiv vor Augen zu bringen.

Ein Grund dafür könnte in der freilich fast unüberwindbaren terminologischen Schwierigkeit seiner metaphysisch geprägten Sprache liegen – nennt er doch auch in den spätesten Texten das gefundene Phänomen weiterhin „Subjektivität", wenn auch ausdrücklich in Anführungszeichen. Selbst wenn er statt dessen Termini wie Über-, Vor-, A- oder Trans-Subjektives vorgezogen hätte, wäre er schwerlich demselben Problem entkommen, denn diese Begriffe bleiben eben alle in eine Subjekt-Objekt-Dualität gebannt, die gerade unterlaufen werden sollte.

Derartige Annahmen mögen anhand einiger ausgewählter Textpassagen aus verschiedenen (Zeit-)Abschnitten von Patočka Lebenswerk etwas plausibler werden, um Ansatzpunkte zu kritischem Weiterdenken, auch über Patočka hinaus, anzudeuten.

1. „Subjektivität" in der Habilitationsschrift Patočkas

Bereits in der „Einführung" zu seiner Habilitationsschrift, die allenthalben von dem noch unmittelbaren tiefen Eindruck zeugt, den die beiden Hauptprotagonisten der Phänomenologie – so Patočkas Diktion –, Husserl und Heidegger, auf den jungen Gelehrten gemacht hatten, bemerkt Patočka, dass „die wesentlichen Auffassungen des Subjekts [...] Stationen auf dem Weg zu jenem letzten Schöpferischen sind, auf das wir selbst unser Problem hinzuführen versuchen". Später wird im selben Text betont (was die obige Vermutung zum Problem Subjektivität als dem Dreh- und Angelpunkt von Patočkas philosophischem Bemühen von Anfang an zu bestätigen scheint), dass es nämlich darum gehe, „jene Aktivitäten der letzten unabhängigen Subjektivität zu finden" (Patočka 1990, 26). Das Wesen dieser Subjektivität steht hier, noch ganz in Einklang mit Husserl, allerdings außer Frage: Es zeigt sich als einer der beiden Pole in der phänomenologisch grundsätzlich postulierten Weltkonstitution.

Schlägt man dagegen antizipierend einen großen Bogen von diesen frühen Erwägungen Patočkas zu seiner späteren, von ihm selbst so genannten „Meditation", die nun selbstkritisch auch seine eigenen frühen Texte einer Revision und Modifikation unterzieht, und zwar gerade im Hinblick auf die von Husserl übernommenen Grundannahmen, bestätigt es sich wohl, dass nach wie vor um Fragen der Subjektivität gerungen, dass diese inzwischen jedoch von Patočka anders interpretiert wird. Wenn es ihm bei einem solchen Rückblick gelang, in „kritischer Distanz zu jenem Reflexionsbegriff, welcher in der ‚transzendentalen Phänomenologie' Ausgangspunkt der Methode und Philosophie des ‚absoluten Subjekts' war", zu denken, ist dies eindeutig Heideggers Verdienst. So betont Patočka, dass erst Heidegger „mit seiner Konzeption der Existenz, der es in ihrem Sein um das Sein" gehe, die „klassische Subjekt-Auffassung durchbrochen und damit „für unsere Problematik einen neuen, wesentlichen Beitrag" geliefert habe.[3]

Die Perspektive der Habilitationsschrift zeigt Subjektivität indessen noch in anderem Licht. Der zweite von vier nahezu gleich umfangreichen Teilen dieser Schrift, der der Entwicklung des Subjektivitätsgedankens gewidmet ist, geht in einem sowohl historisch als auch systematisch argumentierenden Gang durch die verschiedenen egologischen Konzeptionen der Neuzeit erwartungsgemäß kritisch von Descartes' dualistischem Ansatz aus, aber Patočka untersucht hier, inwieweit die mit Husserl erreichte „transzendental-phänomenologische Sicht" es erlaube, „jene Egologien als vereinbar zu verstehen".[4] Man darf vorausschicken, dass die Untersuchung im Wesentlichen zu einem positiven Ergebnis kommt, dass also grundsätzlich eine *„Versöhnung der vermeintlichen Gegensätze durch die transzendentale Theorie der Erfahrung"* als möglich angenommen wird.

Um zu diesem Ergebnis zu kommen, stellt Patočka erst die *„Frage nach dem Wesen der Subjektivität"* bei Kant, Fichte, Schelling und Hegel. Ihr *„methodologi-*

---

[3] Vgl. dazu sowohl das Nachwort zur tschechischen Neuausgabe seiner Habilitationsschrift als auch zur französischen Übersetzung derselben (Patočka 1990, 181-267, besonders 229, bzw. 268-283), aber auch das kurze Vorwort zur tschechischen Neuausgabe von 1970 (ebd. 23).

[4] Patočka 1990, 53 u. 90. – Alle folgenden Kursiva dieses Abschnittes orientieren sich an den Kapitelüberschriften des zweiten Teils der Habilitationsschrift Patočkas mit dem Obertitel: „Die Frage nach dem Wesen der Subjektivität und ihr methodologischer Ertrag" (vgl. dazu Patočka 1990, 5 f.: „Inhalt").

scher Ertrag" – auch für unsere aktuelle Fragestellung – lässt sich mit Patočkas *„Antizipation eines eigenen Lösungsversuches"* (ebd. 48 ff.) kurz folgendermaßen skizzieren: Das „Ich des transzendentalen Beobachters [...] ist „wegen des produktiven Charakters seiner Erkenntnis [...] mit dem Fichteschen absoluten Ich" zu „parallelisieren", das „Schellingsche Ich, das dieser konkreter aufzufassen" suche, demgegenüber „mit der Fülle des konstituierenden Stroms parallel zu setzen". Das Kantische Ich der transzendentalen Apperzeption schließlich kann man mit dem „subjektiven Pol" bei der Konstitution der Welt „parallelisieren", denn er ist als „Rezeptor der äußeren Welt und als Autor der Akte des Verstehens konstituiert, und in diesem Sinne gilt für ihn, daß er jede Erfahrung begleiten muss" (ebd. 91).

Schellings und Hegels *„absoluter Skeptizismus"* endlich ist für Patočka erst *„in der phänomenologischen Epoché und Reduktion"* (ebd. 68) durchgeführt. Und deshalb erscheint ihm dieser Prozess, auf den er schließlich im gesamten zweiten Teil seiner Habilitationsschrift hinzielt, auch zur damaligen Zeit noch als ein geeigneter Weg zur Überwindung des Solipsismus, wobei der Ausweitung transzendentaler Subjektivität zur Intersubjektivität eine Schlüsselrolle zugewiesen wird. Denn freilich erwartete er nach der Aufdeckung so vielfältiger Parallelen zwischen Idealismus und transzendentaler Phänomenologie auch für letztere den Vorwurf, dass sie „das Universum auf Konstitutionen des transzendentalen Ich zu reduzieren" suche (ebd. 88).

Hierzu ist vorausblickend nur noch anzumerken, dass schon wenige Jahre später die Adaptation der Husserlschen Konzeption gerade bezüglich intersubjektiver Weltkonstitution sehr kritisch gesehen wird – im Kontext des dann untersuchten Sinns von Gegenständlichkeit. Ihr komme eigene Dignität zu, deshalb dürfe sie nicht als „das bloße Vehikel der Gemeinschaft der transzendentalen Subjektivitäten"[5] verstanden werden. Es wird davon an späterer Stelle noch die Rede sein.

Fragt man abschließend nach dem speziellen Ertrag, den Patočkas komplexes, vielschichtiges Erstlingswerk, dessen dafür am meisten relevanter zweiter Teil freilich nur allzu knapp referiert werden konnte, für unsere Fragestellung besitzt, lässt sich im Kurzen antworten, dass der junge Patočka den verschiedenen objektivistischen Versuchen, von einer Reflexion über das Wesen des Objekts ausgehend, „die Einheit der Wirklichkeit herzustellen", ausdrücklich als den „umgekehrten Weg" den Weg der Phänomenologie entgegensetzt, um „unter den Ablagerungen des modernen Objektivismus jenen Begriff wieder zu entdecken, der den wirklichen Schlüssel zur Einheit, die wir suchen, in sich birgt. Dieser Begriff ist für uns die Subjektivität". Selbstverständlich ist hier noch an

---

[5] Dieses Zitat entstammt dem erst vor wenigen Jahren ins Deutsche übersetzten, bisher unveröffentlichten Manuskript „Welt und Gegenständlichkeit", das Patočka Ende der dreißiger bzw. Anfang der vierziger Jahre verfasst hatte (Patočka 2004a; hier: 15). – Ich zitiere aus diesem Manuskript mit freundlicher Erlaubnis des Prager Jan-Patočka Archivs.

transzendentale Subjektivität bzw. Intersubjektivität Husserlscher Prägung gedacht, die als „eine tiefere Subjektivität" bezeichnet wird, als „eine Subjektivität, die im üblichen Wortsinne schon nicht mehr existent, schon nicht mehr ein Seiendes unter anderen ist, sondern auf gesetzmäßige Weise in sich die Gesamtheit des Seienden schafft". Indem Patočka aber diese „schöpferische" Subjektivität scharf von der Descartes' unterscheidet – nur von dieser lasse sich „eindeutig sagen: cogito – sum" – und das methodische Vorgehen, „zweierlei Subjektivität" an die Stelle der Cartesianischen Dualität der Welt zu setzen, ihn sogar zu dem Nachweis zu führen verspricht, dass die „transzendentale, d. h. jene präexistente Subjektivität die Welt *ist*" (Patočka 1990, 48 f.), hat er wohl schon die erst viel später so genannte „neuartige Subjektivität"[6] vor Augen, wenn auch noch nicht auf den Begriff gebracht.

2. Unterwegs zur „neuartigen Subjektivität" über die „Gegenständlichkeit"

a. Vielleicht versteht es sich von selbst, dass Patočka seinen Weg zu genauerer Artikulation derselben über den traditionellen Gegenpol, die Objektivität oder Gegenständlichkeit, nimmt. Betrachtet man jedenfalls Arbeiten der späten dreißiger bzw. frühen vierziger Jahre, scheint sich zu bestätigen, dass nun das Pendel von Patočkas philosophischer Aufmerksamkeit zur Gegenseite ausschlägt. Denn der Text „Welt und Gegenständlichkeit" zum Beispiel verrät ja schon im Titel seinen thematischen Schwerpunkt: Ausgehend vom alten Streit ‚Idealismus oder Realismus' stellt Patočka hier wie schon in der Habilitationsschrift „die alte Frage nach dem Solipsismus", diesmal aber – so seine erklärte Absicht – „verhältnismäßig neu", und zwar im Dienste der Frage nach dem „Sinn von Gegenständlichkeit". Dazu unterscheidet er ausdrücklich zwischen dem „dogmatischen" und „methodischen" Solipsismus. Keiner von beiden kommt freilich für den Phänomenologen in Betracht, denn ersterer reduziere die Gegenständlichkeit dadurch, dass er sie „verarmt und aushöhlt", letzterer fange fälschlicherweise – wie Descartes – beim „gehaltlosen, weltlosen Ich" an, das sich nicht „hinsichtlich seines eigenen inneren Wesens und Sinns befragen" lasse und das zu nichts anderem befähigt sei, als „bestimmte gegenständliche Vorgänge zu verfolgen, von denen sich nicht verstehen lässt, wie das Ich zu ihnen kommt und wie sie zu ihm kommen". Dadurch ist „der grundlegende Abgrund zwischen dem eigenen Ich und den Dingen" nach wie vor unüberwindbar (vgl. dazu Patočka 2004a, 7). So weit, so wenig ‚neuartig'.

Aber im weiteren Verlauf dieses Textes lässt Patočkas Reflexion über „das Phänomen der grundlegenden Welt" aufhorchen. Interessanterweise werden zwar nämlich zuerst Subjektivität und Welt als völlig unterschiedlich proklamiert: Freilich (was sich im phänomenologischen Kontext eigentlich von selbst

---

[6] Vgl. dazu im Vorgriff Patočka 2000, Text V: „Phänomenologie als Lehre vom Erscheinen als solchem" (ebd. 116-172).

versteht) „handelt es sich bei der Welt nicht um unsere eigene Subjektivität, weil die Welt im Gegensatz zu dieser keine konkrete Wesenheit ist". Dann aber bahnt sich die Annahme eines eigenartigen Wechselverhältnisses an, wenn Patočka fortfährt:

> „Eher ist sie [die Welt – HBH] der Entwurf, der Plan vom Bahnen des Weges, der die Subjektivität ist; wie jener Plan entspringt der Weg aus der Subjektivität, aber während die reine Subjektivität in sich selbst bleibt, ist es gerade hier, in der Welt, wo sie sich überwindet und nicht nur die eigenen Grenzen übersteigt, sondern alles, was in unserer Erfahrung nur je an Gegenständlichem erscheinen kann."

Und alsbald zeigt sich, dass das Wort „erscheinen" hier nicht zufällig fällt, sondern in eine systematische Licht-Metaphorik mündet, ausgehend von der Etymologie des tschechischen Wortes „svět"(= Welt), was ursprünglich ja „světlo"(= Licht) bedeute, in diesem Kontext speziell „das Licht des Lebens":

> Und in der Tat ist die grundlegende Welt nichts anderes als das Licht, das zwar durch uns – durch das, was wir als Weg bezeichnet haben – ermöglicht ist, das aber auf der anderen Seite wiederum den Weg ermöglicht, indem es Orientierung gibt, indem es uns verstehen lässt, was uns umgibt und was sich in uns bildet [...]. Der Weg selbst bildet sich sein eigenes Licht, und das Licht ist ein untrennbarer Bestandteil des Weges selbst – es lässt sich nicht als eine teilnahmslose theoria verstehen." (Ebd. 8)

Deutlicher lässt sich indessen kaum ein „Erscheinen" zur Erscheinung bringen – man erlaube diese Tautologie – und zwar als Erscheinungsstruktur, die keinerlei Vorrang der Subjektivität mehr zulässt, wie die bemerkenswert kritische ausdrückliche Absetzung gegen Husserls unbeteiligten transzendentalen Beobachter („teilnahmslose theoria") anzeigt. Wenn Patočka dann auch noch „das Licht, das die Welt ist", als „Einheit der ununterschiedenen Stimmungen" beschreibt, wenn er außerdem umgekehrt die Dinge sich „im Lichte der Stimmung" zeigen lässt, ist nun neben Husserl wieder Heidegger unüberhörbar mit im Gespräch. Dessen historischen Abriss zu den unterschiedlichen Weltbegriffen im Text „Vom Wesen des Grundes" zitiert Patočka denn auch an derselben Stelle (ebd. 7-9), als würde es noch einer ausdrücklichen Bezugnahme bedürfen.

Vergleicht man nun das in diesem Text zum Ausdruck kommende Subjektivitätsverständnis mit dem der Habilitationsschrift, in der Patočka ja schon die dort „präexistente Subjektivität" genannte „transzendentale Intersubjektivität" mit „Welt" identifizierte, scheint inzwischen eine Art autogenetische Strukturierung die systematische Stelle von „transzendentaler Subjektivität" bzw. „Intersubjektivität" eingenommen zu haben. So dürfte man vielleicht mit aller Vorsicht sagen, dass Heideggers Weltbegriff im Zusammenhang mit der Husserlschen Lebensweltthematik Patočka den Weg ebnete, den transzendentalen Subjektivismus in Richtung auf eine „neuartige Subjektivität", verstanden als „Welt- oder Erscheinungsstruktur" (vgl. dazu Patočka 2000, 116-172 bzw. 281), hinter sich zu lassen.

Ob man diesen Weg indessen deshalb, weil gerade eine Fokussierung der Gegenständlichkeit ihn für Patočka ermöglichte, als einen Weg „am Rande eines neuartigen Objektivismus" bezeichnen könnte, wie dies im Essay „Geschichte, Sinn und Sinn der Geschichte in den ‚Ketzerischen Essais' Jan Patočkas"[7] behauptet wurde, bleibt fraglich. Allerdings ist einzuräumen, dass die Textbefunde der späten dreißiger und frühen vierziger Jahre diese These eher untermauern. Das dazu seinerzeit als Beleg angeführte Zitat aus einem Text vom Anfang der siebziger Jahre überzeugt allerdings bis heute nicht, worauf an gegebener Stelle zurückzukommen ist.

Vorerst gilt es, den kurzen Blick auf das unveröffentlichte Manuskript Patočkas abzuschließen, das besonders den aisthetischen Zugang zur Gegenständlichkeit via Sinnlichkeit herausarbeitet. Mit Hilfe einiger ergänzender Zitate sei dazu noch Bemerkenswertes paraphrasiert. Wie schon zuvor in der Lichtmetaphorik scheint jetzt nämlich u. a. unter dem Stichwort „Situation" die „neuartige Sphäre", die Sphäre des „Erscheinens als eines solchen", aufzublitzen, wenn auch immer noch nicht durch die entsprechenden Termini benannt:

> „Dadurch, daß das gestimmte Leben sich zwischen den Dingen befindet, daß es *sich auf sie stimmt*, entsteht die Situation, die sich freilich von der bloß objektiven *Konstellation* wesentlich unterscheidet; während sich die Konstellation überschauen läßt, ist die Situation wesentlich undurchschaubar, nicht-objektiv [...] darin erweist sich die Situation als ein bloß abstraktes Segment einer fundamentaleren und ganzheitlicheren Auffassung vom Weg, der das Leben ist".

Die sehr plastisch-konkrete weitere Analyse der Sinnlichkeit gipfelt schließlich in einer beachtenswerten Antinomie: „Die Sinnlichkeit ist die reine Gegenwart des *Gegenstandes* und also von etwas, was uns in seinem Sein fremd ist; auf der anderen Seite ist sie die *Gegenwart* des Gegenstandes und also etwas Subjektives." Damit tritt „eine Ungeschiedenheit von Subjekt und Objekt" sogar *expressis verbis* hervor, der die „Ermöglichung des eigenen Weges" oder die „Ermöglichung des Lichts auf dem eigenen Weg" zugeschrieben wird. Zweifellos inspiriert von Bergson, auf den Patočka an dieser Textstelle auch ausdrücklich rekurriert, arbeitet Patočka so eine neue transzendentale Dimension heraus, die „über dem Gegensatz von Subjektivem und Objektivem steht [...], Identität [...] in sich selbst konzentriert [...] reine Lebendigkeit [...]". Und schließlich proklamiert Patočka explizit eine erste eigene „Fassung der transzendentalen Phänomenologie", die deutlich gegen die Husserlsche abzugrenzen sei, weil letztere sich „noch zu sehr an der bewußten zentralen Aktschicht des Lebens orientiert". So erledigten sich freilich leider „die meisten Probleme einer eigenständigen Gegenständlichkeit", denn sie sei bei Husserl ja nur der „bloße Schnittpunkt der Intentionalitäten" gewesen „das bloße Vehikel der Gemeinschaft der tranzendentalen Subjektivitäten".

---

[7] Vgl. dazu die beiden aufeinander bezogenen Artikel von Blaschek-Hahn 1999 und Rabanus 1999.

Offensichtlich ist mit dieser Stellungnahme schon wenige Jahre nach Abschluss der Habilitationsschrift mehr als Skepsis der Husserlschen Konzeption transzendentaler Intersubjektivität gegenüber ausgedrückt; dies umso mehr, als sie zu einem Problem geführt habe, das sich „in der These von der gegenseitigen harmonischen Kommunikation der transzendentalen Subjektivitäten, in der Einheit des transzendentalen ‚Wir' verbirgt", statt namhaft und eventuell lösbar gemacht zu werden. Schließlich räumt aber Patočka nach weiteren umfassenden Überlegungen zu Theorien des Parallelismus und der Wechselwirkung, die hier nicht mehr im Einzelnen betrachtet werden können, ein – womöglich nicht zuletzt, um seine Husserl-Kritik doch wieder abzumildern –, dass es bei dem Problem der Subjekt-Objekt-Dualität um nichts Geringeres gehe als um „eine echte metaphysische Antinomie, deren Lösung die letzten Prinzipien philosophischen Verstehens engagieren muß, seine Möglichkeiten und nicht weniger seine prinzipiellen Unmöglichkeiten".[8]

Sollte man diese Worte nicht auch zugunsten Patočkas und seiner eigenen, trotz aller Bemühung letztendlich auch noch nicht ganz gelungenen Lösungsversuche verstehen können?

b. Ein zweiter Text (Patočka 2004b), der in derselben Zeit verfasst worden sein soll wie der gerade vorgestellte, spricht zwar nicht vom Problem Subjektivität, aber man gewinnt hier auch von Satz zu Satz immer mehr den Eindruck, dass es wieder gerade darum geht: Was sonst sollte das bedenkenswerte Wortpaar seines Titels „Das Innere und der Geist" meinen als gerade den „ungegenständlich-dynamischen Charakter" (ebd. 31) des Bewusstseins, den traditionellen Inbegriff von Subjektivität überhaupt?

In drei Schritten bzw. Textabschnitten versucht Patočka sich in diesem Text zuerst dem Geistbegriff zu nähern, in dem sich „für die europäische Menschheit seit Jahrtausenden die Anstrengung um das Höchste, an dem ihr Leben seinem Wesen nach Teil hat", verdichte; der erste Schritt betrachtet erneut etymologisch zuerst das tschechische Wort „Geist" (*duch*) und dessen Zusammenhang mit Atem (*dech*) und Wind (*vítr*), um sogleich einschränkend zu betonen, dass weder die Wortgeschichte noch die sich daraus ergebenden verschiedensten Bezügen zu anderen Begriffen, wie etwa Seele und Leib, Materie, Ich und Helligkeit oder Bewusstsein etwas über das Wesen des Geistes aussagten. Alle erwähnten Aspekte könnten vielmehr nur ein Licht darauf werfen, wie das Wort „Geist" aufgefasst und sowohl im alltäglichen Verständnis als auch im großen Gang der Geistesgeschichte verwendet worden sei. Unversehens verknüpft sich dann die etymologische mit einer bemerkenswerten phänomenologischen Betrachtung der „inneren Anschauung", des inneren Lebens, um in paradoxer Weise den ‚Gegenstand' der Untersuchung, den Geist, der sich indessen als Inbegriff von Ungegenständlichkeit zu verstehen pflegt, allererst vor Augen zu bekommen, wohl

---

[8] Zu der folgenden Zusammenfassung des Textes „Welt und Gegenständlichkeit" vergleiche man Patočka 2004a, 9, 11, 13, 14 f. und 17.

wissend, dass gerade dieses Vor-Stellen das Wesen des Gesuchten verfehlen muss.

Der zweite Schritt oder Textabschnitt kehrt zur Etymologie zurück, nimmt seinen Anfang aber diesmal tief in der Vergangenheit der europäischen Geistesgeschichte und spannt den Bogen von der antik-griechischen, in *nous* und *pneuma* gedoppelten Geist-Auffassung, über die des Juden- und des Christentums bis hin zum neuzeitlichen Umgang mit diesem Begriff in den verschiedenen Bereichen von der Philosophie und Poesie bis zur Psychologie. Zielpunkt dieses zweiten Gedankenschrittes ist jedoch nicht die umfassende sprachgeschichtliche Bestandsaufnahme selbst, sondern wiederum der sich darin artikulierende Sinn von Geist, der im Übergang von Hegel zu Kierkegaard nun speziell aus existenzphilosophischer Perspektive gesehen und schließlich an Karl Jaspers' *Psychologie der Weltanschauungen* exemplifiziert wird. Auch terminologisch ist damit ein erster Höhepunkt der Überlegungen erreicht: Im Begriff „Geist" zeigt sich die oben schon immanent vermutete ungeschieden-dialektische Einheit von Subjektivem und Objektivem nun doch noch *expressis verbis*:

> „Der Geist ist hier einerseits im Verhältnis zum Seelischen, andererseits im Verhältnis zur Existenz bestimmt. Das Seelische ist die Sphäre des bloßen Erlebnisses, der Geist die Sphäre der Freiheit, die sich im objektivierenden Verfahren ausdrückt und unter der unendlichen Einheit der Idee steht. So ist der Geist [nur] bloß als Verstand und Wille ausgewiesen, seine Konkretion hat er [allein] durch die Idee. Er ist immer auf die Gesellschaft und auf die Geschichte bezogen und überwölbt die dunkle Spannung der Existenz, diese eigene Sphäre menschlicher Freiheit, mit neuer Objektivität: sie ist Erscheinung, Erscheinen der verwirklichten Existenz." (Ebd. 29)

Kaum ist hier noch die sich aufdrängende Analogie abzuwehren zwischen „Sphäre menschlicher Freiheit" und „phänomenaler Sphäre" – wird diese doch nach Auskunft der späten Texte aus den siebziger Jahren nicht durch Reduktion auf transzendentale Subjektivität erreicht, sondern nur durch eine davon strikt unterschiedene Epoché, die Patočka dann eben ausdrücklich einen „Akt der Freiheit" nennt. Bevor diese Hinsicht auf das Problem in Patočkas Spätphilosophie betrachtet wird, sei aber ein letzter Blick auf das zweite unveröffentlichte Manuskript erlaubt. Denn der bisher so klare Text überrascht zum Schluss in seinem ganz kurzen dritten Abschnitt: Anfangs konstatiert Patočka hier fast banal, es gebe keinen Zweifel daran, dass „der Geist zum Inneren gehört", um dann eher meditativ-apokryph fortzufahren:

> „Er zeugt jedoch davon, daß im Inbegriff des Inneren eine tiefe Grenzscheide existiert, die anfangs keineswegs selbstverständlich ist. Um diese Grenzscheide herum organisiert sich als weitverzweigtes Gespinst das Universum dessen, was als Geist bezeichnet wird. Das Innere muß seinem Wesen nach etwas anderes sein, als es unmittelbar den Eindruck hat; etwas ursprünglich so Entferntes, daß es wie eine neue fremde Substanz erscheinen muß, die gleichsam von außen in unser Seelenleben eintritt".

Und schließlich endet dieser Text mit nahezu religiöser Diktion beim „Selbstbewußtsein" als dem „Bewußtsein eines Inneren [...], das die Aufgabe ergreift [...]: das Unendliche zu entdecken, ohne sich selbst dabei aus den Augen zu verlieren. Ins Unendliche und zu sich selbst zugleich führt der Weg des Geistes, eines Wissens, das nicht tot ist, sondern der Quell ewigen Lebens" (ebd. 31). Es kann vorerst nur spekuliert werden, ob der „neuen fremden Substanz" womöglich die systematische Stelle in Patočkas Subjektivitätsverständnis zukommt, die schließlich von einer „neuartigen Subjektivität" eingenommen wird.

3. Subjektivität im Spätwerk Patočkas

Der abschließende Blick auf Texte aus den siebziger Jahren führt deshalb zur Eingangsthese zurück, die von Patočka lebenslang gesuchte „neuartige Subjektivität" sei mindestens in Grundzügen identisch mit dem „Erscheinen als solchem", habe also mit Subjektivität im traditionellen Sinne nur noch den Namen gemeinsam.

a. Zwei Texte dieser Zeit, „Der Subjektivismus der Husserlschen und die Möglichkeit einer ‚asubjektiven' Phänomenologie" sowie „Der Subjektivismus der Husserlschen und die Forderung einer asubjektiven Phänomenologie", aus denen schon eingangs die kritischen Worte Patočkas zu Husserls Descartes-Kritik zitiert wurden, zeigen die latent und implizit immer wieder vor-sichtig angedeuteten Vorbehalte gegen den „Subjektivismus der Husserlschen Phänomenologie" nun ganz direkt; diesem setzt Patočka dezidiert zuerst die „Möglichkeit", dann sogar die „Forderung einer asubjektiven Phänomenologie" entgegen. Die eben nur fast gleichen Titel der beiden Texte signalisieren so offensichtlich eine vermutlich nicht nur terminologische Radikalisierung der eigenen Position. Darin mag sich auch zunehmende Sicherheit in Bezug auf die Angemessenheit seiner Konzeption ausdrücken; denn das Attribut „asubjektiv" steht im ersten Text, der in demselben Jahr (1970) publiziert wurde wie die oben erwähnte Überarbeitung seiner Habilitationsschrift anlässlich deren tschechischer Neuauflage, noch ausdrücklich in Anführungszeichen, im nur ein Jahr später veröffentlichten Text fehlen diese bereits.[9] Im zweiten Text selbst findet sich z. B., um nur eine Textpassage repräsentativ anzuführen, eine konsequente Fortführung und Präzisierung der im Manuskript „Welt und Gegenständlichkeit" schon metaphorisch zur Erscheinung gebrachten wechselseitigen Ermöglichung von „Licht" und „Weg" – was dort „die grundlegende Welt" genannt worden war, die „nichts anderes als das Licht"[10] sei, wird hier als „Erscheinungsfeld" benannt:

---

[9] Vgl. dazu Patočka 1991, 267-285 und 286-309.
[10] Vgl. dazu nochmals Patočka 2004a, 8.

„Im Erscheinungsfeld lassen die Dinge genauso das Ichliche zum Vorschein kommen, wie das Ichliche seinerseits die Dinge erscheinen läßt, aber das Ichliche ist nicht in sich selbst und auf eine ‚absolute Weise‘ zu erfassen [...] Es gibt da nichts, was ‚objektiv‘ zu erfassen wäre, sondern einfach eine Realisierbarkeit der Forderungscharaktere, die sich im Erscheinungsfeld an das Ich wenden und das Ichliche als Realisator erscheinen lassen.“

Ersetzte man also im früheren Text die Metapher „Weg“ durch „Ichliches“ oder „Realisator“, wäre derselbe Gedanke wie im späteren Text auf den Begriff gebracht; *vice versa* lässt sich dies wohl zu Recht schon in der früheren metaphorischen Formulierung „Erscheinen als solches“ erkennen. Und sollte es noch eines Beleges bedürfen, ist das oben erst Vermutete hier bestätigt, wenn es ausdrücklich heißt, dass „statt Erfassung der noetischen Seite und des immanenten Studiums des Erlebnisses als solchen, statt einer Reduktion auf die reine Immanenz, welche die noematische Transzendenz in sich schließt [...], ein Studium des phänomenalen Feldes als der Erscheinung in ihrem Erscheinen“ zu setzen wäre (Patočka 1991, 302).

b. Als eine weitere Fundgrube für Indizien der erwähnten Art wäre außerdem das umfangreiche Textfragment „Phänomenologie als Lehre vom Erscheinen als solchem“ zu nennen, das sich mit Husserls sogenannten *Fünf Vorlesungen* aus dem Jahr 1907 beschäftigt.[11] Hier findet man ganz ähnliche Notizen wie in den beiden ‚Subjektivitäts-Aufsätzen‘; z. B. bezeichnet Patočka „das Subjektive als eine ‚Realisierung‘ der Erscheinungsstruktur“. Das „Subjektive“ wäre bedeutungsgleich mit „dem Ichlichen“ – und in beiden Fällen ist die eine der beiden schon in der Habilitationsschrift unterschiedenen „Subjektivitäten“ gemeint: die „geschaffene“ im Gegensatz zur „schöpferischen“, also diejenige, die im traditionellen Cartesianischen Sinne als „denkendes Ding“ bezeichnet zu werden pflegt. Und endlich in diesem Text macht *expressis verbis* die „neuartige Subjektivität“ als „phänomenale Sphäre“ oder „phänomenales Feld“ bzw. „Erscheinungsfeld“ von sich reden: „Will man das Erscheinungsfeld als ‚Subjektivität‘ bezeichnen, steht dem nichts im Wege, nur muß man sich aber klar sein, daß Subjektivität dann nichts anderes bedeutet als dies: die Welt erscheint, und Erscheinungscharaktere drücken sachlich das Verständnis der Dinge, ihres Seins, ihres Wesens aus.“ Wie schon zuvor angedeutet, unterscheidet Patočka ebenfalls in diesem Text aus dem Nachlass von der phänomenologischen Reduktion, die im ‚Subjektivitäs-Aufsatz‘ schon als Sackgasse in den Subjektivismus angeprangert war, strikt und endgültig die Epoché als einen Akt der Freiheit und Befreiung – nicht zuletzt von unangemessener Subjektivierung des Geschehens: Epoché ist für ihn der neuartige methodische Aus-Weg (wenn diese Tautologie der Deutlichkeit halber einmal erlaubt sei), denn „das in der ἐποχή Erreichte ist eine Subjektivität. Freilich keine bisher bekannte und erfahrene, keine Subjektivität in

---

[11] Patočka 2000, Text V: „Phänomenologie als Lehre vom Erscheinen als solchem“, 116-172.

der Welt, keine in dem Weltglauben mit einbegriffene und in ihr verstrickte, sondern eine neuartige, vom Weltglauben unabhängige, weil ihm vorhergehende und ihn tätigende, aber immerhin Subjektivität" (ebd.). Dass Patočka trotz solch vielversprechender Ansätze eine explizite Ausarbeitung dieser neuartigen Subjektivität letztendlich doch schuldig geblieben ist, sollen die nun folgenden abschließenden Bemerkungen plausibel machen.

c. Die angekündigte Bezugnahme auf das oben als Beleg für Patočkas Weg „am Rande eines neuartigen Objektivismus" kritisch angeführte Zitat aus einem weiteren Textfragment der siebziger Jahre mit der vielsagenden Überschrift „Leib, Möglichkeit, Erscheinungsfeld" kann dazu dienen, doch ist es zuerst etwas umfassender vorzustellen, als es der o. e. Aufsatz gab:

> „Warum könnte die Erscheinung nicht eine Sonderdimension des Seienden sein, eben die des Erscheinens, zugleich Grundlage für Seiendheiten besonderer Ordnung – ‚Subjektivitäten'? Es ist ein Vorurteil, daß Erscheinung *etwas* sei, was Subjekte als Träger und Grundlage braucht, vielleicht ist es umgekehrt – Subjekte nur, falls es die Erscheinungsebene gibt, welche so etwas wie ein Zu-sich-Verhalten ermöglicht, da ja Sich-zu-sich-Verhalten eine Selbsterscheinung voraussetzt."[12]

Patočka zielt hier offensichtlich ein dimensional neuartiges Verständnis einer „Subjektivität" in Anführungszeichen an, das nicht nur keinen Träger braucht, sondern innerhalb dessen so etwas wie „Träger" oder „Subjekt" im ursprünglichen Wortsinn von Zugrundeliegendem, von „Grundlage", sinnlos geworden ist, weil derartige Kategorien einer ganz anderen Ordnung oder Ontologie angehören, der „Substanzontologie" nämlich. Dass diese lange Zeit als die einzig mögliche geltende Ontologie nur eine Ausprägung, eine konkrete Gestalt ist in der Mannigfaltigkeit unterschiedlicher Ontologien zeigt deutlich die Konzeption Heinrich Rombachs,[13] der an Stelle einer die entscheidenden Unterschiede ein-

---

[12] Ebd. Text III: „Leib, Möglichkeit, Erscheinungsfeld", 99 f. Vgl. dazu das im o. a. Beitrag (Rabanus 1999) zitierte unveröffentlichte Manuskript Patočkas (1980/018 = 5E/15b, MS 4). – Ausdrücklich sei an dieser Stelle auch dem Verfasser dieses Aufsatzes dafür gedankt, dass sich im persönlichen Gespräch und in der nach-denkenden Auseinandersetzung mit seiner für uns provozierenden Lesart des Textfragments die schon lange vermuteten Analogien und Differenzen zwischen Rombach und Patočka konkretisieren konnten, die dadurch teilweise verifiziert wurden, aber auch modifiziert werden mussten.

[13] Man vgl. dazu die Konzeption des Strukturontologen Heinrich Rombach (1923-2004), die schon vor nunmehr vier Jahrzehnten erstmals unter dem Titel *Substanz, System, Struktur* (Rombach 1965/1966, ²1981) vorgestellt wurde. Diese philosophiegeschichtliche Studie in systematischer Absicht zeigt die Entwicklung des abendländischen Denkens vom mittelalterlichen Substanzialismus über den frühneuzeitlichen Funktionalismus bis hin zum zwar apokryph seit Beginn der Neuzeit sich vorbereitenden, immer deutlicher sich artikulierenden, aber dennoch auch heute noch nicht allenthalben wahrgenommenen notwendigen Umbruch in ein Denken als Strukurontologie. Diesem philosophischen Ansatz verdanken sich die vorliegenden Überlegungen in hohem Maße, denn er öffnete

ebnenden Auffassung von Wirklichkeit deren vielfache Abstufung in mannigfaltige Wirklichkeitsbereiche -regionen oder -ordnungen aufweist. Eine derart konsequente *Dimensionalität*, die sich nicht nur auf die Gegenstände, sondern gleichfalls auf die Gegenstandsbereiche, das heißt, auf mögliche Formen von Gegenständlichkeit und Seiendheit überhaupt bezieht, bringt vielgestaltige „ontologische Tableaus"[14] oder *Dimensionen* zur Erscheinung; Relationalitäts- oder *Sinn*zusammenhänge erwachsen, innerhalb deren im gegebenen Fall erst sinnvoll bisher subjektiv genannte von ebensolchen objektiven Sachverhalten unterschieden werden können. Freilich wäre es aus dieser Perspektive gut möglich, hier ebenso Anführungszeichen zu setzen, wie Patočka dies bei „Subjektivität" tat; damit wäre dann gleichfalls und ganz parallel eine „neuartige Objektivität" ausgedrückt, ohne dadurch einem „neuartigen Objektivismus" anheim zu fallen. Denn die „phänomenale Sphäre", das „phänomenale Feld", das „Feld des Sich-Zeigens" oder das „Erscheinungsfeld", was für Patočkas Spätwerk stets dasselbe unter verschiedenen Namen bezeichnet, die Struktur also, in der „die Dinge genauso das Ichliche" zum Vorschein kommen lassen, „wie das Ichliche Dinge erscheinen läßt" gemäß dem zuvor schon Zitierten, erwächst jedenfalls jenseits jeglicher Subjekt-Objekt-Dualität. Um Missverständnisse zu vermeiden und die tatsächliche Neuartigkeit von Patočka Ansatz zu unterstreichen, könnte man hier durchaus mit Rombach von einem *konkreativen* Strukturgeschehen sprechen. Dann dürfte auch besser einleuchten, dass der Terminus „asubjektiv" nicht bedeuten kann, es wäre etwas völlig unabhängig vom Subjekt oder diesem vorgängig einfach da. Vielmehr geht es eben um gleichursprüngliche Konstitution oder Genese unterschiedlicher Momente innerhalb einer einzigen lebendigen und umgreifenden phänomenalen Bewegung, die das „Ichliche", das traditionelle ‚Subjekt' ebenso umgreift wie das traditionell gefasste ‚Objektive'. Beide fungieren in diesem bewegten und bewegenden Geschehens-Zusammen-Gang als Momente im doppelten Wortsinn, und gerade deshalb verfehlt der Terminus „asubjektiv" das Neuartige, weil er notwendig dem nur dualistisch zu denkenden Sinnzusammenhang der Substanzontologie verhaftet bleibt, obwohl er vermutlich als Hinweis darauf gedacht war, dass das Movens solchen Her-Vorgangs weder personal noch transzendental zu denken ist, dass gar nichts von außen hinzutritt, nichts die strukturale Beweglichkeit initiieren oder anstoßen muss. Sie er-gibt sich vielmehr im Sinnzusammenhang strukturontologischen Verständnisses quasi von selbst, autogenetisch, aus dem Zusammenspiel der jeweiligen, sich in diesem Geschehen erst erwirkenden Kräften, die sich alle gleichzeitig miteinander und gegeneinander profilieren, in Aus-Spannung oder Entfaltung der jeweiligen *Dimension*, in ursprünglicher Aus-einander-setzung. Nur auf

---

die Augen für die verschiedensten, wenn auch oft noch unerkannten, so doch unzweifelhaft parallel konzipierten phänomenologischen Denk-Wege, zu denen auch das Denken Jan Patočkas gezählt werden soll.

[14] Vgl. dazu auch Rombach 1994, bes. Kap. IV.1: „Die Dimension als ontologisches Tableau", 87 f.

diese Weise kann alles in allem erst als es selbst, als Selbst – jenseits aller „Subjektivität" oder „Objektivität" – erscheinen, in seinem je eigenen, je konkreativ entfalteten *Sinn*.

Da Patočka indessen eine solche Konzeption wohl angezielt haben mag, es ihm aber offenbar nicht gelang, sie auch entsprechend auszuarbeiten, scheint er selbst, wie er es für Husserl konstatiert hatte, aus einer gewissen ‚Ego-Zentrik' doch nicht herausgekommen zu sein; und so bleibt es fraglich, in welchem Sinne er damit hätte weiter kommen können, wie er behauptete, nämlich „zum Sein, dessen innerer Seinszug die Jemeinigkeit" sei, das er aber darüber hinaus leider nicht näher explizierte. Darf man hierin schon strukturales Denken sehen, in dem „Jemeinigkeit" zu verstehen wäre als neue Art von Subjektivität eines Strukturganzen? Inwiefern weist es „noch weiter hinaus über die Sphäre der Ichlichkeit", wenn das *ego* „weiter nichts als der Seinscharakter eines Seienden, welches an seinem Sein interessiert ist, welches zeitlich und bewegt existiert", bedeuten soll? Es vermag nicht zu überzeugen, dass damit schon die aus „einer radikalen Analyse der phänomenalen Sphäre" zu gewinnenden Resultate vorgelegt wären, die „in die Richtung einer ursprünglichen Zeit, keines bloßen Zeiterlebens, sondern der Zeit als solcher" zeigten, und dass so „die asubjektive Phänomenologie in Dimensionen" steige, welche der subjektiven unzugänglich gewesen seien, in „Dimensionen, welche nicht absperren, sondern öffnen."[15] Obwohl Patočka hier sogar ausdrücklich von Dimensionen spricht, ist gerade an dieser Stelle zu bezweifeln, dass sein dimensionales Denken radikal genug war, wirklich ontologischer Vielfalt Spielraum zu er-öffnen.

Literatur

Blaschek-Hahn, H. (1999): „Phänomenale Sphäre und Strukturgeschehen. Jan Patočkas ‚asubjektive Phänomenologie' und Heinrich Rombachs Konzeption einer ‚Strukturgenese'", in: H. Vetter (Hg.) 1999, 223-240.

Descartes, R. (1897 ff.): *Œuvres*, publiées par Ch. Adam et P. Tannery, Paris.

Husserl, E. (1950): *Cartesianische Meditationen und Pariser Vorträge (Husserliana*, Bd. I), hg. v. St. Strasser, Den Haag.
- (1954): *Die Krisis der europäischen Wissenschaften und die transzendentale Phänomenologie (Husserliana*, Bd. VI), hg. v. W. Biemel, Den Haag

Patočka, J. (1990): *Die natürliche Welt als philosophisches Problem, Phänomenologische Schriften I*, hg. v. K. Nellen u. Jiri Němec, Stuttgart.
- (1991): Die *Bewegung der menschlichen Existenz, Phänomenologische Schriften II*, hg. v. K. Nellen, J. Němec u. I. Srubar, Stuttgart.
- (2000): *Vom Erscheinen als solchem. Texte aus dem Nachlaß (Orbis Phaenomenologicus Quellen*, Bd. 3), hg. v. H. Blaschek-Hahn u. K. Novotny, Freiburg/München.

---

[15] Vgl. dazu noch einmal Patočka 1991, 284.

- (2004a): „Welt und Gegenständlichkeit" (unveröffentlichtes Typoskript; Archiv-Signatur des tschechischen Manuskripts: 3000/179), übers. v. S. Lehmann, durchgesehen u. mit dem Original verglichen von I. Chvatik.
- (2004b): „Das Innere und der Geist" (unveröffentlichtes Typoskript; Archiv-Signatur des tschechischen Manuskripts: 3000/176), übers. v. S. Lehmann, durchgesehen u. mit dem Original verglichen von I. Chvatik.

Rabanus, Chr. (1999): „Geschichte, Sinn und Sinn der Geschichte in den *Ketzerischen Essais* Jan Patočkas", in: H. Vetter (Hg.) 1999, 207-222.

Rombach, H. (1994): *Substanz, System, Struktur*, Freiburg/München 1965/66, ²1981
- (1994): *Der Ursprung. Philosophie der Konkreativität von Mensch und Natur*, Freiburg i. Br.

Vetter (Hg.) (1999): *Siebzig Jahre* Sein und Zeit. *Wiener Tagungen zur Phänomenologie 1997 (Reihe der Österreichischen Gesellschaft für Phänomenologie*, Bd. 3), Frankfurt et al.

Zumr, J. (1991): „Mit Jan Patočka über die Philosophie und die Philosophen", in: *Perspektiven der Philosophie. Neues Jahrbuch* 17, 385-417.

Das Problem der Gegebenheit des Erscheinens
Patočkas Konzept der Phänomenalität im gegenwärtigen Kontext[1]

Karel Novotný

> „Nun muß gefragt werden: führt das *Gegebensein* des Erscheinens als solchen tatsächlich notwendig auf „Immanenz" im Sinne eines Einschlusses in oder Angewiesenheit auf ein Subjekt?"
>
> *Jan Patočka*

Das Konzept der Phänomenalität beim späten Jan Patočka kann von einem Gesichtspunkt aus dargelegt werden, der zugleich einen gemeinsamen Bezugspunkt mit anderen gegenwärtigen Phänomenalitätskonzepten bildet: die Frage nach der Gegebenheit des Erscheinens. Ich möchte in diesem Zusammenhang zunächst an die Kritik des Subjektivismus erinnern, so wie sie bei Patočka in einem durch den frühen Heidegger geprägten Kontext formuliert wurde, um dann einige Konsequenzen anzudeuten, die sich daraus für seine Phänomenalitätskonzeption ergeben. Anschließend möchte ich einem nur im Nachlass Patočkas genauer skizzierten Gedankengang nachgehen, in dem das Erscheinen als solches in seiner Autonomie als Hauptthema der Phänomenologie hervorgehoben wird; dies ist zugleich eine der Tendenzen, die vor allem die heutige Phänomenologie in Frankreich auszeichnen. Auch wenn Autoren wie Michel Henry oder Marc Richir sehr unterschiedlich bezüglich Patočka wie auch im Verhältnis zueinander vorgehen, um das Thema „Erscheinen als solches" phänomenologisch zu behandeln, versuche ich durch einen Hinweis auf ihre Ansätze Patočkas Konzept in einem Kontext zu situieren, in dem gegenwärtige Phänomenologie zur Frage der Phänomenalität Stellung nimmt. Wie kann das Erscheinen als solches und als ein Vorgang phänomenologisch erfasst werden? Inwiefern ist das Phänomen gegeben? Mit diesen Fragen setzen sich die erwähnten Autoren unterschiedlich auseinander, was ich hier zu skizzieren versuchen möchte.

---

[1] Der Aufsatz ist entstanden im Rahmen der Forschungsprojekte *Investigations of Subjectivity* (*Výzkumy subjektivity*), das durch die Grant-Agentur der Akademie der Wissenschaften der Tschechischen Republik unterstützt wurde (Projekt Nr. IAA 900090603), und *Antropologie komunikace a lidské adaptace* (FHS UK, MSM 0021620843) an der Humanwissenschaftlichen Fakultät der Karls-Universität Prag (FHS).

I.

Die Gegebenheit eines Gegenstandes in der Wahrnehmung, die zwar nur einen, dafür aber grundlegenden Typus des Bewusstseins darstellt, wird laut dem frühen Husserl durch sinnliche Empfindungen vermittelt, die selber nicht erscheinen, sondern als nicht-intentionale Bestandteile des intentionalen Bewusstseins einen Gegenstand erscheinen lassen. Dies vermögen sie als nicht-intentionale Momente des Bewusstseins jedoch nicht von sich aus, sondern nur dann, wenn sie durch Auffassungen, Apperzeptionen, die sie auf den Gegenstand beziehen, „belebt" werden. Dieses Auffassen macht das Erscheinen aus, wobei es aber als ein sich vollziehender Akt des Bewusstseins selbst nicht erscheint, sondern als Erlebnis *erlebt* wird. „*Die Empfindungen* und desgleichen die sie „auffassenden" oder „apperzipierenden" Akte werden [...] *erlebt*, aber sie *erscheinen nicht gegenständlich; sie* werden *nicht* gesehen, gehört, mit irgendeinem „Sinn" *wahrgenommen. Die Gegenstände* andererseits erscheinen, werden wahrgenommen, aber sie sind *nicht erlebt.*" (Husserl 1968, 385)

Empfindungsdaten in entsprechenden Auffassungen erwirken die jeweiligen Erscheinungen eines Gegenstandes. Was erscheint eigentlich in der Wahrnehmung eines Gegenstandes? Der Gegenstand selbst, und das ist *eine* Bedeutung des Phänomens. Die zweite und wohl wichtigste Bedeutung des Phänomens ist aber das, wodurch und worin ein Gegenstand erscheint: das intentionale Erlebnis. Die intentionalen Erlebnisse erscheinen selber nicht, sie lassen aber den Gegenstand erscheinen. Was sich eventuell am phänomenalen Gegenstand als Gegenstandseigenschaften und -charaktere zeigt, muß vom entsprechenden Erlebnis, das sich an sich selbst nicht gegenständlich-anschaulich zeigt, streng unterschieden werden. Dieser durch Patočka hervorgehobene Mangel der gegenständlichen bzw. anschaulichen Gegebenheit wird von Husserl nicht als Defizienz der Gegebenheit des Erlebens interpretiert. Im Gegenteil, es ist im Normalfall das gegenständliche Phänomen, der erscheinende Gegenstand, der bei Husserl ein Defizit an der Gegebenheit ausweist, während das Erlebnis selbstgegeben, ja in Husserls späterer Terminologie „absolut selbstgegeben" ist.

Von einem erkenntnistheoretischen Interesse geleitet, sieht Husserl, so Patočka, die „Auffassungen" und andere „subjektiv-reelle Erlebnisse deshalb als garantiert" an, weil der Blick, der diese Bewusstseinsinhalte zum Thema macht, diese „in Evidenz schlichter Gegebenheit" erfasst (Patočka 1970, 327). Dagegen wird sich das Wahrgenommene, abgesehen vom problematischen Fall einer „adäquaten Wahrnehmung", nie mit gleicher Evidenz schlicht in dem zeigen, was es ist, sondern immer nur partiell – wieder in Husserls späterer Terminologie: nur in seinen Abschattungen. Der erscheinende Gegenstand ist so auf immer weitere Erfahrungen seiner Gegebenheit in Abschattungen verwiesen, und so ist auch „dessen Bewährung nie zu Ende", während die Bewusstseinsinhalte, die als reelle Bestandteile des Bewusstseins, als Erlebnisse, ihn erscheinen lassen, in ihrem eigenen Sein vollkommen erfassbar, selbstgegeben sind. Das Erscheinen wird so in eine bewusstseinsimmanente und eine der reellen Immanenz gegenüber transzendente Komponente geteilt. Diese Verdopplung des Phänomenbegriffs möchte Patočka rückgängig machen, das, was bei Husserl als eine Korrelation des Erlebnisses als der Noesis und des Gegenständlichen als des Noematischen vorliegt, möchte Patočka auf eine Seite dieser Korrelation der Phänomenbegriffe überführen, „reduzieren". Die radikalisierte, universalisierte Epoché, die er verlangt, damit das Erscheinen nicht unkritisch in einem angeblich selbstgegebenen Erleben verankert bleibt, also eine Epoché ohne Reduktion auf die Immanenz, wird von einer anderen „Reduktion", nämlich der Auflösung der beiden Bedeutungen des Phänomens bei Husserl in das gegenständliche Phänomen, das Sichselbst-Zeigen der Dinge in und dank einer einzigen, umgreifenden phänomenalen Sphäre, begleitet. Diese Sphäre wird von Patočka *Welt* genannt. Wenn für Husserl Erscheinen *qua cogitatio* als Erlebnis selbstgegeben ist, das er aus erkenntnistheoretischen Gründen streng vom *cogitatum* als einem so oder so Gesetzten, so oder so gegenständlich Gegebenen unterscheiden will, so fordert Patočka zur Aufhebung dieser Unterscheidung insofern auf, als er behauptet: Erscheinung ist weiterhin selbstgegeben, aber nicht als innerliche, unmittelbare Selbstgegenwart des Erlebens (die er übrigens nicht bestreitet), sondern als gegenständlich selbst gegebener Bestandteil einer phänomenalen Sphäre, die in Bezug auf die innerliche Selbstgegenwart einer „Immanenz" ein „Außen" darstellt. In dieser Immanenz wird nach Patočka nichts gegeben, weil Gegebensein für ihn ein gegenständlich anschauliches Gegegebensein bedeutet, und nichts anderes.

Nun können zwei Aspekte akzentuiert und weiter betrachtet werden. Eine Motivation für die zuletzt erwähnte „Reduktion" teilt Patočka mit den Phänomenologen seiner Zeit, seiner Generation: Es muß die Subjektivierung des Erscheinens, seine Verankerung im Erleben, d. h. die Reduktion des gegenständlichen Erscheinens, der Welterscheinung auf das Bewusstsein vermieden bzw. rückgängig gemacht werden. Ein Aspekt ist die Rettung des Erscheinens vor dessen Auflösung in das Erleben als einen subjektiven Vollzug. Wenn der Ansatz, der zu einer solchen Entsubjektivierung des Erscheinens führen soll, im Rahmen einer Phänomenologie verbleiben will, wie es bei Patočka der Fall ist, muss er, so Patočka, vom Erscheinen selbst, von dem, was sich als Phänomen darbietet, ausgehen und sich im Rahmen dieses phänomenalen Sich-Darbietens, Sich-Gebens halten. Diese Maxime, das Erscheinen vom ihm selbst her zu erfassen, ist der zweite Aspekt. Wie dieser Schritt von einer Kritik der Subjektivierung des Erscheinens bei Husserl zu einem Ansatz hin, der auf eine Eruierung des Erscheinens als solchen ausgerichtet wäre, beschaffen ist, möchte ich anhand des Motivs der Gegebenheit des Erscheinens zeigen.

Ich werde zunächst von zwei Aufsätzen Patočkas ausgehen, die er der Möglichkeit und der Forderung einer „a-subjektiven" Phänomenologie gewidmet hat (Patočka 1970 und 1971). In beiden Aufsätzen fragt er der Grundentscheidung des frühen Husserl nach: Warum muß das Erlebbare vom Erscheinenden streng unterschieden werden? Der Grund dafür besteht u. a. darin, dass Husserl die „Auffassungen" als ein evident Erfassbares ausweisen muss, und zwar gegen die Kritik, der sich Patočka auf seine Weise anschließt und die behaupten würde, dass die Erlebnisse des Bewusstseins, die erscheinen lassen, nie anders als am erscheinenden Gegenstand zu fassen sind. Wenn sie als eine subjektive Grundlage des Erscheinens, die selber nicht erscheint, verselbständigt, in einer dem Bewusstsein selbst sich zuwendenden Reflexion aber in voller Evidenz selbstgegeben werden, dann kommt es laut Patočka zu einem verhängisvollen Missverständnis. Denn „die phänomenale Sphäre als ein Feld dessen, was zeigt und in diesem Zeigen zugleich sich selbst zeigt" (Patočka 1970 327), wird infolge der Sorge Husserls um die Sicherung einer evidenten Erkenntnis dieser Sphäre aufgespalten. Es kommt zur erwähnten Verdoppelung der *einen* phänomenalen Sphäre.

Das Erscheinen sei bei Husserl somit an ein Subjektives gebunden, obwohl es eben als etwas Subjektives *nicht* erscheint. Die Gegebenheit, in der etwas als es selbst gegeben wird, wird aber nach Patočka in Wirklichkeit auf das gegenständliche Erscheinen gegründet: „Der Erfassung des subjektiv Seienden, der Reflexion auf die Subjektivität wird nun dasjenige zugesprochen, was als Evidenzcharakter der Erscheinungssphäre in ihrem Zeigen und Sichzeigen eignet." (Ebd.) So die Wendung, die eine inverse Operation der Reduktion zum Ausdruck bringt und die Patočka gegen Husserl richtet: Was zeigt und dabei sich selbst zeigt, kann kein „Beleben" der Empfindungsmannigfaltigkeit durch Akte des Bewusstseins sein, da dieses „Beleben" sich eben im Sinne des von Patočka modifizierten Gegebenseins nicht zeigen kann, sondern es können nur die gegenständlichen bzw. gegenständlich gegebenen Erscheinungsweisen als Bestandteile des phänomenalen Feldes gelten, da nur diese „zeigen und dabei *sich selbst zeigen*".

Patočka bezweifelt nicht die Evidenz, in der und mit der die Erscheinungssphäre und ihre „Bestandteile", die Gegebenheits- und Erscheinungscharaktere des Erscheinenden, gegeben werden; er spricht ihnen aber den Charakter der immanenten bzw. subjektiven Gegebenheit ab, er bestreitet das Privilegium der Selbstgegebenheit, das ausschließlich dem erlebnisimmanenten Moment des Erscheinens zugeschrieben wird.

Die *erste* Befreiung der phänomenalen Sphäre bei Husserl kann als Eröffnung einer phänomenologischen Differenz des Erscheinens und des Erscheinenden gefasst werden:

> „Ich kann nicht auf das Erscheinende rekurrieren, um die Erscheinung in ihrem Erscheinen zu erklären, denn das Verständnis des Erscheinens ist bei jeder These über das erscheinende Seiende schon vorausgesetzt. Es ist also eine gesunde methodische Maxime, will man das Erscheinen als solches entdecken, in seinem Eigenwesen sichern und erforschen, alle Thesen über das Erscheinende in seinem Eigensein im breitesten Ausmaß auszuschalten, sie nicht zu benutzen, sie außer Kraft zu setzen. [...] Die Absicht geht also auf das Erscheinen als solches, auf die phänomenale Sphäre. Die Absicht wird aber mit Termini

umrissen, die aus der Sphäre des Subjektiven stammen: es wird von einer Reduktion auf reine Immanenz statt von Herausstellung des Erscheinungsfeldes als solchem gesprochen." (Patočka 1970, 328)

Die Aufgabe der *zweiten*, weitergehenden Befreiung, die Patočka von der „a-subjektiven" Phänomenologie erwartet, erfordert eine radikalisierte bzw. „universalisierte" phänomenologische Epoché, eine solche, die sich auf das Bewusstseinsfeld ausbreitet und auch die es betreffende Seinsgewissheit als These, Setzung des reflexiv als es selbst gegebenen Erlebens suspendiert. Diese radikalisierte Epoché ist jedoch mit der Reduktion auf die Immanenz im Sinne Husserls, die sie ablehnt, insofern verbunden, als sie gerade gegen diese (auf einem Cartesianismus beruhende) Prozedur gerichtet ist. Die Radikalisierung der Epoché bei Patočka und ihre Trennung von der Reduktion gewinnt ihren Sinn aus dem Gegenzug zur Reduktion Husserls. Das folgende, kursiv hervorgehobene Hauptargument scheint dabei auf eine bestimmte Deutung des Husserlschen „Prinzips aller Prinzipien" (vgl. Husserl 1976, 43) hinzuweisen:

> „Wie [...] das Erlebnis das anfängt, in sich selbst Ursprung des Erscheinens des Transzendenten zu sein, ist grundsätzlich unverständlich, *auch nicht gegeben und kann nicht gegeben werden.* Hier besteht die Gefahr, daß die Phänomenologie sich selbst, ihre Entdeckungen auf dem Gebiet der Erscheinung, der Gegebenheitsweisen, aufgibt und sich auf das Terrain der subjektiven Konstruktion begibt." (Patočka 1971, 21; hervorgehoben von K. N.)

Patočka diskutiert Husserls Prinzip aller Prinzipien explizit in einem Manuskript, das als Konzept für eine Vorlesung an der Karls-Universität Prag aus den Jahren 1969-1970 diente. Er stellt dabei nicht die Anschauung als einen legitimen Zugang zu dem, was sich darbietet, in Abrede; er bezweifelt nur die Bindung dieser Anschauung an eine Erfüllung. Gegeben ist für ihn nicht nur das zur anschaulichen *Erfüllung* Gekommene, sondern auch das implizierte aktuell Unerfüllte, Leere.[2] Somit modifiziert er das Prinzip, das er beibehalten wird. Gegebenes wird ihm das, was ich als „anschaulich gegenständlich" Gegebenes bezeichnen werde. Auf ein solches Gegebenes wird er sich in seinem Konzept einer „a-subjektiven" Phänomenologie weiterhin berufen und damit implizit auf seine Modifikation von Husserls Prinzip aller Prinzipien.

Dass Patočka den Akzent seiner Husserl-Kritik auf die Gegebenheit als Rechtsquelle der legitimen phänomenologischen Erkenntnis legt, die also keine bloße Konstruktion sein soll, bestätigt die Fortsetzung der eben zitierten Passage des Aufsatzes, von der ich nur den Schluss anführe: „Das Erscheinen, d. h. das Durchschauen der Perspektiven auf das in ihnen sich darstellende eine Ding, ist

---

[2] „Es zeigt sich, daß das Prinzip aller Prinzipien [...] eine Unterscheidung erfordert, die Husserl selber nicht durchgehalten hat: eine Unterscheidung zwischen dem Darbieten und der Gegebenheit im Sinne der Intentionserfüllung, denn etwas kann leibhaft präsent sein und sich in diesem Sinne darbieten, ohne Objekt einer Intention zu sein, und zwar aus verschiedenen Gründen [...]." (Patočka 2000, 73)

gegeben; eine ‚datenbelebende Intention' ist nicht erfaßbar, nicht aufweisbar, nicht gegeben." (Patočka 1971, 21)

Dies besitzt auch Konsequenzen für das, als was das Erscheinen selbst im Sinne Patočkas phänomenologisch erfassbar wird. Patočka kommt zum Erscheinen von einer bestimmten Seite, nämlich vom Nachweis her, dass ein Selbsterfassen des Erlebens aus dem Grunde nicht möglich ist, weil das Erleben sich selbst nicht gegeben ist,[3] und dass also auch das Erscheinen selbst nicht als Leben des Bewusstseins zu erfassen und aufzufassen ist. Ganz im Gegenteil wird in dem zuletzt zitierten Aufsatz im Gegenzug zu Husserls Reduktion der Ursprung des Erscheinens in die Dinge selbst gelegt: „Das Ursprüngliche sind die Dinge und dingliche Charaktere, die aufgrund und mit anderen nichtdinglichen, aber genauso gegenständlichen, ‚mir gegenüber' befindlichen erscheinen. Dasjenige, aufgrund wovon die Sache erscheint, ist selbst sachlich und nicht subjektiv da." (Ebd. 20)

An solchen Stellen scheint die den Autor leitende Hauptmotivation am klarsten hervorzuleuchten: Das Phänomen darf nicht in die Immanenz des Erlebens eingeschlossen werden, denn damit gelangt man phänomenologisch nie zu einer Gegebenheit der Welt selbst als eines Seins, das sich nicht auf ein Korrelat des Bewusstseins reduzieren läßt. Hier wirkt die Subjektivismus-Kritik und führt auf eine aus ihr sich ergebende Inversion der Reduktion: Wenn der Ursprung des Erscheinens nicht das Erleben sein kann, und dies aus dem Grunde nicht, weil es als Inneres, Immanentes nicht gegeben ist, dann muss man ihn „draußen" suchen. Die Stelle, die auf diese Argumentation hinausläuft, bringt solche Inversion deutlich zum Ausdruck:

> „Das ‚Subjektive' der thetischen und Gegebenheitscharaktere ist genauso ‚draußen' (mir gegenüber) wie die erscheineden Dinge selbst. Wenn es selbst nicht erschiene, könnte ja Husserl in seinen späteren Ausführungen es nicht als noematischen Charakter ansprechen. Es sind ja diese Charaktere, die das Ding als dasjenige, was es ist, zum Vorwand und Zwecke haben, sie haben das Ding sozusagen im Blick, lassen es sich nähern oder entfernen, in Klarheit oder Verschleierung da sein, sich präsentieren; hier liegen die eigentlichen Aufgaben der Phänomenologie, in der Beschreibung dieser Vorgänge, dieses Aufgehens der Dinge selbst. Wie dagegen das Erlebnis es anfängt, in sich selbst Ursprung des Erscheinens des Transzendenten zu sein, ist grundsätzlich unverständlich." (ebd. 21)

Und doch lässt sich die Frage umkehren: Wie fängt es das Ding an, in sich selbst Ursprung des Erscheinens zu sein?[4] Was ist beim Aufgehen eines Dinges gege-

---

[3] Dafür verweist Patočka auf Ernst Tugendhats Kritik an Husserl (Tugendhat 1968).

[4] Eine solche Kritik findet man bekanntlich bei Michel Henry. Vgl. z. B. folgende Stellen: „Denn wenn das Erscheinen nicht als Erscheinen erscheint, da das Ding nicht imstande ist, sich durch sich selbst ins Erscheinen zu bringen bzw. sich in die Bedingung eines Phänomens zu versetzen, so würde nichts erscheinen und es gäbe nichts." (Henry

ben? Für diese Fragestellung wenden wir uns denjenigen Manuskripten Patočkas zu, die im Zusammenhang mit seinen Aufsätzen zur „a-subjektiven" Phänomenologie und der Epoché-Reduktions-Problematik in der ersten Hälfte der siebziger Jahre entstanden sind. Im Rahmen dieser Entwürfe und Konzepte werden nämlich Überlegungen formuliert, die auf das Problem der Gegebenheit des Erscheinens näher eingehen. Diese von Patočka nicht publizierten Ausführungen verdeutlichen, zu welcher Stellungnahme er in seinem Projekt tendierte, und dies wiederum erlaubt es, seine Position im Umfeld heutiger Phänomenologie zu situieren.

II.

Für Husserl scheint Erscheinen im Erleben zu bestehen. Das Erleben ist ein Vollzug, „und von diesem Vollzug, bestimmt als das, was man als Wahr*nehmen*, E*rinnern* usw. bezeichnet, ist ungewiß, ob man es tatsächlich ‚reflexiv' im Original erfassen kann, oder ob das, was man hier ‚reflexiv' erfaßt, nicht eigentlich das Wahr*genommene*, E*rinnerte* usw. ist" (Patočka 2000, 117 f.).[5] Dies bleibt der Kern von Patočkas Kritik. Nun ist es aber das phänomenale Feld, das als eine Strukturganzheit der Gegebenheitscharaktere eine autonome Funktion des Zeigens leistet. Der Ursprung des Erscheinens wird somit im phänomenalen Feld selbst gesucht, das „zeigt und in diesem Zeigen sich selbst zeigt". Es wird in seiner Funktion der Manifestation von nichts weiterem abgeleitet. Das Erscheinen soll aus ihm selbst gedeutet werden; diese Tendenz, der Welt im Sinne des Erscheinungsfeldes eine Autonomie anzuerkennen, ist deutlich ausgedrückt.

Diese Akzentverschiebung gegenüber der erwähnten These, das Ursprüngliche im Bezug auf das Erscheinen seien die Dinge (Patočka 1971 20), kann man z. B. der folgenden Stelle zum Problem der Selbstgegebenheit entnehmen, die Patočka im zitierten Manuskript als einen kritischen Kommentar zu Husserls *Idee der Phänomenologie* verfasst hat:

> „Es gibt eine Gegebenheits- (und Nichtgegebenheits-) Struktur, die aber in sich selber *kein Seiendes* ist, und trotzdem zum Seienden als solchen auf einer gewissen Stufe und von einer bestimmten Struktur, diese mitbedingend und mitbestimmend, gehört, aber es ist eine vollständig autonome Struktur (wir werden später versuchen zu beweisen versuchen: Weltstruktur) und darin hat Husserl recht: es ist keine Seite, keine Bestimmtheit irgendeines einzelnen Seienden. [...] Wenn Husserl freilich sagt ‚vorläufig halten wir wir fest, daß eine

---

2003 67). „In sich ist das Seiende dem Erscheinen gegenüber fremd und nicht imstande sich durch sich selbst zu phänomenalisieren." (Ebd. 68). Vgl. auch Henry 2000, 73 u. a.

[5] Das umfangreichste zu diesem Thema verfasste Nachlass-Manuskript, aus dem wir zitieren, verwendet den Ausdruck „Phänomenologie als Lehre vom Erscheinen als solchem" und hebt dieses letztere als das eigentliche Thema der Phänomenologie wiederholt hervor (vgl. Patočka 2000, 116 ff.).

Sphäre von absoluter Gegebenheit sich von vornherein bezeichnen läßt',[6] sind wir wieder weitgehend eins mit ihm, denn hier wird nicht mehr von einer Sphäre des Seins (d. h. in Husserls Terminologie des Seienden) gesprochen. Aber diese absolute Gegebenheit wäre vielleicht besser bezeichnet als eine Sphäre des absoluten *Gebens*, des *Sich-Zeigens*, der *Manifestation*, und sie ist in keinem Sinne die Sphäre der seienden Dinge, die erscheinen, auch der subjektiven nicht." (Ebd. 119)

Die Rede von der Absolutheit kann hier erstens so gedeutet werden, dass das phänomenale Feld für seine Funktion des Zeigens und Sich-Zeigens nichts anderes außer ihm selbst braucht. Es gibt und gibt sich selbst *allein von sich aus*. Zweitens kann man die Stelle auch so verstehen, dass das phänomenale Feld in seinem Geben selber absolut selbstgegeben, d. h. als es selbst anschaulich gegeben ist.

Selbstgegeben ist dann in diesem zweiten Sinne sowohl das Subjekt[7] des Erscheinens als dasjenige, dem Dinge erscheinen, und das, was erscheint, das Erscheinende, sowie die Art und Weise, wie es erscheint. Alle drei Momente sind als Strukurmomente der phänomenalen Sphäre einem phänomenologischen Blick als sie selbst gegeben, d. h., sie sind selbstgegeben als Strukturmomente der phänomenalen Sphäre, die von Patočka, wie gezeigt, auch als Sphäre des absoluten Gebens bezeichnet wurde (vgl. Patočka 2000, 123, 171, 283).

Patočka errichtet sein Konzept der Phänomenologie als Lehre vom Erscheinen als solchem auf einer eigenen Interpretation dessen, was gegeben ist, was phänomenologisch als gegeben zu nehmen ist. Er geht dabei weitgehend von Husserls Prinzip aller Prinzipien aus, sofern nach diesem Prinzip das Gegebene dasjenige ist, was sich einer Anschauung darbietet. Patočkas eigener Gebrauch des Prinzips der Gegebenheit bringt z. B. die folgende Stelle zum Ausdruck:

„Nun müssen aber gewisse Husserlsche Begriffe modifiziert werden, vor allem der Begriff der originären Gegebenheit. Die Welt ist originär gegeben, aber nicht *alles* in ihr auf gleiche Weise. Die Originarität ist keine einheitliche Marke, sondern hat Abstufungen und verschiedene Qualitäten. So ist z. B. das qualitativ präsent Gegebene in einem anderen Sinne originär gegeben als dasjenige, was nicht qualitativ, leer und doch als im Zusammenhang des einen Seienden gegeben ist; die Leere *ist ein Modus der Gegebenheit* und keineswegs eine Nichtgegebenheit." (Ebd. 128)

Was originär gegeben ist, ist die Welt, und zwar sowohl die seiende Welt, die erscheint, als auch – allerdings erst nach entsprechendem Einstellungswechsel aufgrund einer phänomenologischen Epoché – die „Welt" im Sinne eines Erscheinungsfeldes, in dem und durch das Seiendes erscheint. Beides ist originär

---

[6] Husserl 1952, 32.

[7] Allerdings nur als eine Form, eine Funktion der Manifestation, ein Moment der Struktur und keineswegs als Ichlich-Individuelles, Leibliches, etwas also so und so Empfindendes und dergleichen.

gegeben, einer Anschauung dargeboten; diese braucht sich nur jeweils auf anderes richten.[8]

Hier bietet sich eine Konfrontation dieses Ansatzes mit demjenigen von Michel Henry an, auch wenn oder gerade weil Henry in seiner Phänomenalitätsauffassung eine völlig andere Richtung einschlug. Das, was für Henry zwischen der sich selbst gebenden Materialität der Empfindung und der, wie er sagt, „ekstatischen" Phänomenalität – in deren Rahmen das Empfundene als Qualität eines erscheinenden Seienden aufgefasst, intediert, gedeutet wird – den entscheidenden Unterschied ausmacht, scheint für Patočka nur zwei Stufen der Gegebenheit vom Erscheinenden im Rahmen der einen Phänomenalität der Weltform zu bilden. Henry weist zu recht darauf hin, dass ohne ein elementares empfindungsmäßiges oder, allgemeiner, affektives Erlebnis, das, in seiner Selbstoffenbarkeit unhintergehbar, nicht so wirkt, dass es von anderem gegründet wird, letztlich nichts erscheinen könnte. Henry scheint so Husserls Ansatz der Phänomenanalyse, der eine hyletische Schicht anerkennt, sie aber der noetischneomatischen Korrelationsforschung unterordnet, zu radikalisieren.[9] Er unterzieht die Husserlsche Phänomenologie einer Radikalisierung in einer genau entgegengesetzten Richtung, als dies Patočka unternimmt, der ja die beiden immanenten Schichten des Erscheinens auf das gegenständliche Phänomen überführen will. In beiden Fällen ist es allerdings fraglich, ob sie Husserls Ansatz tatsächlich radikalisieren oder ihn eher von einer ihm fremden Perspektive aus kritisch befragen.

Henry und Patočka (nach Heidegger) lehnen die intentionale Phänomenauffassung ab, sofern diese Grund und Ursprung des Erscheinens in die Intentionalität des Bewusstseins versetzt. Beide stützen sich dabei auf das Argument, dass die Intentionalität sich selbst – als Akt – nicht gegeben ist und sein kann. Patočka verwirft an manchen Stellen des hier zitierten Manuskripts die Intentionalität als eine Konstruktion, die aus einer Vermengung phänomenologischer und psychologischer Begriffe entsteht, während es sich der Sache nach bei den

---

[8] So schreibt er im ersten der zitierten Aufsätze von 1970: „Was die ‚Auffassungen' betrifft: sind sie tatsächlich als Erlebnisse da, als Weisen des Zumuteseins, und also in reflexiver Hinwendung erfaßbar, oder sind sie im Gegenteil gegenständlich und im direktem Zugehen auf Dinge präsent? Es ist doch eine *gegenständliche* Erscheinung, wenn ich bei verschiedenen Seitenanschauungen der Schachtel trotzdem denselben Gegenstand vor mir habe. Und das erblickte Rot der Schachtel, ist es tatsächlich in zweierlei, nämlich [in] den Roteindruck und in seine gegenständliche Apperzeption als Deckfarbe der Schachtel zu analysieren? Oder ist das Schachtelrot einmal ein Gegenstandsvermittler, das sich selbst zurückzieht, das andere Mal ein Gegenstand, der sich als selbständig vordrängt? Wo ist dabei etwas von einem ‚Beleben' einer Datenstruktur zu spüren? Vielleicht fundieren die beiden gegenständlichen Erscheinungsweisen einander gegenseitig, aber das tun sie ja gerade, weil sie beide gegenständlich sind." (Patočka 1970, 326 f.)
[9] Husserl 1976, 198 f.

Unterschieden der Intentionalitäten eigentlich um verschiedene „Kraftlinien"[10], „gegenseitige Hinweise"[11] im Erscheinungsfeld selbst handelt. Kein Subjekt intendiert also etwas, sondern es nimmt nur wahr, ist nur Empfänger, könnte man zugespitzt die Tendenz der Position Patočkas zusammenfassen.

Im Zuge dieser Tendenz versetzt Patočka zunächst, wie gesehen, den Ursprung des Erscheinens wenn nicht in die Dinge selbst, so in die Welt als das, was erscheint und erscheinen lässt. In dem Manuskript, auf das hier Bezug genommen wird, präzisiert er seine Auffassung vom Ursprung des Erscheinens dahingehend, dass das Erscheinen zwar in seinem „dass", nicht aber in seinem „was" an das Erscheinende gebunden ist: Das Erscheinungsfeld ist in seiner Funktion des Erscheinenlassens autonom.

Henry dagegen scheint die Intentionalität nicht als solche zu verwerfen, er trennt aber scharf eine weltliche Phänomenalitätsweise von einer usprünglichen Phänomenalität, die nicht nur diesseits der weltlichen, „ekstatischen" Phänomenalität in deren Rahmen, d. h. im gegenständlichen Erscheinen erscheint – so etwa wie die Empfindung auch bei Husserl im Erscheinen als intentionalem Erlebnis immer als dessen „Stoff" enthalten sein muß –, sondern das Sichoffenbaren des Empfindungsmäßigen muss nach Henry auch unabhängig vom intentionalem Erlebnis statthaben. Am Schluss seiner (hier nicht wiederzugebenden) Argumentation gegen die Möglichkeit, die Selbstgebung der ursprünglichen, affektiven Phänomenalität in den Rahmen des intentionalen Bewusstseins zu versetzen, sie als einen zu gestaltenden gleichgültigen bloßen „Stoff" solchen Bewusstseins umzudeuten, heißt es:

> „Wenn das ursprünglich Selbsterscheinen, von dem wir sprechen, dem Sehen der Intentionalität entzogen ist, und damit in erster Linie der phänomenologischen Methode selber als intentionaler Methode, dann läßt diese mit Hilfe der erwähnten Gegen-Reduktion nur eine Möglichkeit offen, daß nämlich dieses Selbsterscheinen durch sich selbst erscheint, durch seine eigene Phänomenalität und in dieser, ohne irgend etwas vom Sehen der Intentionalität noch von der Sichtbarkeit einer Welt in Anspruch zu nehmen. Vielmehr vollzieht sich nur außerhalb der Intentionalität, unabhängig von jedem ekstatischen Horizont der Sichtbarkeit, die konstitutive *Ur-Offenbarung* des Selbsterscheinens des Erscheinens." (Henry 2003, 74)

Wir haben es hier also mit einer Figur der Autonomie des Erscheinens zu tun, die viel stärker ist als diejenige bei Patočka; sie wird allerdings in einer Dimension des Unsichtbaren situiert, die für Patočka wegen ihrer Nicht-Gegebenheit

---

[10] „Die angeblichen Intentionen sind nichts anderes als Kraftlinien des Erscheinens am Erscheinenden. Sie formieren und ‚konstituieren' auch nichts, sondern zeigen bloß und weisen auf anderes, als es das schon Erscheinende ist. So sind sie selber Gegebenheiten, freilich keine adäquaten, sondern defiziente Sachgegebenheiten." (Patočka 2000, 124)

[11] „Denn es gibt nur Welthinweise im Erscheinenden als solchem und keine grundlegende Korrelation zwischen der ‚noetischen' und (subjektiven, in absoluter Immanenz erfaßten Erlebnisseite) und ‚noematischen' Seite." (Ebd. 165)

(vor dem Hintergrund seiner Auffassung vom „anschaulich gegenständlichen"
Gegebensein) einer Phänomenologie in seinem Sinne prinzipiell unzugänglich
wäre.

Während für Patočka jedes Phänomen ausschließlich in der anschaulich gegenständlich gegebenen phänomenalen Sphäre zu situieren ist – entweder als das
Erscheinende selbst oder als Momente, die es erscheinen lassen, die aber an ihm
gegenständlich mitgegeben sind –, weist Henry auf eine andere Bedingung der
Möglichkeit des Erscheinens hin, die ebenso nicht bloß hinzugedacht werden
darf, wie es im vor-phänomenologischen, konstruktiv verfahrenden Transzende-
talismus Kantischer Prägung der Fall wäre, sondern eine eprobte Bedingung der
Möglichkeit des Erscheinens ist. Erprobt ist sie Henry zufolge deshalb, weil es
sich um die empfundene Realität des Inhalts des Erlebens handelt, der auf keine
Form rückführbar ist und trotzdem kein bloß empirisches, lediglich vorkom-
mendes Datum ist.

Selbstgegeben und ursprünglich gegeben sind dagegen für Patočka „Dinge
in Perspektiven und Erscheinungscharakteren, in Nähe und Ferne, im Optimum
der Fülle oder schwindender Fülle bis zum Verdecktsein und Verschwinden im
Leerhorizont, der gar nicht so leer ist. Das alles ist ursprünglich gegeben und
formt eine einzige Masse der Selbstgegebenheit, welche freilich zu unterscheiden
ist von Gegebenheit in Fülle und Optimum" (Patočka 2000, 122).

Patočka erkennt also den Unterschied an, der die Selbstgegebenheit der
empfindungsmäßigen Fülle von den Formen trennt, in denen sie auftritt, doch
diese bei Henry vorliegende absolute Trennung ist für Patočka keine solche,
welche die Form ihrer Selbstgegebenheit berauben könnte. „Das Zentrum der
Selbstgegebenheit" bildet zwar laut Patočka auch „immer so etwas" wie Empfindungsmäßiges, „sinnliche Fülle", aber sein Hauptinteresse wird auf ein „Element" gerichtet, „das sich bei jeder Erfüllung erhalten würde, das Räumliche als
solches". Dies fasst er wie folgt auf:

> „Dies Räumliche ist nicht nur ein ‚immer von neuem Erfüllen' einer Leerinten-
> tion, sondern eine immer sich weiter hinziehende *homogene Gleichheit*, von
> welcher ich zwar nicht durch ‚sinnliche Füllen' weiß, aber die als solche als
> Ganzes da ist; kann man, hat es überhaupt Sinn zu sagen, daß sie nicht selbst da
> ist, sondern in irgendeiner Vertretung?" (Ebd., hervorgehoben von K. N.)

In Bezug auf unsere Leitfrage nach der Gegebenheit des Erscheinens deutet
solche Gegenüberstellung mit Henry an, dass Patočka das Problem des Selbstbezugs der Subjektivität im Erscheinen, ihre spezifische Phänomenalität, völlig
außer Acht gelassen zu haben scheint; dies ist zwar zumindest im Rahmen einer
„a-subjektiven" Phänomenologie nicht unverständlich, aber unbefriedigend,
wenn diese den Anspruch erhebt, den Ansatz zu einer phänomenologischen
„Lehre" vom Erscheinen als solchem bieten zu können. Die Tatsache, dass Patočka das Problem der spezifischen Phänomenalität der Gefühle, des Affektiven
dank seinen Studien und Überlegungen zur sogenannten „ersten", affektiv-

leiblichen „Bewegung der menschlichen Existenz" kennt,[12] ist ein weiterer Grund dafür, seinen Ansatz zur Phänomenologie als einer „Lehre vom Erscheinen als solchem" vom Anfang der siebziger Jahre als zu begrenzt einzustufen.

Es gibt für Patočka nichts, was sich selbst gegeben wäre, wie dies ein subjektiver Gemütszustand für Henry ist; für Patočka besitzt es keinen Sinn zu sagen: „Selbstgegeben" ist das, was sich selbst gegeben ist. Diese Art der Selbstgegebenheit hält er für einen cartesianischen Mythos. Gerade dies aber zeigt eine deutliche Begrenztheit der Analyse, die das Erscheinen vom Erschienenen und seinen „strukturellen Momenten" her fasst, deren Gegebenheit laut einigen Stellen bei Patočka nicht direkt schaubar, sondern auf eine Interpretation angewiesen ist. Für ursprünglich selbstgegeben muss dann solches erklärt werden, was – wie „die homogene Gleichheit" ohne emprischen Inhalt – nur durch Interpretation erschlossen, nicht aber zum Erscheinen gebracht werden kann. Diese Begrenztheit der Analyse der Erscheinung und ihrer Angewiesenheit auf Interpretation bezeugt z. B. die folgende Stelle:

> „Desgleichen fragt es sich, welchen Sinn es hat, sich z. B. eine Selbstgegebenheit zur Selbstgegebenheit zu bringen. Die Selbstgegebenheit ist kein Ding, sondern sie ist Selbstgegebenheit eines Dinges, das in ihr sich als es selbst zeigt; sie ist dasjenige, was das Ding, die Sache erscheinen läßt, nichts selbst Erscheinendes. [...] Die Selbstgegebenheit kann man analysieren, ihre strukturellen Momente herausheben, die Hinweise, welche in ihr impliziert sind, ausdrücklich vollziehen, sie also interpretieren – das ist aber etwas vollständig Anderes, als eine Sache oder einen Sachverhalt sich zur Anschaulichkeit und sogar Selbstgegebenheit zu bringen, die also aus einem Erscheinungszustand in einen anderen übergehen kann, was dieser Zustand selber freilich *nicht* kann." (Ebd. 120)

Auch wenn Patočka hier klar sagt, die Momente des Erscheinens seien (heraus-) zu interpretieren, da sie selber nichts direkt Erscheinendes sind – was allerdings weniger ein Hinweis auf ihre phänomenologische Nichtgegebenheit als eher auf die Differenz des Erscheinenden und des Wie seines Erscheinens ist –, zweifelt er andererseits nicht an der Selbstgegebenheit des so Interpretierten. Jenes das Erscheinen ermöglichende Wie des Erscheinens als Moment, als „Zustand", wie er an der zuletzt zitierten Stelle sagt, kann nicht zu einer anderen Selbstgegebenheit gebracht werden. Es ist da gegeben wie eine Strukturgegebenheit. Eine eigene Dynamik des Erscheinens selbst, ein Übergang vom Zustand einer Nichtgegebenheit zu dem einer bestimmten Gegebenheit kann mit den Mitteln von Patočkas Phänomenologie offensichtlich nicht weiter verfolgt werden, denn diese macht bei dem am Erscheinenden anschaulich Gegebenen und seinen zu interpretierenden Momenten Halt:

---

[12] Vgl. seine diesbezüglichen Texte vor allem aus den sechziger Jahren in Patočka 1991 und 1995.

„Man braucht nicht über die Selbstgegebenheit gewisser fundamentaler *Welt-zuge* zu verzweifeln bloß aus dem Grunde, daß schon das Nächste in unserer Umgebung, die Rückseiten von Gegenständen, die Raumperspektiven usw., anzeigt, daß weder Dinge noch Raumstellen noch -wege in ihrer Gänze selbst-gegeben sind; denn die sozusagen qualitative Selbstgegebenheit, Selbstgabe der Einzelheiten des einzelnen Seienden in der Fülle der Farben usw., ist nicht Selbstgegebenheit überhaupt. Daß die Rückseite dieses Tisches nicht selbstge-geben ist, bedeutet nicht, daß auch der Umstand, daß der Tisch als physischer Gegenstand eine Rückseite haben muß, nicht selbstgegeben ist. Und für die Raumauffassung gilt dasselbe [...]. Übrigens ist der Raum etwas Formelles, was gerade mit der Gegebenheitsweise eher als mit dem raumerfüllenden Sei-enden zu tun hat. Raum ist ein Erscheinungscharakter und als solcher ist er selbstverständlich intuitiv gegeben und zwar als eine Ganzheit, die sukzessive perspektivische Erfahrung ermöglicht." (Ebd. 131)

An dieser Stelle wird deutlich, worin die Struktur des Erscheinens für Patočka vornehmlich besteht und warum er seinen Ansatz konsequent einen „formalen Transzendentalismus des Erscheinens" genannt hat (ebd. 163). Die Fülle der Farben und die Form, in die alle Fülle eingehen muss, damit etwas erscheint – das ist das Schema, das bei Patočka weiter wirkt. Was über das Erscheinen ent-scheidet und was daher im Wesentlichen das Erscheinen ist, ist die Form, die Weltform der Erfahrung (ebd. 101 ff.). Am klarsten kommt vielleicht die Ak-zentverschiebung vom Erscheinen zu dessen Form im folgenden Satz zum Aus-druck: „Was man also in der Erscheinungssphäre als solcher zu analysieren hat, ist keineswegs die ‚Konstitution' z. B. eines Dinges, sondern die Erscheinungs-korrespondenz, die gegenseitigen Hinweise der Seiten des Erscheinenden nicht in subjektiv-werdender, sondern in *fertig apriorischer Gestalt*." (Ebd. 126 f., her-vorgehoben von K. N.)

Patočka scheint hier im Zug seiner Konzeption dem Umstand nicht Rech-nung zu tragen, dass eine solche homogene Gleichheit etwas Konstituiertes ist, das auf eine geschichtliche Stiftung zurückverweist und als solches keineswegs für jeden Menschen als es selbst da, selbstgegeben ist. Er trennt wie Kant die leere Form und ihren jeweils zufälligen empirischen Inhalt. Doch auch Kant erwägt in der Transzendentalen Logik, dass ein solcher apriorischer Raum eine „formale" und somit geformte Anschauung, ein Gebilde, keine reine Gegeben-heit sei. Patočka bleibt dagegen bei der Charakterisierung des Raumes als Ergeb-nis einer reinen Anschauung im Sinn der Transzendentalen Ästhetik Kants.[13] Er bringt in seinen Ansatz der Phänomenologie somit Elemente hinein, die Hus-

---

[13] „Wird unter dem Sichzeigenden das Seiende verstanden, das z. B. wie bei Kant durch empirische Anschauung zugänglich ist, dann wird der formale Phänomenbegriff rechtmäßig angewendet und es wird daraus der *vulgäre* Phänomenbegriff. Das ist nicht der *phänomenologische* Begriff von Phänomen. Der phänomenologische Phänomenbegriff im Rahmen von Kants Kritik: Raum und Zeit als *thematisierend* herausgehobene ur-sprünglich unthematische, vorgängig und mitgängig sich zeigende ‚Formen der Anschau-ung'." (Ebd. 160)

serls Konzepte nicht radikalisieren, sondern ihnen fremd sind, da sie von außen kommen (Ähnliches kann wohl auch in Bezug auf das nicht-intentionale Geben bei Henry gesagt werden).

Patočka weiß sich nicht nur Heideggers Husserl-Kritik, sondern auch seiner Analyse des formalen und eigentlich phänomenologischen Begriffs des Phänomens verpflichtet, wie dieser im Paragraphen 7 von *Sein und Zeit* entwickelt wird, und möchte sich zugleich von ihm als Phänomenologe abheben. Patočka entwirft damit eine Konzeption der Phänomenalität, die (ausgehend vom formalen Begriff des Phänomens) mit einer bestimmten Konsequenz bis zu der These führt, Welt sei eine eigenständige apriorische Struktur des Erscheinens. Doch zum Phänomen als solchem gehört auch dasjenige und macht da sein eigenartiges Wesen mit aus, was nicht in diesem Sinne weltlich ist und bei Husserl in den Tiefen des Erlebens lokalisiert, aber mit den hierfür nicht allzu passenden Mitteln einer an die cartesianische Tradition sich anlehnenden Begrifflichkeit erfasst wurde. Das Phänomen hat seine Tiefendimensionen, die nicht auf Seiten des gegenständlich Gegebenen zu überführen sind. Auch wenn diese Tiefenschichten des Phänomens nicht auf eine „Immanenz im Sinne eines Einschlusses oder Angewiesenheit auf ein Subjekt"[14] zurückgeführt werden können (solange das Subjekt metaphysisch als ein Seiendes eigener Art gedacht wäre), fordern sie nachdrücklich eine Revision der Voraussetzungen des Gegebenseins des Erscheinens, von denen Patočka selbstverständlich ausgeht. Ein Weg, der bei einer solchen Revision ansetzt, ist bei Marc Richir zu verfolgen. Das Denken von Richir, das sich ursprünglich u. a. von Merleau-Ponty inspirieren ließ, scheint dem ursprünglichen Ansatz von Husserls Analyse der Phänomenalität viel näher zu stehen als die Konzepte von Patočka und Henry: Denn es versucht eine gewisse Spaltung des Phänomens selbst in weltliche und „vorweltliche" Momente und ihr „Ineinander" zu erfassen.

III.

Die Frage nach der von Patočka beanspruchten Evidenz des Erscheinungsfeldes in seinem Zeigen und Sich-Zeigen soll hier abschließend auf einen anderen Kontext bezogen werden, als dies bei der Konfrontation mit der äußerst gegensätzlichen Position von Henry der Fall war. Eine solche Evidenz der Selbstgegebenheit wird beim späten Merleau-Ponty deutlich, zumindest für eine entsprechende Lektüre, welche die Ambiguität des Sich-Zeigens problematisiert, und eben dies scheint die Lektüre Marc Richirs gewesen zu sein (Richir 1986). Wenn Merleau-Ponty sich in seinem Spätwerk *Das Sichtbare und das Unsichtbare* gegen eine Philosophie ausspricht, welche die Koinzidenz einer Intuition mit dem Sein

---

[14] Vgl. die oben als Motto zitierte Stelle: „Nun muß gefragt werden: führt das *Gegebensein* des Erscheinens als solchem tatsächlich notwendig auf ‚Immanenz' im Sinne eines Einschlusses in oder Angewiesenheit auf ein Subjekt?" (Ebd. 164)

favorisiert, verweist er auf eine Ambiguität des Phänomens selbst, auf eine Abweichung ihm selbst gegenüber, ohne welche die Erfahrung einer Sache oder einer Vergangenheit nicht zustande käme.

Auf diese Abweichung des Phänomens möchte ich zum Schluss zu sprechen kommen. In seiner Interpretation des Spätwerks Merleau-Pontys, im Aufsatz „Vom Sinn der Phänomenologie in *Das Sichtbare und das Unsichtbare*", hebt Richir bezüglich der Kritik an der reflexiven Einstellung eine Einsicht hervor, die bei Patočka offensichtlich nicht konsequent genug bedacht wurde:

> „In der reflexiven Einstellung [...] wird das Phänomen in ein Denken des Phänomens verwandelt, das aufgrund einer unausbleiblichen Illusion mit dem Phänomen selbst zur Deckung gebracht wird. Das besagt zugleich: das phänomenologische Feld bleibt für die reflexive Einstellung nur dann offen, wenn sie sich dazu herbeiläßt, sich am Ort ihrer Gegensätzlichkeit, ihrer Zerrissenheit anzusiedeln." (Richir 1986, 92)

Wenn ich hier versuche, Patočkas Phänomenalitätskonzeption aus der kritischen Sicht von Richirs Phänomenologie zu beleuchten (Richir 1994), dann scheint die gerade zitierte Einsicht einen Einstieg in die Problematik zu erlauben. Ein Ort der Ambiguität, wenn nicht einer Zerrissenheit des Erscheinungsfeldes selbst stellt die einzelne Erscheinung, wie z. B. eine Abschattung des Wahrgenommenen, insofern dar, als sie bei Husserl gespalten wird: Zum einen ist sie ein rein sinnliches Empfindungsmaterial, zum anderen weist sie als Darstellung eines Gegenstandes durch Apperzeption in sich einen Bezug auf ein ideelles Moment, eine Wesenheit, ein Was des sich abschattenden Gegenstandes auf. Das Phänomen als Abschattung weicht vom sich abschattenden Gegenstand ab, der aber im Phänomen als er selbst mit da ist.

Der Ansatzpunkt für eine neue Art von Erfassung der Dynamik des Erscheinens als solchen ist die Abweichung des Phänomens, die Richir bei Merleau-Ponty als eine ursprüngliche Drehung, Distorsion des Phänomens interpretiert. Solche Distorsion liegt der Korrelation des Sich-Abschattenden mit einer auf es sich ausrichtenden intentionalen Auffassung noch zugrunde und zeitigt dabei eine andere Dynamik als diejenige eines Immer-weiter-Fortgehens ins Unbestimmte der Welt, das zugleich ein fortschreitendes teleologisch geregeltes Bestimmen des Unbestimmten ist. Die Teleologie der Wahrnehmung ist für Richir keine der Phänomenalität als solcher eigene ursprüngliche Dynamik, insofern jede Teleologie auf einen symbolisch gestifteten Zusammenhang verweist, der gegenüber dem Erscheinen als solchem und einer ihm eigenen Dynamik heterogen ist.[15]

Diejenige Stelle, an der Merleau-Ponty von der Abweichung des Phänomens spricht, ist die bereits erwähnte Kritik an einer Philosophie der Koinzidenz. Was wir im Phänomen vor uns haben, ist nach Merleau-Ponty „keine prinzipielle oder präsumptive Koinzidenz", auch „keine faktische Non-Koinzidenz", also ein

---

[15] Vgl. dazu z. B. Richir 1990.

purer Schein, eine Illusion, „sondern eine privative Nicht-Koinzidenz, eine Koinzidenz von ferne, eine Abweichung, und so etwas wie ein ‚guter Irrtum'" (Merleau-Ponty 1986, 165). Nach Richir unterliegt bei Merleau-Ponty „jedes Phänomen [...] einer *ursprünglichen Verdrehung* (distorsion). Diese Verdrehung bewirkt einerseits, daß es ein Phänomen nur gibt für ein *anderes* Phänomen, für ein Empfinden und Sehen, das *inkarniert* ist, d. h. wenigstens teilweise rückbezogen auf das Register des Sinnlichen oder Sichtbaren, so daß das Sehen oder das Empfinden eines Phänomens am Phänomen selbst teilhat. Die Verdrehung bewirkt andererseits, daß das Phänomen überhaupt erscheint, daß es sich notwendig phänomenalisiert als unvollendetes und als eines, das gerade in dieser Unvollendetheit die *Illusion* einer Vollendung aufkommen läßt, die unaufhörlich aufgeschoben ist gerade insofern, als seine Vollendung, die Phänomenalisierung des Nicht-Phänomenalen, des Unsichtbaren, das zu seinen Horizonten gehört, stets aufs neue zu einem selbst wieder unvollendeten Phänomen führt. Nur aufgrund dieser Verdrehung [...] hält sich das Phänomen in sich, das heißt *phänomenalisiert sich*" (Richir 1986, 95 f.).

Das Phänomen hat einerseits eine Bestimmtheit, es ist Erscheinung von etwas; als Phänomen – d. h. im Unterschied zu einem Begriff von etwas – bleibt es aber zugleich prinzipiell *unbestimmt bestimmbar*. Dies ist ein anderer Ausdruck für die Horizonthaftigkeit des Phänomens, die sich durch das Leere in ihm mit zeigt und somit den Charakter eines Scheins mit ausmacht, der mit dem Phänomen untrennbar verbunden ist. Etwas zeigen und doch vom Gezeigten abzuweichen – das geschieht im Phänomen, das macht die Phänomenalisierung mit aus.

Von dieser Auffassung des Erscheinens als solchen in einer eigenen Dynamik des Oszillierens oder Pulsierens zwischen den angedeuteten Momenten des Phänomens, die auch als Oszillieren zwischen der Erscheinung von etwas und dessen Schwinden im Schein, zwischen Wahrheit und Illusion, bezeichnet wird, bezieht sich Richir auf Patočkas Konzept und kritisiert bei ihm den Versuch, die Evidenz der Selbstgegebenheit des Erlebten, also die cartesianische Illusion der Koinzidenz, durch die Evidenz der Selbstgegebenheit des Erscheinens selbst zu ersetzen und dadurch die Evidenz der Selbstgegebenheit als das Phänomenologische *par excellence* zu retten. Das Phänomen als solches ist für Richir nicht nur nicht selbstgegeben, es ist streng genommen nicht einmal gegeben. Was gegeben ist und sein kann, ist nur ein unselbständiges Moment des Phänomens und daher kein Phänomen mehr, sondern seine Vergegenständlichung oder, in Richirs Sprache, ein symbolisch Gestiftetes, welches das Phänomen als eine Identität, Erscheinung von etwas Identischem, sein läßt. Das anschaulich gegenständlich Gegebene Patočkas ist offensichtlich von dieser Art. Vor diesem Hintergrund wird der Einwand erhoben, den Richir in seinem Aufsatz über die „Möglichkeit und Notwendigkeit einer a-subjektiven Phänomenologie" bei Patočka wie folgt formuliert:

> „Die Phänomenologie ist dazu bestimmt, in doppeltem Sinne a-subjektiv zu werden: einerseits, weil das Erscheinungsfeld nur durch eine transzendentale

Subreption auf die subjektive Sphäre reduziert werden kann, andererseits, weil – wie das bei Husserl der Fall ist, und wie mir scheint auch bei Patočka – die Evidenz des Gegebenseins phänomenologisch ist – während sie prinzipiell symbolisch ist." (Richir 1994, 72)

Mit anderen Worten, in Anknüpfung an die oben erwähnte Stelle verfällt Patočka hier einer Illusion, die das Phänomen selbst notwendigerweise bewirkt: „In der reflexiven Einstellung [...] wird das Phänomen in ein Denken des Phänomens verwandelt, das aufgrund einer unausbleiblichen Illusion mit dem Phänomen selbst zur Deckung gebracht wird." (Richir 1986, 92) Derjenigen Radikalisierung der Epoché, zu der Patočka die Phänomenologie verpflichtet, damit sie nicht wie bei Husserl eine Reduktion des Erscheinens auf die Immanenz des Bewusstseins zur Folge hat, muss eine weitere Radikalisierung folgen, damit sich die Phänomenologie nicht damit zufrieden gibt, was ihr das Phänomen als Gegebenes oder gar Selbstgegebenes anbietet. Dies führt zu einer dritten Befreiung des Phänomens, die jene weitere Radikalisierung der Epoché voraussetzt. Denn das, was so gegeben ist oder sein kann, ist nur eine, und zwar gegenständliche, am symbolischen System der Artikulation des Erscheinenden bereits teilnehmende Seite des Phänomens, die nie ohne eine andere, nicht-erscheinende Seite auftritt. Was bei Patočka fehlt, ist die zweite, nicht-erscheinende Seite des Phänomens. Um diese zu berücksichtigen, um so zum Erscheinen als solchem vorzudringen, müsste er auch das Prinzip aller Prinzipien der Husserlschen Phänomenologie – demzufolge der Phänomenologe auf Evidenzen zu bauen hat, die ihre Quelle ausschließlich im Gegebenen haben, in dem Rahmen, in dem dieses sich gibt – überschreiten, anstatt es nur zu erweitern. Dagegen verbietet die hyperbolische phänomenologische Epoché Richirs, eine Seite des Phänomens in der anderen aufgehen zu lassen, denn beide Seiten oder Pole des Pulsierens „schlagen zusammen, der eine Pol in dem anderen und der eine außerhalb des anderen" (Richir 1999, 126). Ähnlich wie bei Husserl, dessen Ansatz der genetischen Phänomenologie Richir auf diese Weise erneuern will, folgt auch bei letzterem auf diese hyperbolisch gesteigerte, zweite Radikalisierung der Epoché eine Reduktion. Es handelt sich hier um eine Reduktion des Erscheinens auf das Pulsieren des Phänomens, das nichts als das Phänomen ist, während die Reduktion bei Patočka bei der Auflösung des Erscheinens qua Erlebens in sein anschaulich gegenständliches Korrelat Halt macht. Die Evidenz des Gegebenseins hält Patočka für eine phänomenologische, während sie für Richir prinzipiell symbolisch ist.

Ähnlich wie bei Husserl konstituiert sich auch bei Richir das Phänomen durch eine vor-intentionale, nicht-gegenständliche und daher prinzipiell nicht gegebene „Komponente", die dennoch, ähnlich wie der Empfindungsinhalt bei Husserl, für eine Phänomenologie zugänglich sein soll. Husserl würde in diesem Kontext sagen: Diese Komponente erscheint nicht, sie ist aber insofern gegeben, als sie als ein reeller Bestandteil des Bewusstseins erlebt wird. Bei Richir geht es bei der vor-intentionalen „Komponente" des Erscheinens nicht um empiristische Empfindungsdata, aber auch nicht um ein Gegebenes. Trotzdem bemerkt Richir in diesem Zusammenhang, dass es sich hierbei doch um so etwas „wie eine Art phänomenologische Hylé" (ebd. 123), um elementare, noch sehr instabile Instanzen des Scheinens (*apparences*), handelt, die noch kein intentionales Bewusstsein sind, das auf einem symbolisch Gestifteten basiert. Richir spricht in anderen Zusammenhängen von einem phänomenologischen Unbewussten, das trotz dieses Status durch die gegebene, intentionale, auf einer symbolischen Stiftung gründende Komponente des Phänomens hindurch, allerdings durch einen Sprung von einem Register in ein anderes, zugänglich sein soll.

Vielleicht kann man sagen, dass auch diese Radikalisierung von Husserls Ansatz sich sein Anliegen von außen aneignet und in Anspruch nimmt. Richirs Konzept scheint jedenfalls dem Hauptanliegen der Phänomenologie zu entsprechen, das Patočka mit dem Blick auf den frühen Husserl und, zugleich die gegenwärtige Entwicklung antizipierend, mit seiner Forschungrichtung des Erscheinens als solchen ansetzte. Wenn man unter Phänomenologie diese Art von Forschung versteht, gehört Richirs Werk, das ich (wie auch dasjenige Henrys) hier nur in einem bescheidenen Umfang verfolgen konnte, zu dem Wichtigsten, was heute auf diesem Feld unternommen wird.

Zusammenfassung

Aus der Radikalisierung der Epoché, welche die subjektivierende Verdopplung des Erscheinens bei Husserl im Namen des von ihm geforderten Prinzips aller Prinzipien rückgängig zu machen versucht, ergibt sich bei Patočka zunächst das Projekt einer „asubjektiven" Phänomenologie, die sich in einem durch die Husserl-Kritik des frühen Heidegger beeinflussten Kontext bewegt und zur Entsubjektivierung des Erscheinens beitragen will. In späteren Manuskripten versucht Patočka darüber hinaus zu einem Ansatz zu gelangen, in dem das Erscheinen als solches im Zentrum der phänomenologischen Untersuchung steht. Doch gerade infolge der Kritik am Subjektivismus, die von der Evidenz des Selbstgegebenen im Sinne eines anschaulich gegenständlich Gegebenen, also von einer Modifikation des Prinzips aller Prinzipien Husserls, ausgehen will, gelangt Patočka mit diesem Ansatz zu einer Phänomenalitätsauffassung, in der das Erscheinen nur durch eine Struktur, durch ein Apriori, fassbar wird. Daraus resultiert ein „formaler Transzendentalismus", dessen zentrales Thema dann aber – entgegen Patočkas eigenem Anliegen – nicht mehr das Erscheinen selbst, *als solches*, ist, sondern dieses nur als Form, als ein Apriori oder als die „Weltform der Erfahrung", berücksichtigt. Das Erscheinen wird bei Patočka auf diese Weise nur eingeschränkt zum Thema gemacht, und eine ganze Dimension, die das Erscheinen als Erleben bei Husserl noch aufweist, wird vernachlässigt: Das Erscheinen wäre vielmehr auf vor- und nichtintentionale Elemente hin zu analysieren, so wie es auf unterschiedliche Weise in der gegenwärtigen Phänomenologie in Frankreich unternommen wurde und weiter unternommen wird.

Literatur

Heidegger, M. (1985): *Sein und Zeit*, Tübingen.

Henry, M. (2000): *Incarnation*, Paris [dt.: *Inkarnation. Eine Philosophie des Fleisches*, übers. v. R. Kühn, Freiburg/München 2002].
- (2003): „Nicht-intentionale Phänomenologie und Gegen-Reduktion", in: R. Kühn u. M. Staudigl (Hg.): *Epoché und Reduktion. Formen und Praxis der Reduktion in der Phänomenologie (Orbis Phaenomenologicus Perspektiven N.F.*, Bd. 3), Würzburg.

Husserl, E. (1952): *Idee der Phänomenologie (Husserliana*, Bd. II), Den Haag.
- (1968): *Logische Untersuchungen*, Zweiter Band, I. Teil, 5. Aufl. Tübingen.
- (1976): *Ideen zu einer Phänomenologie und phänomenologischen Philosophie*, Erstes Buch (*Husserliana*, Bd. III/1), Den Haag.

Merleau-Ponty, M. (1986): *Das Sichtbare und Unsichtbare*, übers. v. R. Giuliani u. B. Waldenfels, 1. Aufl., München.

Patočka, J. (1970): „Der Subjektivismus der Husserlschen Phänomenologie und die Möglichkeit einer ‚asubjektiven' Phänomenologie", in: *Philosophische Perspektiven*, 317-334.
- (1971): „Der Subjektivismus der Husserlschen Phänomenologie und die Forderung einer ‚asubjektiven' Phänomenologie", in: *Sborník prací filosofické fakulty Brněnské university, F 14-15*, Brno, 11-26.
- (1991): *Die Bewegung der menschlichen Existenz. Phänomenologische Schriften II*, hg. v. K. Nellen, J. Němec u. I. Srubar, Stuttgart.
- (1995): *Papiers phénoménologiques*, hg. u. übers. v. E. Abrams, Grenoble.
- (2000): *Vom Erscheinen als solchem. Texte aus dem Nachlaß (Orbis Phaenomenologicus Quellen*, Bd. 3), hg. v. H. Blaschek-Hahn u. K. Novotný, Freiburg/München.

Richir, M. (1986): „Vom Sinn der Phänomenologie im *Sichtbaren und Unsichtbaren*", in: A. Métraux u. B. Waldenfels (Hg.): *Leibhaftige Vernunft*, München, 86-110.
- (1990): *La crise du sens et la phénoménologie*, Grenoble.
- (1994): „Möglichkeit und Notwendigkeit einer asubjektiven Phänomenologie", in: M. Gatzemeier (Hg.): *Jan Patočka. Ästhetik – Phänomenologie – Pädagogik – Geschichts- und Politiktheorie*, Aachen, 68-82.
- (1999): „Sur l'inconscient phénoménologique: époché, clignotement et réduction phénoménologiques", in: *L'Art du comprendre*, Nr. 8, 116-131; dt.: „Epoché, Flimmern und Reduktion in der Phänomenologie", übers. aus d. Franz. v. Th. Bedorf, A. Kapust u. R. Bernet, in: R. Bernet u. A. Kapust (Hg.): *Die Sichtbarkeit des Unsichtbaren*, München 2009, 29-43.
- (2000): *Phénoménologie en esquisses. Nouvelles fondations*, Grenoble.

Tugendhat, E. (1966): *Der Wahrheitsbegriff bei Husserl und Heidegger*, Berlin/New York.

Dokumentation

Aus unveröffentlichten Manuskripten Heinrich Barths

Der schriftliche Nachlass Heinrich Barths wurde nach seinem Ableben im Jahre 1965 der Universitätsbibliothek Basel übergeben. Es wurde eine Dokumentation erstellt, die dem heutigen Forscher eine gute Orientierung ermöglicht. Eine ausführliche Bibliographie der veröffentlichten und unveröffentlichten Schriften Heinrich Barths findet sich in der Publikation In Erscheinung Treten. Heinrich Barths Philosophie des Ästhetischen (Basel 1990, 315-326). Sie ergänzt das 1960 von Gerhard Huber im Band Philosophie und Christliche Existenz. Festschrift für Heinrich Barth zum 70. Geburtstag (Basel, 251-261) erstellte Schriftenverzeichnis, das 1967 in den Abhandlungen zur Existenzphilosophie und neutestamentlichen Hermeneutik (Basel, 370-371) von Günther Hauff weitergeführt wurde. Die im Internet abrufbare Webseite www.heinrich.barth.ch orientiert über die weitere publizistische Entwicklung des Werks von Heinrich Barth.

Die folgenden Auszüge aus zwei Manuskripten Heinrich Barths geben Einblick in sein Ringen um nichts weniger als um einen Neuansatz der Philosophie. Es handelt sich um den „Entwurf zu einer Philosophie des wirklichen Seins" aus dem Jahr 1939 und die 1951/1952 verfasste Studie „Zum Problem der phänomenalen Gegenständlichkeit". Beide Texte wurden von Barth wegen ihrer noch unsicheren Terminologie nicht zur Veröffentlichung bestimmt, stellen aber wichtige Reflexionsstadien dar, die für seine Arbeiten zur Existenzphilosophie und Philosophie der Erscheinung die Grundlage bildeten. Der erste Text gibt die Eingangspassage des Manuskriptes von 1939 wieder, der zweite Text von 1951/1952 ist hier vollständig publiziert. Die Untertitel sollen die Themata des sich langsam entwickelnden Gedankenganges dem Leser verdeutlichen. Sie stammen nicht vom Verfasser und wurden vom Herausgeber eingefügt.

Armin Wildermuth

Heinrich Barth

Entwurf zu einer Philosophie des wirklichen Seins
(1939)

I. Die Erscheinung

‹1. Aufweis des wirklichen Seins an der Erscheinung als solcher›

Thema der hier anhebenden Untersuchung ist das *„wirkliche"* Sein. „Wirklichkeit" ist längst nicht mehr, wie für Kant, eine Kategorie, die eine in sich fraglose Modalität des Seins bezeichnen würde. Es kann nicht mehr nur darum gehen, Wirklichkeit als modale Bestimmung des Seins aufzuzeigen, die sich eindeutig von den andern Modalitätskategorien abhebt, – sie aufzuzeigen in der Voraussetzung, dass mit ihr ein problemloser Begriff festgelegt sei, so wie etwa die „100 wirklichen Thaler" in ihrer Wirklichkeit problemlos neben den „100 möglichen Thalern" liegen! Es geht aber im Folgenden natürlich nicht etwa um die gewohnte Fragestellung, nach der gefragt wird, was als „wirklich" zu bestimmen sei, und wie weit der Bereich des Wirklichen sich wohl erstrecken möchte. Vielmehr geht es um eine tiefer greifende Problematik, die bei einer radikaleren Fragestellung einsetzt. Die gewohnte Fragestellung scheint auszugehen von der Voraussetzung eines *wirklichen Seins*, das in seinem Sein Identität besitzt. Sie setzt einen so und so beschaffenen, vorfindlichen Bestand des Wirklichen voraus, der sich eindeutig abhebt von dem, was nicht wirklich ist. Einen Bestand, der grundsätzlich bestimmbar ist durch quantitative und – wenn sie das Wirkliche nicht erschöpfen sollten – durch qualitative Bestimmungen. Wie sich aus einem leeren Raume eine fest umgrenzte Gestalt scharf und eindeutig heraushebt, so würde sich das Wirkliche aus dem weiten Raume der Möglichkeiten herausheben, begrenzt durch Bestimmungen, durch die sein identisches Sein als ein so und so beschaffenes festgelegt und ausgesprochen würde. Dem „irrationalen" Charakter des Wirklichen könnte scheinbar immer noch Genüge getan werden durch die vorbehaltlose Feststellung, dass die Bestimmung des Wirklichen ihr Ziel im endlichen Prozesse des Erkennens nie erreichen könne, und dass die *„durchgehende Bestimmtheit"* des Wirklichen nur an einem *idealen Endpunkte* dieses Prozesses zu suchen sei. Eine Banalität, bei der wir uns nicht aufhalten dürfen! Eben die Vorstellung einer „durchgehenden Bestimmtheit" des Wirklichen, mag sie immerhin erst einem idealen Zielpunkt des Erkennens zugewiesen werden, bestätigt die hier noch bestehende Voraussetzung eines identischen Bestandes des Wirklichen, an den freilich nur eine „unendliche Annäherung" möglich sei. – Die gewohnte Fragestellung fragt – um mit Aristoteles zu reden – nach einem *„Dies-da"*. Sie setzt „Dies-da" als ein so und so bestimmtes wirkliches Sein voraus, dessen eindeutige Bestimmtheit zu erfahren die selbstverständliche Aufgabe der Wissenschaft sei, – eine Aufgabe, die freilich wegen ihrer Grenzenlosigkeit nie adäquat gelöst werden könne! Aber in der vorgreifenden Vorstellung vermögen wir immerhin das „Dies-da" des Wirklichen zu erreichen, indem wir es wenigstens hypothetisch mit Bestimmungen aller Art ausstatten, als das identische Sein, das einer eindeutigen Bestimmung zu harren scheint. – Im Folgenden wird ein Begriff der Wirklichkeit umschrieben, der zwar nicht zu einer Destruktion dieser fundamentalen Kategorie führt. Aber er stellt jene Voraussetzung eines durch Bestimmungen fest umschriebenen – oder zu umschreibenden – Bestandes der Wirklichkeit in Frage. Er löst jene Vorstellungsweise auf, nach der in das unendliche Reich der Möglichkeiten gleichsam das feste Gebäude der Wirklichkeit eingebaut sei, – so wie sich etwa nach Leibniz eine eindeutig umgrenzte Wirklichkeit aus den Möglichkeiten als deren erfüllte Seinsform heraushebt. – Es soll im Folgenden zunächst gezeigt werden, worin die Notwendigkeit zu einer so tief greifenden Veränderung in der Bedeutung der Wirklichkeitskategorie liegt.

‹2. Ausgangspunkt des Erkenntnisprogramms der „Rettung der Phänomene"
    von der sinnlichen und ästhetischen Erscheinung›

Dass das „wirkliche" Sein nicht ein identisch bestimmtes Sein ist, – auch nicht an einem idealen Endpunkte des Prozesses der Bestimmung! – ist an der „Erscheinung" aufzuzeigen. Denn es ist die „sinnliche Erscheinung", die der Philosophie so gut wie der Wissenschaft das Problem der Wirklichkeit stellt. (Was nicht bedeutet, dass sich in ihr dieses Problem erschöpft! Denn wir behalten uns vor, den Gegenstand der auf die Aktualisierung der Existenz gerichteten Reflexion als „wirklich" zu bezeichnen.) Mit einer Bezogenheit des Denkens über Wirklichkeit auf die sinnliche Erscheinung dürften wir eben mit der strengsten naturwissenschaftlichen Methode im Einklang stehen. Hier dürfte der gemeinsame Ausgangspunkt einer naturwissenschaftlichen und einer kritisch-philosophischen Erwägung dessen, was „wirklich" ist, liegen, – ein Ausgangspunkt, der z.B. allen physikalischen Theorien über die Bestimmtheit des wirklichen Seins (atomistische, energetische Theorien usf.) vorausliegen dürfte. (Ob nach dieser Seite hin für das, was hier ausgeführt wird, irgend welche Beziehungen des Aufweises harren, liegt vorderhand noch völlig im Dunkel.) Die „phainomena" sind für alle kritische Erkenntnisbemühung – sei sie philosophischer oder naturwissenschaftlicher Art – der zentrale Problembegriff, um den sich das Denken und Forschen aller Zeiten bewegt hat. Unsere Untersuchung soll sich in der klassischen Linie des alten Erkenntnisprogrammes einer „Rettung der Phänomene" bewegen.

Wie denn hier überhaupt nicht ein allseitig ausgebautes philosophisches System entwickelt wird, – höchstens ein bestimmter Systemgedanke! –, so soll auch „Erscheinung" nicht in der Totalität ihrer Möglichkeiten in Betracht gezogen werden. Sie soll uns vertreten sein in ihrer *visuell erkennbaren Möglichkeit*, die ja für die Frage nach dem „wirklichen" Sein die grösste Aktualität besitzen dürfte. Dass diese Fragestellung der Ausweitung bedarf, ist selbstverständlich.

„Erscheinung" (in der genannten Einschränkung) wird uns in *ästhetischer* Erkenntnis gegenwärtig. (Dieser Satz ist zum letzten Mal ausgeführt worden in der Vorlesung über das „Erkenntnisproblem", Winter 1935/6. Hier wird wenig ausgesprochen, was schon anderwärts schriftlich niedergelegt ist.) Im Sinne von Kants „Kritik der Urteilskraft" kann in der Erscheinung als ihre Grundbestimmung die Korrelation von *„Anschauung"* und *„Begriff"* aufgewiesen werden. Wobei „Anschauung" ihren ästhetischen Vollsinn bewahren soll. Das Moment des „Begriffes" ist zunächst in demjenigen der „Begrenzung" der Erscheinung vertreten, auf der ja alle Bestimmung einer Selbigkeit und Unterschiedenheit dessen, was erscheint, beruhen dürfte.

‹3. Die ästhetische Einheit als die hic et nunc erscheinende Erscheinung›

Wir gehen aus von der Erscheinung, sofern sie Gegenstand der „Anschauung" ist, indem wir abstrahierend von ihrer Begrenzung absehen. – Erscheinung ist uns anschaulich gegenwärtig; sie ist uns gegenwärtig in einer *Einheit der Anschauung*, die etwas total Anderes ist als irgendwelche Einheit, die sich aus einer so und so vollzogenen Begrenzung der Erscheinung ergeben könnte. In einer Einheit der Anschauung, die wir uns an jedem anschaulichen Werke der Kunst mit Leichtigkeit klar machen können! Es bedarf nur der – hier nicht entfalteten – Erkenntnis, dass Erscheinung als solche nicht ohne Einheit der Anschauung – wohl verstanden: ästhetischer Anschauung! – denkbar ist, und dass ohne solche *ästhetische Einheit* nur abstrahierend begrenzte Teilmomente der Erscheinung vorgestellt werden. Wir verhalten uns auch im alltäglichen Erfahren der „Erscheinung" in gewissem Masse ästhetisch, – in eben dem Masse, als wir uns – im Vollsinn des Wortes – anschauend verhalten. – Aber nun besitzt die Erscheinung *keinen einfachen* und *eindeutigen Anschauungsgehalt*. Und sie selbst besitzt keine *einfache* und *eindeutige Identität*. Man kann nicht sagen: Die „Erscheinung", in der z. B. eine („von hier" und „jetzt" gesehene) Landschaft „erscheint", „sieht so aus", in dem Sinne, dass dieses „Aussehen" die eindeutige Bestimmung eines identischen Seins sein könnte. In diesem letztern Sinne meint wohl eine naive Wirklichkeitsauffassung die Erscheinung verstehen zu dürfen: Sie legt die „Erscheinung" einer Landschaft in einem so und so bestimmten „Aussehen" fest und meint sich damit eines Ausschnittes der Wirklichkeitserkenntnis versichert zu haben. Nun lässt sich von solchem „Aussehen", als einem So und So der Erscheinung, freilich reden, – einem So und So der Erscheinung aber nur mit der strengen Restriktion, dass die *hic et nunc erscheinende Erscheinung* gemeint ist, *nicht* aber ein *objektives Etwas* von „*Phänomen*", das bereits als ein beharrendes, identisches Element des Seins verstanden würde. Was im „Aussehen" festgehalten wird, ist nicht mehr als die „mir" oder „dir" erscheinende Erscheinung, wie sie „mir" oder „dir" hic et nunc zu erscheinen scheint! Diese letztere Aussage ist wohl zu beachten! Denn indem ich in einem „Aussehen" die Erscheinung einer Landschaft festhalte, bleibt durchaus die Möglichkeit offen, dass ich in späterem Rückblick jene Erscheinung anders, vielleicht tiefer, erfahren zu haben meine, sodass schon in Beziehung auf das eine hic et nunc der Erscheinung, wie sie „mir" oder „dir" hic et nunc „erschien"' sich eine Mehrheit von Möglichkeiten des – scheinbar objektiven – „Aussehens" ergibt. Sie ergibt sich umso mehr, als eine Mehrheit von Subjekten, denen dieselbe Landschaft „erscheint", in Rücksicht gezogen wird. Dass es sich aber hier nicht um belanglose, „subjektiv bedingte" Variationen handelt (bei denen es sich ja um Altbekanntes handeln würde!), sondern dass sich an dieser Stelle ein grösserer Problemhorizont auftut, sollte alsbald sichtbar werden.

‹4. *Kritik der konventionellen Festlegung der objektiven Erscheinung und*
    der Vorrang der ästhetisch-künstlerischen Anschauung›

Wo wir von „Erscheinungen" in dem Sinne ausgehen, dass wir damit eine zwar noch unbekannte, aber doch identische, objektive Gegebenheit des Seins meinen, der wir unsere Forschung zuwenden könnten, da haben wir es in Wahrheit mit einem blossen *Mittelwert* zu tun, der sich nur als solcher, also nur *relativ* von andern möglichen Festlegungen der Erscheinung (etwa in so und so bestimmtem „Aussehen") abhebt. Dass eine Landschaft („von hier" und „jetzt") so und so „aussieht", ist – wie man kaum bestreiten dürfte – eine konventionelle Festlegung, die auf sehr relative Voraussetzungen bezogen ist. Dieses „Aussehen" gilt nur in Beziehung auf ein unbestimmtes „Wir", für die die Landschaft in ungefährer Gleichmässigkeit gerade so „aussieht", – wobei die Ausdehnung dieses „Wir" eine offene Frage bleibt. Um von der Frage ganz abzusehen, wie die Landschaft eigentlich für Menschen einer fernen Rasse (z. B. Ostasiaten) „aussehen" würde, muss hervorgehoben werden, dass dieses „Aussehen" ja nur für eine gewisse, nicht scharf abzugrenzende Mittellage menschlicher Anschauung zurecht besteht, und auch für den Einzelnen nur für eine Mittellage seiner seelischen Verfassung, die sich jederzeit „in meliorem aut in deteriorem partem" verändern kann; und dieser Veränderung wird eine veränderte Anschauung und ein verändertes Aussehen entsprechen.

Wenn aber bis dahin noch immer die Meinung bestehen könnte, dass es sich bei solchen Variationen der Anschauung und damit des „Aussehens" um Abweichungen von einer „normalen" Mitte handle, und dass nichtsdestoweniger „die Erscheinung" (als ein Modus des objektiven, identischen Seins) „so und so aussehe" (ein „Aussehen", das es nur festzustellen gelte!), dann muss an die offenkundige Minderwertigkeit der durchschnittlichen Anschauung hingewiesen werden. Sie wird ohne Weiteres offenkundig, wenn wir auf die in eminentem Sinne „ästhetische" Möglichkeit der Anschauung hinweisen, die wir bei dem *künstlerischen Betrachter* und *Gestalter* vorfinden. Worin unterscheidet er sich von dem durchschnittlichen Betrachter, als durch seine gesteigerte Anschauungskraft, von der er im Kunstwerke Kunde gibt? Wenn aber – wie festgestellt – in der Anschauung (die „ästhetisch" verstanden ist!) die adäquate Erkenntnis der Erscheinung liegt, dann muss die künstlerische Anschauung für das uns vorliegende Erkenntnisproblem ein umso grösseres Gewicht gewinnen. Die künstlerische Erfassung einer Landschaft kann nur eine umso adaequatere Erfassung ihrer „Erscheinung" sein, als ihr Anschauungsgehalt grösser ist, als sie je in jener Durchschnittsmöglichkeit vorkommen kann.

‹5. *Konfrontation der primär ästhetischen Erfassung des Wirklichen*
  mit der theoretischen und wissenschaftlichen
  Kein ideales Endergebnis der Wirklichkeits-Erkenntnis›

Aus den in diesem „Entwurfe" vorausgesetzten Feststellungen über die ästhetisch verstandene Anschaulichkeit der „Erscheinung" lässt sich unmittelbar ableiten, dass die Anschaulichkeit der künstlerischen Erfassung der Wirklichkeit, in der ja die primär ästhetische Erfassung des Wirklichen nur eben völlig manifest wird, ein Erkenntnisproblem darstellt, – ein „theoretisches" Erkenntnisproblem, das die „wissenschaftliche" Welterkenntnis auf das Tiefste berührt. Denn wenn die Letztere sich zu dem Satze bekennen wird, dass Ausgangspunkt und Grundlage aller Wirklichkeitserfassung in einer nach Möglichkeit ungebrochenen Erfassung der „Erscheinung" liegen muss, dann wird sie auch anerkennen müssen, dass solche Ungebrochenheit sich nirgends anderswo als in der ästhetischen, bezw. in der künstlerischen Anschauung aufweisen lässt. Aus diesem Sachverhalte sind nun aber für das Erkenntnisproblem die Folgerungen zu ziehen. Es darf daran ein Zweifel nicht möglich sein, dass diese Weise der Anschauung keineswegs eine theoretisch belanglose Anschauungsmöglichkeit darstellt, als die sie gemeinhin vorausgesetzt wird, – als eine Sache, die nur die „Ästhetik" etwas angeht! Als die Möglichkeit einer im *eminentesten* Sinne erfüllten „Theoria" ist sie auch im eminenten Sinne *theoretisches* Problem. Wie denn auch der Künstler den Anspruch erheben wird, das Wirkliche nicht in irgend einer „phantastischen" Veränderung seines Bestandes zu sehen, sondern als das, was es „ist". Im Hinblick darauf, dass „Erscheinung" nur in einer Anschauung adäquat erfasst wird, die in ihrem ästhetischen Vollsinn verstanden ist, müssen wir diesem latenten Anspruch des Künstlers unsere Anerkennung schenken.

Diese Berücksichtigung der „eminent ästhetischen" Anschauung des Künstlers bedeutet aber für das uns vorliegende Problem eine ausserordentliche Vertiefung. Wir haben festgestellt, dass von einem eindeutigen „Aussehen" irgend einer „Erscheinung" (wie z. B. einer Landschaft) nicht die Rede sein kann, sondern dass hier nur von Durchschnittsmöglichkeiten gesprochen werden darf. Durch den Hinweis auf die künstlerische Anschauung und ihre unbegrenzten Möglichkeiten wird diese Aussage in ein sehr helles Licht gerückt. Wie diese Möglichkeiten immer beschaffen sein werden, – sie werden die Durchschnittsmöglichkeit unserer alltäglichen Anschauung an Anschauungsgehalt in jedem Falle übertreffen. Und nun ist jene ganze Fülle künstlerischer Anschauungsmöglichkeiten in Rechnung zu ziehen, die sich in der Fülle von „Stilen" künstlerischer Gestaltung kund gibt. Ihr Unterschied wird sich allgemein dahin charakterisieren lassen, dass die verschiedensten Elemente der Anschaulichkeit (z. B. Linie und Farbe, – um nur die aller allgemeinsten zu nennen!) in den verschiedenen Möglichkeiten der Anschauung wesentlich werden, indem sie die ästhetische Zusammenschau entscheidend bestimmen. Nun sind aber die grossen geschichtlichen Möglichkeiten bildnerischer Gestaltung, so gut wie die zwischen einzelnen Künstlern bestehenden Unterschiede des Stiles nach dem, was bis dahin ausgesagt ist, aufzufassen als eine unübersehbare Zahl von Möglichkeiten der Erfassung des Wirklichen, als grenzenloser Bereich von *Möglichkeiten* des *anschaulichen Erscheinens* der *Erscheinung*. Jede Anschauungsweise, jeder Stil, jede Form der künstlerischen Sicht erhebt ihren besondern Anspruch auf *Erkenntnis* der Erscheinung. (Ein Ausdruck, der freilich hart klingen mag! Aber wir glauben voraussetzen zu dürfen, dass es keine ernsthafte Kunst geben kann, die nicht den Anspruch erheben müsste, dass sie auf ihre ganz besondere Weise „gesehen" hat. Und „sehen" kann man nur, was „ist". Keine ernsthafte Kunst, der nicht „Erscheinung" je auf ihre besondere Weise „erschienen" wäre!).

An dieser Stelle kehren wir aber erneut zu der entscheidenden Fragestellung zurück. Könnten wir im Hinblick auf die unendliche Mannigfaltigkeit der künstlerischen Wirklichkeitserfassung an der gewohnten Voraussetzung festhalten, dass dieser ganze Reichtum von Anschauungen sich – wie der Ausschlag des Pendels um *eine ideale Möglichkeit* der *Anschauung* herum bewegt, welche *„die"* *Erscheinung* in ihrem „wirklichen" Aussehen, welche somit *„die"* *Wirklichkeit* zum Gegenstande hätte? Würde das wechselseitige Verhältnis der Anschauungsmöglichkeiten durch solche Konzentrierung um eine zwar ideale, aber in ihrer Idealität absolute Möglichkeit der Anschauung adäquat bestimmt sein? Ist das Schema der *„unendlichen Annäherung"* an ein *ideales Endergebnis* der Erkenntnis geeignet, die unbegrenzte Mehrheit der Möglichkeiten ästhetischer Wirklichkeitserfassung verständlich zu machen? Der *Zweifel* an *dieser Voraussetzung* eines idealen Richtpunktes wird zum Angriffspunkte zu einer neuen Inangriffnahme des Wirklichkeitsproblems. Wie kommen wir dazu, eine bestimmte, wenn auch ideale Anschauungsmöglichkeit durch das Prädikat der Absolutheit auszuzeichnen? Wo diese Frage aber brennend wird, da bedarf es einer neuen Fragestellung, um die Wirklichkeitsfrage aufzuwerfen; das Schema der „Annäherung" bietet keine verlässige Grundlage mehr.

Heinrich Barth

Zum Problem der phänomenalen Gegenständlichkeit
(1951/1952)

(Begonnen am 16. Januar 1951)

‹*1. Erscheinung als solche und ihre Seinsbedeutung*›

Ausgangspunkt aller Untersuchung über die phänomenale Gegenständlichkeit muss die *Erscheinung* als solche sein. Was Erscheinung als solche ist, ist der *definierenden Bestimmung unzugänglich*. Eine Aussage über Erscheinung sagt in keinem Falle aus, was Erscheinung als solche „ist" – Erscheinung hat als solche die *Bedeutung*, dass sie „*ist*"; sie hat die Bedeutung des „*Seins*". Im Sinne dieser Seinsbedeutung ist alle Erscheinung auf „Seiendes" bezogen. „*Seiendes*" setzt aber im *transzendentalen* Sinne „*Sein*" voraus. Alle Aussage über Erscheinung bezieht sich auf diejenige Bezogenheit der Erscheinung auf Sein, die in ihrer Seinsbedeutung beschlossen ist. Dasjenige Seiende, auf das Erscheinung bezogen ist, wird aber ausgesprochen als „*das, was erscheint*". – Sofern das Sein als Seiendes erscheint, soll es als „*Da-Sein*" ausgesprochen werden.

Sofern Erscheinung als solche, im Absehen von „dem, was erscheint", in Betracht gezogen wird, ist sie keinem Raume eingeordnet. Es ist grundsätzlich *unmöglich*, nach einem „*Wo?*" der *Erscheinung als solcher* zu fragen. *Nicht* darf etwa ein – räumlich vorgestelltes – Gegenüber von *Ich* und *Gegenstand* vorausgesetzt werden, in deren Relation sich Erscheinung als solche irgendwie einordnen liesse. Mit einem *phänomenalen Gegenstande*, der der Erscheinung irgendwie hypostasiert würde, darf dort, wo wir von Erscheinung als solcher ausgehen, *nicht* gerechnet werden. Noch viel weniger darf dort das *Subjekt* der sinnlichen Empfindung, und seine Ausstattung mit dem ihr entsprechenden physiologischen Apparate, als Beziehungspunkt der Untersuchung in Betracht gezogen werden.

Die Erscheinung als solche ist aber auch *nicht „in der Zeit"*. Denn es ist keine zeitliche Relation vorhanden, in die die Erscheinung als solche eingeordnet werden könnte. Die Aussage zeitlicher Relation setzt Erscheinung schon voraus, sodass die Zeit als eine Beziehungsgrundlage für die Erscheinung als solche nicht in Frage kommen kann. – Wohl aber hat die *Erscheinung* als solche für die *Zeit konstituierende Bedeutung*. Im Begriffe des „*Augenblicks*" – der freilich von seinen physiologischen Anklängen freigehalten werden muss – sehen wir die die Zeit begründende Bedeutung der Erscheinung ausgesprochen. Im „Augenblick" ist die Erscheinung einer einzigen „*Gegenwart*" beschlossen. Denn es ist die Erscheinung im „Augenblick", die solche Gegenwart begründet. – Erscheinung in der Gegenwart eines Augenblicks schliesst in sich die „*Gleichzeitigkeit*" der Erscheinung. Dies bedeutet: Sofern in der Erscheinung eine Mehrheit von phänomenalen Momenten unterschieden wird, erscheinen diese Momente gleichzeitig. – „Gegenwart" wird hier nicht in der Unterscheidung von einer Vorzeitigkeit oder Nachzeitigkeit verstanden.

‹2. Phänomenale Gegenständlichkeit und Räumlichkeit›

Die Aussage von einer „phänomenalen Gegenständlichkeit", d. h. die Aussage von einem Seienden, das in der Erscheinung erscheint, setzt die *räumliche Auslegung* der Erscheinung voraus. Diese räumliche Auslegung hat für den Begriff des Gegenstandes *fundierende* Bedeutung. Wie dieses Fundierungsverhältnis zu verstehen sei, soll an dieser Stelle nicht untersucht werden. Doch darf auf eine *unmittelbare Bezogenheit* der Erscheinung auf den *Raum* hingewiesen werden; Sein, das als Seiendes erscheint, erscheint als solches räumlich, oder weist auf räumliche Beziehungen zurück.

Im Begriffe des „*Sehfeldes*" ist ausgesprochen, dass die räumliche Auslegung der Erscheinung sich in ihrer Beziehung auf eine *Ebene* vollzieht, die als solche eine *eindeutige Zuordnung* der unterschiedenen Momente der Erscheinung zueinander erlaubt. Diese Ebene des Sehfeldes ist ein räumliches Gebilde, das seinerseits einer *Lokalisation unzugänglich* ist. Diese Ebene ist in keinem Raume. Das Sehfeld kann durch keine dritte Dimension zum Raume ausgeweitet werden, sodass dann etwa von einem „diesseits" und „jenseits" des Sehfeldes die Rede sein könnte. Wohl aber wird das Sehfeld ausgelegt als die *Projektion* von *räumlichen Beziehungen* und *Sachverhalten*. Dadurch, dass das Sehfeld diese projektive Bedeutung gewinnt, wird Erscheinung zur Erscheinung von Seiendem, das als räumlich Seiendes erscheint.

Seiendes, das als räumlich Seiendes erscheint, ist was man „*gegenständliches*" *Seiendes* nennt. Es wird – in vorläufiger Weise – ausgelegt als etwas, das „*mir*" oder „*dir*" oder „*ihm*" erscheint. Dieses „*jemandem Erscheinen*" ist also seinerseits „Auslegung" der Erscheinung. Es wird aber an dieser Stelle diese Auslegung darum als „vorläufig" bezeichnet, weil sie den noch *ungesicherten* Begriff eines „*Subjektes*" in sich schliesst. „Gegenständlichkeit" setzt das *Gegenüber* in Beziehung auf ein Subjekt sinnlicher Erkenntnis voraus, auf das wir uns so wenig zurückbeziehen dürfen, wie auf einen phänomenalen Gegenstand, der der Erscheinung hypostasiert würde.

‹3. Aporien des Gegenstandsbegriffs und die Grenzenlosigkeit des Erscheinungsraumes›

Vorerst sollen im Hinblick auf den phänomenalen Gegenstand (in seiner haltbaren Bedeutung) gewisse Abklärungen vollzogen werden. Wenn wir sagen, dieser Gegenstand sei Seiendes, das als räumlich Seiendes erscheint, dann erfordert diese „*Räumlichkeit*" zunächst eine wesentliche Erläuterung. Für die *unreflektierte Auffassung* hat diese Räumlichkeit einen einfachen und eindeutig festgelegten Charakter. Ihm ist der phänomenale Gegenstand festgelegt auf das „hier" und „dort" der phänomenalen Umwelt, die für das erkennende Subjekt durch die eben phänomenal erfahrbaren Gegenstände eindeutig begrenzt ist. So findet sich ein jedes Ich-Subjekt in seiner ihm zugehörigen phänomenalen Welt, die bald engere bald weitere Horizonte haben kann. Die räumliche Erscheinung von Seiendem ist bei dieser Supposition für das Subjekt bald mehr, bald weniger räumlich begrenzt, und in der einen Blickrichtung anders als in einer andern. Sofern die Erscheinung räumlich bestimmt ist, wird sich dann diese Bestimmung auf einen bestimmten Ausschnitt des Raumes beziehen, – auf denjenigen, in dem vom Subjekte etwas sinnlich erfahren wird.

Diese der kritischen Reflexion vorausliegende Auffassung gerät im Hinblick auf den phänomenalen Gegenstand in bekannte *Schwierigkeiten*. Sie sieht sich vor die Frage gestellt, ob der phänomenale Gegenstand auf das zu reduzieren sei, was „mir" und „dir" und „ihm" erscheint, indem sich eine andere als diese subjektbezogene Weise des Erscheinens zunächst nicht dartun lässt. Daraus ergibt sich aber die Konsequenz einer durchgehenden „*subjektiven*" Bezogenheit des phänomenalen Gegenstandes, der naheliegende Bedenken erwecken muss. Das unreflektierte Bewusstsein wird es sich darum nicht nehmen lassen, *phänomenale Gegenstände* auch *jenseits* seines *phänomenalen Erfahrungsbereiches* anzunehmen, wie sich denn der Mensch solche Gegenstände, die er weder sieht noch hört noch berührt, fraglos „vorzustellen" pflegt, und dies, indem er sie sich in ihrer sinnlich-konkreten Gestalt vor Augen stellt. Darin wird er nicht gestört durch das Bedenken, dass er in dieser seiner Erfahrung unzugänglichen Gegenständlichkeit ein erscheinendes Seiendes voraussetzt, das doch eben *nicht erscheint*, und das insofern ein „Da-Sein" in dem oben bestimmten Sinne nicht besitzt. Wie kommt er dazu, Gegenständen „Dasein" oder „Wirklichkeit" zuzuschreiben, bei denen die Voraussetzung für „Dasein" und „Wirklichkeit", die Erscheinung, gerade auszufallen scheint? Diese an *Berkeley* erinnernde Problemlage lässt scheinbar einen Ausweg nur in *zwei entgegengesetzte Aporien* offen: Entweder bleibt der Gegenstand absolut auf die „perzipierenden Subjekte" bezogen; und alle „an sich" seiende Gegenständlichkeit muss in ihrem Dasein in Abrede gestellt werden. Oder es muss eine phänomenale Gegenständlichkeit angenommen werden, deren phänomenaler Charakter durch das Ausfallen der Erscheinung fraglos aufgehoben wird.

Diese berühmte gnoseologische Problematik findet dann ihre Lösung, wenn der *Raum*, in dem Seiendes erscheint, grundsätzlich als *unbegrenzt* angenommen wird. Dies bedeutet, dass die von jedermann erfahrene, sinnenfällige Begrenzung des *Sehraumes nicht* einen *absoluten* Charakter hat. Diese Begrenzung hat bei Voraussetzung des unbegrenzten Seh- oder besser: Erscheinungsraumes die Bedeutung blosser *Faktizität*: De facto erscheint „mir" und „dir" und „ihm" immer nur phänomenale Gegenständlichkeit, die räumlich in bestimmter Weise begrenzt ist. Und an dieser Schranke ist faktisch wenig zu rütteln. Das perzipierende Subjekt findet sich vor in einer phänomenalen Umwelt, die seiner phänomenalen Erfahrung bestimmte Grenzen setzt. Wo aber die *Relativität* dieser *Begrenzung* einsichtig geworden ist, da steht der Annahme nichts im Wege, dass uns auch das erscheint, was *jenseits* des Raumes unserer *aktuellen Erfahrung* liegt.

‹4. *Transparenz des apparenten Gegenstands und*
    das Problem der Individualisierung›

Die *grundsätzliche Grenzenlosigkeit* des *Erscheinungsraumes* bedeutet: Die Erscheinung darf grundsätzlich so ausgelegt werden, dass an *jeder* Stelle des Raumes „mir" oder „dir" oder „ihm" Seiendes erscheinen kann. Die unreflektierte Auffassung dagegen wird die Möglichkeit räumlich bestimmter Erscheinung auf diejenigen räumlichen Elemente (Punkte, Flächen, transparente Räume) beschränken, die dem „perzipierenden Subjekte" in aktuell erfahrbaren Erscheinungen vertreten sind. Die kritisch revidierte Auffassung der räumlichen Bezogenheit der Erscheinung kann auch so formuliert werden: Wenn in der *„Apparenz"* zunächst das Sein der Erscheinung, sofern sie in *aktueller Erfahrung* erscheint, gemeint ist, und wenn diese Erscheinung auf bestimmte räumliche Elemente bezogen ist, dann ist nunmehr „Apparenz" grundsätzlich als *„Transparenz"* zu verstehen. Der *phänomenale Gegenstand* bedeutet dann also keine Begrenzung der Apparenz. Er ist zwar nicht in einem aktuellen, aber – wie wir uns ausdrücken dürfen – in einem *„potenziellen"* Sinne, d. h. eben grundsätzlich, als transparent vorauszusetzen, – als transparent für phänomenale Gegenstände, die eine *beliebige* Stelle des Raumes einnehmen können. Denn der *ganze* Raum liegt im Bereiche wirklicher oder möglicher Erscheinung, die „mir" oder „dir" oder „ihm" erscheint.

Wie kann die grundsätzliche Transparenz des „apparenten" Gegenstandes begründet werden? – Mit dem Hinweis auf den *kontingenten* Charakter einer jeden *aktuellen Apparenz* des phänomenalen Gegenstandes! Diese aktuelle Apparenz ist offenkundig Erscheinung, die *„nun einmal"* so und nicht anders erscheint, indem sie so und nicht anders aktuell apparent wird. Die weitere wissenschaftliche Auslegung dieser Erscheinung durch Erfahrung und Denken lehrt eindeutig, dass eben diese Aktualität der Apparenz an bestimmte *Voraussetzungen* gebunden ist, – Voraussetzungen des „Aktes der Perzeption" (wie hier vorläufig gesagt werden darf), deren geringste Verschiebung sofort eine Verschiebung der Aktualität der Apparenz und eine Veränderung der (grundsätzlich überall bestehenden) Transparenz nach sich zieht. – Die *„absolute"* Apparenz des phänomenalen Gegenstandes (d. h. z. B. seine absolute Undurchsichtigkeit) wäre das viel grössere *Paradoxon* als seine grundsätzliche Transparenz; sie ist es, die „bewiesen" werden müsste. Wenn aber der eben aktuellen Apparenz aus naheliegenden Gründen nur ein kontingenter, und damit *relativer* Charakter zugeschrieben werden darf, dann ist nicht einzusehen, wieso irgendeiner, etwa auf künstlichen Voraussetzungen beruhenden aktuellen Apparenz (optische Instrumente u. dgl.) der Charakter der Letztgiltigkeit und Absolutheit zukommen könnte.

Aus diesen Überlegungen ist zu entnehmen, dass der *„Erscheinungsraum"* für ein jedes „perzipierende Subjekt" als *grundsätzlich unbegrenzt* angenommen werden darf. Es gibt somit keine „ausser meinem Gesichtskreis liegenden" Gegenstände, die ich als „phänomenale Gegenstände" anerkennen müsste, obwohl sie weder „mir" noch „irgend jemandem" erscheinen. – Diese Auffassung bedeutet ohne Zweifel, dass der *Vielzahl* der *„perzipierenden Subjekte" ein und derselbe Erscheinungsraum* als Bereich phänomenaler Erfahrung zugewiesen wird. Wodurch zunächst die Frage ihrer *Individualisierung* akut zu werden scheint! Denn indem dem einzelnen Subjekte nicht mehr ein „Ausschnitt" phänomenaler Gegenständlichkeit zugewiesen wird, sondern das Ganze phänomenalen Seins, scheinen die phänomenalen Erfahrungen eben dieser Subjekte koinzident zu werden. – Das Korrektiv für solche Nivellierung der individuellen Erkenntnis liegt aber auf der Hand. Es braucht an dieser Stelle noch nicht vollständig ausgesprochen zu werden. Wir bleiben stehen bei dem Hinweis, dass sich die einzelnen Subjekte schon in dem einen Momente, das zur Sprache gekommen ist, in der *Aktualität* dessen, was ihnen *apparent* ist, in durchgreifender Weise, und so, dass sie schlechthin unvertauschbar werden, *unterscheiden.* Was „mir" in aktueller Apparenz gegenwärtig ist, das ist „dir" oder „ihm" (ganz oder teilweise) nur in grundsätzlicher oder potenzieller Apparenz Gegenstand phänomenaler Erfahrung; und umgekehrt. Auf dem Unterschiede der Aktualität und Potenzialität der Erscheinung, wie er sich für den Einen und für den Andern ergibt, beruht der manifeste Unterschied der Welterfahrungen, wie sie sich in den verschiedenen Individuen vollziehen. – Es liegt am Tage, dass wir uns mit dem Gesagten den Prinzipien *Leibnizens* angenähert haben.

‹5. Das Da-Sein des Gegenstands›

Es stellt sich nun aber die Aufgabe, im Hinblick auf das Grundproblem der *phänomenalen Gegenständlichkeit* zu einer Abklärung zu gelangen. Was wir hier als „Grundproblem" bezeichnen, trat schon dort in Sicht, wo wir – wie in den ersten Zeilen dieser Untersuchung – von *„Seiendem"*, im Unterschiede von „Sein", gesprochen haben. „Seiendes" bedeutet in diesem Zusammenhange nicht eidetisches Sein irgend welcher Ordnung, sondern was *in phänomenaler Bezogenheit* „ist", somit nichts Anderes, als was wir als *„phänomenale Wirklichkeit"* bezeichnen können. Sofern wir das *„objektive"* Sein dieser Wirklichkeit betonen, begreifen wir sie als *„Gegenstand"*, indem wir damit dasjenige *„Etwas"* zur Sprache bringen, das wir als „Vorwurf" oder *„Objekt"* der Wissenschaft – auch der „exakten" Wissenschaft – namhaft machen, sofern sich diese Wissenschaft auf phänomenales Sein bezieht.

So soll also der phänomenal bezogene „Gegenstand", den wir vorläufig als etwas „Seiendes" in Sicht gebracht haben, in den Mittelpunkt einer neuen Untersuchung treten. Das Problem dieses „Gegenstandes" könnten wir in folgender Weise umschreiben: Wenn der Gegenstand *etwas Seiendes* bedeutet, dann ist damit weder „Sein" als solches gemeint, noch „das, was ist", sondern *etwas, das ist*", worunter nur eine *Besonderung* von „*dem, was ist*", verstanden sein kann. Diese Besonderung, die in jedem „Gegenstande" beschlossen ist, kommt das zu, was wir als „*Da-Sein*" auszusprechen pflegen. Es geht also um das „Dasein" des Gegenstandes.

Nun stellt sich die Frage: Wie kommt es zu dieser Besonderung des „Daseins" eines „Gegenstandes"? Oder: Worauf beruht die Voraussetzung eines „Etwas" der phänomenalen Wirklichkeit, wie sie in der geläufigen Vorstellung des „realen" physikalischen Gegenstandes beschlossen sein dürfte? Dieser physikalische Gegenstand darf ja nicht mit Bestimmungen, die dem phänomenalen Bereiche entnommen sind, also mit „sekundären Qualitäten", ausgestattet werden. Dem mathematisch-rational verstandenen Gegenstandsbegriffe muss so viel zugestanden werden, dass die Wissenschaft eine *Koordination* von *mathematisch-eidetischen* und *phänomenalen Bestimmungen*, d. h. eine solche von „primären" und „sekundären Qualitäten" *nicht erlaubt*. Dem Wege des naturphilosophischen Rationalismus, der den Gegenstand aller phänomenalen Bestimmungen entkleidet, müssen wir soweit folgen, dass wir darauf verzichten, mathematisch-eidetische und phänomenale Bestimmtheit in die eine Ebene der Gegenständlichkeit hineinzulegen. Denn schon die Disparatheit der beiden Weisen der Bestimmung würde ein solches Zusammendenken von Eidos und Phänomenalität nicht erlauben. Dies würde ein Zurückkommen auf den aristotelischen Gegenstandsbegriff bedeuten, das wir uns nicht gestatten können.

Die folgerichtige *Mathematisierung* und *Rationalisierung* des physikalischen Gegenstandes führt nun aber – wie die Naturphilosophie von Descartes zeigt – zu einer *Reduktion* dieses „Seienden" auf *rein mathematische Beziehungen* und *Verhältnisse*, die nicht mehr erkennen lässt, wie sich die Besonderung eines „*Etwas*" von dem *Nichts*, aus dem es ausgesondert wird, als ein „Seiendes" vom „Nicht-Seienden", unterscheiden lässt. Ein Problem, das sich in exemplarischer Weise ja schon an den „Atomen" und dem „leeren Raum" des Demokrit aufzeigen lässt! Es bedarf hier keiner weitern Ausführung, dass die konsequente Mathematisierung des Gegenstandes zu seiner *Annihilierung* als Gegenstand führt. Dass im Zeichen einer streng rationalen Wissenschaft die Phänomenalität dem Objekte abgesprochen und auf die Seite des Subjektes verlegt wird, muss damit erkauft werden, dass der Gegenstand in der Besonderung eines „Etwas" unfassbar wird und am Ende überhaupt in Ausfall zu geraten scheint. Denn wie sollte sich aus rein mathematischen Relationen, die der sinnlichen Beziehungspunkte entbehren, ein daseiendes Etwas aufbauen lassen?

‹6. Weitere Abklärung der Zwiespältigkeit des Gegenstandsbegriffs›

Wir nehmen wahr, dass im Begriffe des „Gegenstandes" eine eigenartige Zwiespältigkeit sichtbar wird. Er scheint zunächst in strenger Eindeutigkeit „Seiendes" zum Ausdruck zu bringen, das gerade als „Entgegenstehendes" gegen das Subjekt und gegen alle subjektive Bezogenheit bedeutungsmässig abgegrenzt wird. Und doch liegt im Gegenstande die Besonderung eines „Etwas", von der nicht so leicht eingesehen werden kann, inwiefern sie „ist", wenigstens sofern sie konsequent aller phänomenalen Bestimmung und Bezogenheit entkleidet wird. Wir meinen zu sehen, dass der „Gegenstand", gerade auch in seiner „Gegenstellung" auf einer *latenten Inanspruchnahme* der *Phänomenalität* beruht. Sie ist es, die der Abklärung bedarf.

Diese Abklärung versuchen wir in folgender Weise zu vollziehen: Als unüberholbare Grundrelation unserer Problematik der Gegenständlichkeit meinen wir zu erkennen die *Beziehung* von „*Erscheinung*" und „*was erscheint*". „Was erscheint" ist aber *nicht* als ein *hypostatisches Sein* zu verstehen, das irgendwie „hinter" der Erscheinung läge, sondern als die „*Logos*-Bedeutung" der Erscheinung, derzufolge sie in der Bezogenheit auf Logos, oder in logisch-eidetischer Bestimmung, erscheint. „*Was*" erscheint, kann nur dasjenige logisch-eidetische Sein bedeuten, das, als ein *Unsichtbares* am *Sichtbaren*, an der Erscheinung als ihre logisch-eidetische *Bestimmung* erkennbar wird.

Wenn wir uns fragen, was es ist, das in der je besondern Erscheinung erscheint, und dies in jeder Erscheinung, – was es ist, das in der Erscheinung als solcher erscheint –, dann gelangen wir zu folgender Antwort: In der Erscheinung als solcher erscheint *nicht „Etwas Seiendes*", sondern „*Sein*". Es gibt eine Was-Bedeutung von Erscheinung, die allen eidetischen Bestimmungen im Sinne eines *transzendentalen Vorausgehens* vorausliegt. Diese Bedeutung besteht darin, dass Erscheinung „*ist*". Im Hinblick auf die Sinn- oder Logos-Bedeutung der Erscheinung erkennen wir, dass alle nur denkbare Bestimmung der „Phänomene" dieses „*ist*" zur *Voraussetzung* hat, als ein „prius", das aller wissenschaftlichen Auslegung der Erscheinung unausweichlich zugrundeliegt. Solche *Bezogenheit* der *Erscheinung* auf *Sein* darf als *Grundbeziehung* nicht übersehen und verkannt werden.

Erscheinung hat die Bedeutung des „Seins". Wir sagen von der Erscheinung in kritisch unanfechtbarer Weise aus, dass sie „ist". Anfechtbar wäre aber die Aussage, dass sie „*etwas ist*". Die Gegenüberstellung dieser beiden Aussagen ist geeignet, das Problem des „Gegenstandes" und der „Gegenständlichkeit" scharf zu beleuchten. Das „*Etwas-Sein*" ist *keine mögliche Was-Bedeutung* der Erscheinung. Wo versucht wird, die Erscheinung als „Etwas-Sein" auszulegen, gleiten wir unwillkürlich ab in eine *Hypostasierung*, in der wir der Erscheinung „*Etwas*" zugrundelegen. Solche Hypostasierung führt aber unvermeidlich in die angedeuteten Aporien des Gegenstandsbegriffs. Die reine Seinsaussage dagegen gibt zu solcher Hypostasierung keinen Anlass. – So gelangen wir zu dem zunächst negativen Ergebnis: Der Begriff des „*Gegenstandes*" ist kritisch *anfechtbar* und *unhaltbar*, sofern er darauf beruht, dass die Erscheinung durch ein „*Etwas-Sein*" ihre Auslegung findet.

‹*7. Der Gegenstand als Sein in der Besonderung seiner Erscheinung und*
   die Frage der Subjektivität
   Differenz von Erscheinung und Erscheinen›

Was stellen wir diesem unhaltbaren Gegenstandsbegriffe gegenüber? – Unter „*Gegenständlichkeit*" verstehen wir „*Sein*", *sofern es erscheint.* Und unter „*Gegenstand*" verstehen wir „*Sein*", sofern es in einer Besonderung der Erscheinung erscheint. – Nach dem „Gegenstande" ist in unserer Fragestellung gefragt, also nach jener Besonderung der Gegenständlichkeit, mit der es die Wissenschaft zu tun hat, wenn sie „dies" oder „jenes" zu erforschen unternimmt. Worauf beruht diese Besonderung? Offenbar ausschliesslich auf einer *Besonderung der Erscheinung*, die sich aus der Gesamtheit der Erscheinungen heraushebt, nicht aber auf der Besonderung eines zugrunde liegenden „Seienden", in der nun der besondere Gegenstand vertreten wäre.

Im Hinblick auf den Begriff des „Gegenstandes" ist ein *Umdenken* von grösserem Ausmasse nicht zu umgehen. Die Vorstellung von einem „*Objekte*", von einem „Gegenstande", von einer „Realität", die dem Subjekte im „*sachlichen*" Sein einer „*natura rerum*" gegenüberliegt, muss *fallen gelassen* werden. Die Bestreitung eines solchen „Realismus" bedeutet nun aber keineswegs, dass wir uns auf die Erscheinung als solche zurückziehen, im Sinne eines Phänomenalismus, der auf Erkenntnis verzichten müsste. Und noch weiter sind wir davon entfernt, dem Realismus einen subjektivistischen Idealismus gegenüberzustellen. Denn wir verzichten nicht darauf, Erscheinung auf ihre *Was-Bedeutung*, d. h. aber auf ihren *Logos*, auszulegen. Diese Auslegung lässt uns die Erscheinung in ihrer transzendentalen Bedeutung des „*Seins*" erkennen. Die Auslegung der Erscheinung auf „Sein" ist es aber, die dem berechtigten Anliegen des *Realismus* gerecht wird. Der Realismus ist darin im *Unrechte*₁ dass er an der „*res*" orientiert ist. Hinter diesem Sich-Klammern an die „Sache" ist aber das tiefere Anliegen verborgen, dass er die *Seinsbezogenheit* der Erscheinung nicht verdunkelt sehen will. Sofern es dem Realismus um ein Festhalten am „Sein" geht, findet er von unsern Voraussetzungen aus seine volle Bestätigung. Etwas Anderes ist aber seine Behauptung des „seienden Gegenstandes".

Wenn gefragt wird, was unter „*Gegenstand*" legitimer Weise verstanden werden darf, dann lautet die Antwort zunächst: Der Gegenstand ist *Sein*. Damit wird dem Anliegen des Realismus in unüberholbarer Weise Genüge getan. Nun erfordert dieser Satz freilich eine Erweiterung: Der Gegenstand ist Sein *in seiner Erscheinung*. Und sofern es um „diesen besondern Gegenstand" gehen soll, müssen wir sagen: Dieser Gegenstand ist Sein in der *Besonderung* seiner Erscheinung. Es gibt also *kein „an sich"* des Gegenstandes, geschweige denn des besondern Gegenstandes. Es ist die Erscheinung, in der das Moment der Besonderung begründet ist. Sofern Erscheinung in ihrer Besonderung „ist", ist sie „dieser besondere Gegenstand".

Die wissenschaftliche Bestimmung der Erscheinung vollzieht sich auf Grund ihrer transzendentalen Seinsbestimmung. Auf Grund dieser Seinsbestimmung erfährt die Erscheinung ihre vielseitige Was-Bestimmung durch das – im weitesten Sinne verstandene – *„Eidos"*, das uns vor Allem im mathematischen Eidos gegenwärtig ist. Wir haben aber an dieser Stelle keine Gelegenheit, auf das weitschichtige Problem der *eidetischen Bestimmung* der *Erscheinung* einzugehen. Etwas Anderes steht uns im Vordergrunde: Dass wir in der wissenschaftlichen Auslegung der Erscheinung die Hypostase eines Gegenstandes, der im beschriebenen, geläufigen Sinne als *„Etwas"* vorgestellt ist, durchaus *entbehren* können. Solange die Seinsbedeutung der Erscheinung festgehalten wird, ist nicht einzusehen, inwiefern wir in der eidetischen Bestimmung der Erscheinung auf einen hypostasierten Gegenstand angewiesen wären. Und wir kommen auch *nicht* in Versuchung, Erscheinung – im Sinne der rationalistischen Gegenstandlehre – in ein *hypostasiertes rationales Etwas* aufzuheben. Denn die eidetische Bestimmung der Erscheinung will nicht besagen, dass Erscheinung nicht Erscheinung sei, sondern Eidos. Erscheinung gerät der fortschreitenden Erkenntnis nicht in Ausfall. Sondern von ihr wird in *fortschreitender Bestimmung* ausgesagt, *„was"* sie ist. Indem sie Subjekt dieser Aussage ist, wird sie doch in ihr Prädikat, die Bestimmung, keineswegs aufgehoben.

‹8. Unhaltbarkeit des hypostatischen Subjekt-Objekt-Schemas›

Was wird aber aus der *subjektiven Bezogenheit* der Erscheinung? Wie ist das „mir erscheint" auszulegen? In dieser Richtung soll der erste Schritt der Abklärung so vollzogen werden: Das Aktivum des *„Sehens"* kann dem Passivum des *„Gesehenwerdens"* *nicht* als ein *Anderes* gegenübergestellt werden. Beides ist *eins* in der *„Erscheinung"*. Wie wir den hypostasierten Gegenstand, der „gesehen wird", nicht mehr anerkennen können, so müssen wir auch davon absehen, das „Sehen" von einem hypostasierten Subjekte her, das im Sehen tätig wäre, zu verstehen. Nicht dass das Ich-Problem überhaupt ausfallen würde. Aber wir dürfen es nicht mit solcher Hypostasierung lösen. – An der Erscheinung selbst stellt sich auch das Problem des Subjektiven. Es stellt sich insofern, als *„Erscheinung"* nicht unter dem Gesichtspunkte ihres „Was", sondern unter dem ihres „Dass" ins Auge gefasst wird. Unter „Sehen" und „Gesehenwerden" können wir nichts Anderes verstehen, als *„Erscheinung, sofern sie erscheint"*. Die Erscheinung in ihrer *Aktualisierung* ist zu unterscheiden von der Erscheinung in ihrer Was-Bedeutung, wiewohl es dieselbe Erscheinung ist, die sich aktualisiert und die der bestimmenden Auslegung zugänglich ist. Unter der Aktualisierung desjenigen Erkenntnisaktes, mit dem wir ein Phänomen zu erkennen meinen, kann aber nichts Anderes verstanden sein, als das *„Zum-Ereignis-werden"* der Erscheinung, das wir als ihr *„Erscheinen"* aussprechen.

Alle logisch-eidetische Bestimmung der Erscheinung, die die Erscheinung in ihrer Was-Bedeutung bestimmt, setzt die Seinsbedeutung der Erscheinung, oder dass Erscheinung „ist", voraus. Diese Seinsbedeutung sprechen wir aus als *„Sein in der Erscheinung"*. In ihm liegt die transzendentale Voraussetzung der in ihrer Was-Bedeutung bestimmten Erscheinung. Indem wir die so bestimmte Erscheinung in ihrem *„Erscheinen"* denken, fassen wir sie unter demjenigen Gesichtspunkte ins Auge, der nach der überlieferten Terminologie als der *„subjektive"* bezeichnet wird. Das Erscheinen der in ihrer Was-Bedeutung bestimmten Erscheinung beruht aber auf der *transzendentalen Voraussetzung* des *Erscheinens* der Erscheinung, sofern sie „ist", oder: des „Erscheinens des Seins in der Erscheinung". „Sein in der Erscheinung" wird hier unter dem Gesichtspunkte des „Erscheinens" gedacht. Mit diesem „Erscheinen", in dem „Sein in der Erscheinung" erscheint, denken wir die *transzendentale Voraussetzung* dessen, was uns im *„Akte"* des *Sich-Erscheinen-Lassens* der *Erscheinung*, d. h. im Akte der *sinnlichen Wahrnehmung*, gegenwärtig ist. Doch soll an dieser Stelle das ganze Problem der transzendentalen Begründung der sinnlich-phänomenalen Erkenntnis nur vorläufig in Sicht gebracht werden.

Die hier vorgetragene Auffassung bedeutet, dass wir davon *absehen* müssen, von einem *Gegenüber* von *Subjekt* und *Objekt* auszugehen, wenn wir die philosophische Auseinandersetzung mit der „Erscheinung" zu vollziehen suchen. Wohl haben wir mit dem Gesagten denjenigen Sachverhalten noch nicht Genüge getan, die zu der Voraussetzung dieser Gegenstellung den Anlass geben. Wenn ihnen gerecht zu werden keine leichte Sache ist, dann steht doch soviel fest: Es gibt *kein Gegenüber* von *Subjekt* und *Objekt*, deren Relation in irgend einem Sinne zur Grundlage des Verständnisses der Erscheinung werden könnte. Worin sollte sie doch bestehen? Allzu problemlos pflegt ein unkritisches Denken das konkrete menschliche Subjekt, ausgestattet mit seinen Sinnesorganen, auf den Plan zu setzen, um es in seiner Gegenstellung gegen seine „Aussenwelt" in Erwägung zu ziehen. Es wird dabei nicht bedacht, dass auf der Seite des *Subjektes* wie des *Objektes* unbefangen die *Phänomenalität* in Anspruch genommen wird, um das Eine wie das Andere mit Wirklichkeit auszustatten, – eine Inanspruchnahme, die uns in jedem Falle verbieten müsste, von der Subjekt-Objekt-Beziehung auf irgend einem Wege zu einer Auseinandersetzung mit der „Erscheinung" vorzuschreiten. Daran zu erinnern sollte nicht nötig sein, dass das *sinnlich wahrnehmende menschliche Subjekt* seinerseits nur *unter Voraussetzung von Erscheinung* in den Blickpunkt gezogen werden kann, nicht aber als der eine zur Auslegung der Erscheinung, von dem dann etwa gefragt würde, inwiefern die Erscheinung – als „subjektive Sinnesqualität" – von ihm her bedingt und somit „subjektivistisch", d. h. anthropologisch, zu verstehen sei. Einen *dogmatischen Subjektivismus*, der die Erscheinung im Sinne einer erkenntnistheoretischen Erklärung auf Sachverhalte der menschlichen Organisation zurückzubeziehen wagt, müssen wir in der Philosophie der Erscheinung weit hinter uns *zurücklassen*, als der uns in völlig unlösbare Widersprüche verwickelt.

‹9. *„Da-Sein" als Sein der Besonderung der Erscheinung*›

Das „Objekt" oder der „Gegenstand" spielt in der traditionellen Ontologie (zu der wir hier die mathematisch-rationalistische Gegenstandslehre rechnen) die eigentümliche Rolle, dass in der objektiven oder gegenständlichen *„Realität"* (wie z. B. in der „res extensa" der cartesischen Philosophie) das *„Sein"* seine *Konkretisierung* und *Verkörperung* findet. Indem „Sein" als solches zufolge seiner *transzendentalen* Ferne eines wahrhaft substanziellen Seinsgehaltes zu entbehren scheint, wird ihm jene *Versachlichung* zuteil, in der der Gehalt von „Sein" scheinbar erst seine Erfüllung findet. „Sein" scheint erst im *„Da-Sein"* zu seiner vollendeten Bedeutung zu gelangen. – Diese Seinsbedeutung des „Da-Seins" scheint darin ihre Beglaubigung zu finden, dass uns dieses Da-Sein als *„Gegenstand" gegenübersteht*. Denn sofern er uns gegenübersteht, ist er frei von der Bedingtheit durch die menschliche Subjektivität. So ist es zu verstehen, dass *„Objektivität"*, – ein Terminus, in dem nicht mehr als der Seinsmodus des „Entgegenstehens" ausgesprochen wird, – gegenüber einer Trübung durch subjektive Faktoren die *Seinsbezogenheit* der *Erkenntnis* bezeichnet. In der „Objektivität" findet die Eindeutigkeit des Seins und der reinen Seinserkenntnis ihr charakteristisches Wahrzeichen, – wie wenn diese Eindeutigkeit nicht besser als in der Bezeichnung des „Gegenüber" zum Ausdruck kommen könnte! – Die *„Erscheinung"* aber gewinnt dadurch ihre „Objektivität" und damit ihre Seinsbedeutung (soweit sie einer solchen fähig ist), dass sie irgendwie auf den Gegenstand zurückbezogen wird, – auf ihn, sofern er sich uns zuwendet, auf seine uns zugewendete Aussenseite. – Bei dem Gegenüber von Subjekt und Objekt besteht für die Erscheinung dauernde *Unsicherheit, welcher von beiden Seiten* sie endgiltig zugeschrieben werden soll. Sie eindeutig als „subjektive Sinnesqualität" auszulegen, hat seine Bedenken; darum wird sie immer wieder irgendwie auf das „Objekt" zurückfallen. Diese peinliche Unsicherheit der Zuordnung der Erscheinung beweist aber eben die *Unhaltbarkeit* des *hypostasierten Schemas* der Gegenstellung von *„Subjekt"* und *„Objekt"*. Wie könnten wir dabei stehen bleiben, uns „Erscheinung" aus einer Relation zurechtzulegen, in der sie offenkundig schon vorausgesetzt ist? Auch zu der Vorstellung eines daseienden „Objektes" gelangen wir ja nur, indem wir mehr oder weniger latent die Erscheinung in Anspruch nehmen.

„Da-Sein" in seinem Verhältnis zum „Sein" bedeutet nicht ein Hervortreten des Seins in den Modus der Sachlichkeit. Der Begriff des „Da-Seins" ist von der Vorstellung gegenständlicher Hypostase freizuhalten. *Inwiefern* ist das Sein „da"? Offenbar nicht, sofern es in einem hypostasierten Etwas seine Verkörperung findet! Vielmehr ist es „da" in der *Besonderung* der *Erscheinung*. Indem „die

Erscheinung da" „ist", wird sie auf ihr „Sein" ausgelegt. In diesem *„ist"* liegt die *rechtmässige Seinsbedeutung* der Erscheinung; sie könnte durch keine Aussage von „Realität" in der Hervorhebung des Seinsgehaltes der Erscheinung überholt werden. Es ist somit dieses „ist", nicht aber die in der „Objektivität" bezeichnete Gegenstellung, worin die Seinsbedeutung der Erscheinung in adäquater Weise festgehalten wird. – Wenn wir „Da-Sein" als „Sein in der Besonderung der Erscheinung" verstehen, dann setzt diese Besonderung eine *Begrenzung* voraus. Es ist aber nicht eine der Erscheinung zugrundeliegende Ding-Hypostase, die diese Begrenzung erfährt, vielmehr die *Erscheinung*, die ja auch einzig einer – räumlichen und zeitlichen – Begrenzung zugänglich ist. „Da-Sein" „ist" in der mathematisch-eidetischen Begrenzung der Erscheinung, indem in dieser Begrenzung die Besonderung der Erscheinung von Sein ihre Bestimmung erfährt. – Mit dem *„Gegenstande"* ist rechtmässiger Weise Erscheinung in so und so vollzogener wissenschaftlicher Begrenzung gemeint. Denn „Gegenstand" setzt die Besonderung des „Da-Seins" voraus, die wiederum auf einer Besonderung der Erscheinung von Sein beruht. – Das im „Gegenstande" ausgesprochene „Gegenüber" darf nicht so verstanden werden, dass dem konkret-phänomenalen Subjekte ein rationales oder ein latent phänomenales Etwas gegenübersteht. Vorderhand kann in Beziehung auf dieses Gegenüber nur soviel gesagt werden, dass es in keinem Falle die Erscheinung – durch ihre Beziehung auf die eine oder die andere Seite – in Gegensatz zum Objekte oder zum Subjekte stellt. Die *Gegenstellung*, die im „Gegenstande" gemeint ist, hat ihren Ort nicht ausserhalb, sondern *innerhalb* des Bereiches der Erscheinung.

‹10. Erscheinende Erscheinung als principium individuationis
Visuelle Erscheinung und perspektivische Auslegung des Sehfeldes›

Von dieser „Gegenstellung" sollen im Folgenden einige Aussagen gemacht werden, die aber nur als Ausgangspunkte weiter ausgreifender Überlegungen zu verstehen sind. – Alle philosophische Auslegung von „Subjekt" und „Gegenstand" kann nur von der „Erscheinung" ausgehen. Dies bedeutet aber: Von der Erscheinung in ihrer Besonderung, wie sie „augenblicklich" in der Zeit erscheint. Die Konkretion des augenblicklichen Erscheinens von Erscheinung in ihrer Besonderung ist es, was den Ausgangspunkt zu einer Auslegung des *„Subjektes"* (des *„individuellen"* Subjektes) bilden muss. Indem wir ausserstande sind, die erscheinende Erscheinung einem schon vorhandenen individuellen Subjekte zuzuordnen, wird uns vielmehr eben diese Erscheinung zum *„principium individuationis"* in dem Sinne, dass wir von ihr aus *„individuelle sinnliche Erfahrung"* verstehen. Mit der in ihrer Besonderung „individuellen" Erscheinung ist uns der grundlegende Ansatz gegeben, der uns zu einem neuen Begreifen des „individuellen Subjektes" weiterführen kann.

„Erscheinung" soll uns in der *visuellen* Erscheinung vertreten sein. Dass wir uns in den grundlegenden Überlegungen an ihr orientieren, muss uns zwar als eine *Restriktion* des ganzen Problems bewusst bleiben. Die Unvermeidlichkeit dieser zunächst vollzogenen Restriktion dürfte aber im Probleme selbst begründet sein. – Visuelle Erscheinung in ihrem Erscheinen ist *koinzident* mit „Anschauung". Erscheinung in ihrer individualisierenden Besonderung ist – jene Restriktion immer vorbehalten – nichts Anderes als „*sinnliche Anschauung*". Sie ist es, auf der alle konkrete Welterfahrung beruht. Und in ihr liegt das „Prinzip", das uns den Weg zu einer Erkenntnis des erfahrenden Ich eröffnet, – wobei im Hinblick auf „Ich" noch lange keine abschliessende Aussage gemacht wird. – „Anschauung" ist aber wesensmässig *ästhetische Anschauung*. Dies ist bei anderer Gelegenheit ausgeführt worden; es liegt nicht in der Linie dieser Untersuchung, uns über diese Seite des Erscheinungs- und Anschauungsproblems zu verbreiten. Hier wird die Einsicht, dass die eidetisch-mathematische Auslegung der Anschauung ihr selbst gegenüber sekundäre Bedeutung hat, vorausgesetzt.

Die Erkenntnis eines „Gegenstandes" beruht auf der rationalen Auslegung von Anschauung oder Erscheinung in ihrer Besonderung. Erscheinung wird auf das „*Sehfeld*" hinbezogen, – auf eine geometrische Ebene, auf der sich die Erscheinungen in ihrer Besonderung „*abzeichnen*". Dieses *Sich-abzeichnen-Lassen* dessen, was „angeschaut wird", auf der Ebene des Sehfeldes ist eine Rationalisierung der Anschauung, die sich nur auf „*diese*" Anschauung bezieht und insofern „*individuelle*" Bedeutung hat. Was sich auf dieser Ebene abzeichnet, ist rationale Begrenzung „dieser" Erscheinung und kann sich in keiner andern Anschauung wiederholen. Die Bezogenheit der Begrenzung auf „diese" Erscheinung wird aber insofern überschritten, als die Abzeichnung auf der Ebene des Sehfeldes als „*Projektion*" der Begrenzung der Erscheinung im *Raume* aufgefasst wird, indem ihr eine „*perspektivische*" Auslegung zuteil wird. „*Perspektive*" – im weitesten Sinne des Begriffes – ist bedeutungmässig „Perspektive *von etwas*". Sie kann also von dem, *was* „*perspektiv*" *wird*, ohne ihre Bedeutung zu verlieren, nicht abgelöst werden. In der perspektivischen Auslegung des Sehfeldes wird die Erscheinung auf „*Erscheinung im Raume*" oder auf ihre räumliche Begrenzung hin ausgelegt.

‹*11. Doppelte Weise der Auslegung der begrenzten Erscheinung durch Perspektivität und deren Sein im Raum*›

Gegenstand der mathematisch-eidetischen Auslegung ist „Erscheinung", die uns als „besondere" Erscheinung gegenwärtig ist. Diese Auslegung bezieht sich auf Erscheinung in einer *doppelten* Weise, die – wie sich zeigen wird – dem Unterschiede dessen entspricht, was uns in der Unterscheidung der „*subjektiven*" und der „*objektiven*" Erkenntnis des Gegenstandes zu unterscheiden geläufig ist. – Sofern wir in der Begrenzung und Bestimmung eines Phänomenes von der perspektivischen Bedeutung dieser Begrenzung absehen und von dem, was perspektiv wird, abstrahieren, bezieht sich diese Begrenzung auf die Erscheinung nur, sofern sie „besondere", oder genauer: *„diese besondere"* Erscheinung ist. Der Sinn dieser Begrenzung unterliegt dann also der Notwendigkeit einer *Restriktion.* Die in der Begrenzung und Bestimmung beschlossene Seinsaussage erfährt eine Einschränkung ihres Geltungsbereichs, die darin liegt, dass sie über Erscheinung nur aussagt, sofern sie „diese besondere" Erscheinung ist. – Diese Feststellung dürfte demjenigen Sachverhalte gerecht werden, der uns in der *„Subjektivität"* des *„perspektivischen Bildes"* gegenwärtig ist. – Sofern dagegen Erscheinung auf ihr *Sein im Raume* hin ausgelegt wird als auf das hin, *was perspektiv wird,* also auf ihre räumliche Bestimmtheit, oder noch besser: sofern die perspektivische Auslegung der Erscheinung das Erscheinen der Erscheinung im Raume *„perzipieren"* lässt, unterliegt die Begrenzung und Bestimmung der Erscheinung eben jener Restriktion, die sie auf die Besonderung der Erscheinung beschränkte, nicht mehr. Die Auslegung der Erscheinung auf ihre Begrenzung im Raume bezieht sich auf „Erscheinung", ohne dass hier ihre Besonderung zum restringierenden Momente wird. *„Perspektive"* kann ja nichts Anderes bedeuten, als die *Bezogenheit* des *„Bildes"* der Erscheinung und der in ihm vollziehbaren Begrenzung auf eine Bestimmtheit der Erscheinung, die *ausserhalb* der Bedingtheit des *„perspektivischen Bildes"* liegt. Diese räumliche Bestimmtheit bezieht sich wohl auf „besondere Erscheinung"; denn Erscheinung erscheint in Besonderung. Allein sie bezieht sich auf Erscheinung, sofern sie Erscheinung ist, nicht sofern sie besondere Erscheinung ist.

Darin ist beschlossen, dass die räumliche Begrenzung der Erscheinung, die in der besondern Erscheinung perspektiv wird, nicht ausschliesslich auf „diese besondere" Erscheinung bezogen sein kann. Die ihr entsprechende Aussage bezieht sich notwendig auf *Erscheinung als solche,* d. h. auf alle mögliche oder wirkliche Erscheinung. Und diese bedeutet: auf alle mögliche oder wirkliche besondere Erscheinung. Diese Feststellung entspricht der uns geläufigen Auffassung, dass das *Phänomen* in seiner *„objektiven" Bedeutung* nicht nur Sache einer „individuellen" Erkenntnis sein kann, sondern dass es seine Objektivität an der Möglichkeit, von *„irgendeinem" Individuum,* oder von *„allen" Individuen,* erfahren zu werden, bewähren muss. In der Bezogenheit der mathematisch-eidetischen Bestimmung nicht auf die Erscheinung in ihrer Besonderung, sondern auf Erscheinung schlechthin, sehen wir das Äquivalent für jene „Objektivität" die – in einer kritisch anfechtbaren Weise – einem dem „Subjekte" gegenüberliegenden „Gegenstande" zugeschrieben wird.

‹12. Erkenntnisphilosophische Bedeutung von Welt und Kosmos
Welt-Bedeutung der Erscheinung und das individuelle Erscheinen›

Es liegt am Tage, dass in dieser Betrachtungsweise der *„Raum"* eine hervorragende erkenntnisphilosophische Bedeutung gewinnt. Er ist die Möglichkeit der Bestimmung des Seins, sofern es in seiner Erscheinung „da-ist". Dieses Da-Sein in der Erscheinung wird seit jeher in der Grundkonzeption des „*Kosmos*" begriffen. – Der „Kosmos" oder die „Welt" gewinnt in dieser Sicht eine bestimmte erkenntnisphilosophische Bedeutung. Das im Begriffe einer „*Welt*" liegende Problem wird zumeist völlig übersehen. Das Sein einer „Welt" wird als so fraglos vorausgesetzt, wie der „Kosmos" den Alten als die fraglose Totalität des Seienden vor Augen stand. Dieses „*holon*", das z. B. in der platonischen Dialektik eine so wesentliche Rolle spielt, bedarf aber einer *kritischen Rechtfertigung*, und dies nicht nur – wie es uns von Kant her geläufig ist – nach der Seite der Totalitätsvorstellung. Es ist vielmehr die *Weise* des *Seins* von „Welt", was uns vor die schwerwiegendsten ontologischen Probleme stellt. – Im Begriffe der „Welt" ist eine *Aporie* beschlossen, die uns zum Bewusstsein kommen muss. „Welt" ist eine *Totalität*, die wir *von der Erscheinung nicht lösen* können. Was von dieser Totalität umfasst wird, sind eben die *Erscheinungen*. Den Alten bedeutete der Kosmos vor Allem den Kosmos der uranischen Erscheinungen, also einen Inbegriff der Erscheinungen, sofern sie uns in der sublimen Seinsweise des siderischen Seins gegenwärtig werden. Zum Kosmos gehört aber, was immer am „Himmel" erscheint und als Erscheinung vom Himmel umfasst wird. – Der Kosmos der Erscheinungen zeigt seine Dignität aber in seiner *Einzigkeit*; er ist für alles Seiende, und vor Allem für die räumlich getrennten lebenden oder gar erkennenden Wesen das *einende Prinzip*. In ihrem Sein in der „Welt" sind sie auf ein ihnen gemeinsames Sein, und dies nicht auf ein eidetisches, sondern ein *phänomenales Sein* bezogen. Dieses „Universum" der Phänomenalität wird zum Inbegriff des „*konkreten*" Seins' das – unbeschadet seines phänomenalen Charakters – dem „individuellen" Subjekte als die *Zusammenfassung „objektiver" Realität*, in der das „Sein" sich verkörpert, gegenübersteht.

Nun haben wir aber nachdrücklich hervorgehoben, dass „Erscheinung" je besondere Erscheinung ist, wie denn auch „Anschauung" nicht „als solche", sondern nur in ihrer individuellen Aktualisierung in Frage kommt. Durch die Besonderung der Erscheinung ist aber die Beziehung zu etwas wie „Welt" zunächst abgeschnitten. Die *Erscheinung* scheint zum wenigsten in einer Einzigkeit, vielmehr in einer *grenzenlosen Vielheit* zu erscheinen, – in derjenigen Vielheit, die in der grenzenlosen Vielheit der Möglichkeiten der Anschauung ihre Entsprechung hat. Unter dem Aspekte dieser Vielheit scheint die *Einheit* des *Welt-Seins fragwürdig* zu werden und als Möglichkeit phänomenalen Seins in Ausfall zu geraten.

Mit dem Hinweis auf die „Besonderung" der Erscheinung sind wir aber wiederum zu dem Punkte zurückgekehrt, an dem wir vom „Erscheinen" der Erscheinung gesprochen haben, indem wir das „Erscheinen" mit der „subjektiven" Bedeutung der Erscheinung in eins gesetzt haben. Vom „Erscheinen" der Erscheinung reden wir aber, indem wir von der Seinsbedeutung der Erscheinung absehen und Erscheinung einzig im Hinblick auf die Besonderung ihres Erscheinens in Betracht ziehen. Jene *Individualisierung* der Erscheinung, die mit der ontischen Instanz der „Welt" nicht zu vereinbaren schien, bezieht sich somit ausschliesslich auf das *Erscheinen* der Erscheinung, in dem Erscheinung nicht als Erscheinung von Sein in Rücksicht gezogen wird. Erscheinung, ausgelegt als „Erscheinung von Sein", ist also nicht mehr Erscheinung in ihrer Besonderung. Unter dem Gesichtspunkte ihrer *Seinsbedeutung entzieht sich* Erscheinung jener *Individualisierung*, in der sie auf eine individuelle Aktualisierung des Erkennens bezogen ist. – Sein, sofern es in der Erscheinung erscheint, haben wir als „Da-Sein" ausgesprochen. „Da-Sein" ist in seiner Wortbedeutung „Sein im Raume". Wir verstehen es aber genauer als „Sein in seiner Erscheinung im Raume". Erscheinung im Raume ist aber eben das, was wir unter „*Welt*" verstehen. *Erscheinung*, ins Auge gefasst in ihrer *Seinsbedeutung*, ist dann nichts Anderes als „*Welt-Sein*". Die Welt-Bedeutung der Erscheinung ist also mit der individuellen Besonderung der Erscheinung insofern *in Einklang* zu bringen, als die polare Bedeutung der Erscheinung in Rücksicht gezogen wird: Sie ist „Erscheinen" und „Erscheinung von Sein". Als Erscheinen ist sie schlechthin einmalig und individuell; oder genauer: Sie ist das Prinzip der Individualisierung. Als Erscheinung von Sein dagegen kann sie das „Prinzip des Welt-Seins" genannt werden. Denn das universale Da-Sein, das wir als „Welt" denken, bedeutet, dass uns Erscheinung unter dem Gesichtspunkte ihres Seins gegenwärtig ist.

‹13. Ersetzung der Subjekt-Objekt-Beziehung durch Da-Sein
als Sein der Erscheinung und dem Erscheinen der Erscheinung›

Es bleibt uns übrig, noch einmal auf die *Subjekt-Objekt-Beziehung* zurückzukommen und darauf hinzuweisen, dass das, was in ihr ausgesprochen wird, uns in einer Relation gegenwärtig wird, in der jene *Gegenstellung* völlig *überwunden* sein dürfte. Vor Allem darf uns bewusst werden, dass im Begriffe der „*Welt*", als des universalen „*Da-Seins*", das Universum dessen, was „da ist", viel reiner zum Ausdruck kommt als wie in den uns geläufigen Begriffen des „Gegenstandes" oder – was synonym sein dürfte – des „Objektes". Im Begriffe des „Kosmos'" wie er dem griechischen Denken lebendig war, liegt *kein Anlass* zu einer „*Subjekt-Objekt-Spaltung*". Denn es *fehlt* in ihm jenes Moment des „*Gegenüber*", das in allen unsern Vorstellungen von „Realität" so tief verwurzelt ist. „Kosmos" oder „Welt" ist *Da-Sein* in einer *reinen Seinsbedeutung*, die von dem störenden Momente einer Gegenstellung nicht getrübt ist. „Störend" nennen wir es, sofern in ihm das Dasein als gespalten, als partikularisiert, vorausgesetzt wird. Was wesensmässig in einem Gegenüber sein Sein hat, ist insofern *partikulares* Sein, als es hinüberweist auf sein Gegenstück, dem es gegenüberliegt. Das Gegenüber des Gegenstandes liegt aber mit ihm wie auf gleicher Ebene, als etwas, das seinerseits „da-ist", nämlich das da-seiende Subjekt. – Der „Kosmos" hingegen schliesst in seiner Weise des Seins eine derartige, kritisch unhaltbare, korrelative Beziehung nicht in sich. Er ist bedeutungsmässig nicht, wie das „Objekt", auf ein subjektives Gegenüber angewiesen. Er ist „Da-Sein", vorgestellt in seiner Universalität, was aber bedeutet: Das *Universum der Erscheinung*, sofern die Erscheinung als *Erscheinung von Sein* ausgelegt wird. – Das, was vor dieser Neuorientierung als „Subjekt" ausgesprochen wurde, stellt sich uns nunmehr wiederum nicht als Glied einer Korrelation, als Gegenstück zum Gegenstande dar. Was mit diesem „Subjekte", als einem *individuellen Subjekte*", gesagt sein soll, dafür ist uns konstituierend das *Erscheinen der Erscheinung*. An die Stelle von „Objekt und Subjekt" tritt uns Da-Sein, als Sein in der Erscheinung, einerseits; Erscheinung in ihrem Erscheinen andrerseits. Darin ist alles „Gegenüber" dahingefallen.

‹*14. Standort der Wissenschaft in Beziehung auf
die „noch-nicht-ausgelegte" Erscheinung und
deren Fragwürdigkeit als subjektiv-gegenständliches Sein*›

Eine weitere Überlegung lässt uns freilich innewerden, dass mit der bis dahin durchgeführten Untersuchung über das *„Subjektive"* der *sinnlichen Welterkenntnis* das letzte Wort noch nicht gesprochen worden ist, ja dass die kritische Auseinandersetzung mit seinem Probleme in bestimmter Hinsicht noch an ihrem Ausgangspunkte steht. Ist in Wahrheit alles Gegenüber von Subjekt und Objekt bei unserer Betrachtungsweise dahingefallen? Müssen wir uns doch dessen bewusst werden, dass alle Wissenschaft bei erscheinender Erscheinung ihren Ausgang nimmt, die sich von der Erscheinung von Welt-Sein eindeutig abhebt, und der vermutlich nicht ohne Grund der Charakter des „Subjektiven" zugesprochen wird. Wir denken vor Allem an das phänomenale Welt-Sein, *sofern es sich auf dem Sehfeld perspektivisch projiziert* und auf ihm in mancherlei sinnlichen Qualitäten vertreten ist – eine Projektion, die ihrer *Auslegung auf Welt-Sein* erst *entgegensieht* und insofern eine „kosmische" Bedeutung nicht zu besitzen scheint. Sind wir nicht berechtigt, die im Sehfeld erscheinende Erscheinung als „subjektiv" anzusprechen, indem wir doch von vornherein geneigt sind, sie „mir" und „dir" zuzuordnen? Die im Sehfeld erscheinende Erscheinung ist doch offenbar dahin zu bestimmen, dass sie als individuelle Besonderung gedacht werden muss; denn die im Sehfeld erscheinende Projektion ist in aller Strenge nur auf eben *dieses* Erscheinen von Erscheinung bezogen.

Nun würden wir aber auf *Abwege* geraten, wenn wir die auf dem Sehfeld erscheinende Erscheinung als *„subjektives Phänomen"* zur *„objektiven"* kosmischen Phänomenalität in Gegensatz stellen und auf diesem Wege zum Gegenüber von „Subjektivem" und „Objektivem" zurückkehren würden. Wir machen uns zunächst klar, dass wir mit dieser Auslegung mit der Wissenschaft in Konflikt geraten würden, sofern sie auch die scheinbar subjektive Phänomenalität der auf dem Sehfeld erscheinenden Erscheinung zum Gegenstande ihrer Untersuchung macht. Das *„So-und-so-gesehen-werden"* von etwas kann so gut wie irgend ein kosmisches Phänomen *wissenschaftlich erklärt* werden. Dass sich die perspektivische Projektion so und so vollzieht, kann streng *mathematisch begründet* werden.

Und auch die erscheinenden sinnlichen Qualitäten sind fraglos grundsätzlich Gegenstand wissenschaftlicher Erklärung. Eben die noch nicht auf ihr Welt-Sein ausgelegte Erscheinung, der wir den Charakter der Subjektivität zuzusprechen geneigt sind, wird von der Wissenschaft als *„gegenständliches"* Sein – wie wir uns ausdrücken – aufgefasst und der Reihe der von ihr untersuchten Weltphänomene zugeordnet. Dass sich die Wissenschaft auch die – wie wir sagen – subjektive Welterfahrung zum Probleme macht, hat freilich zur *Voraussetzung*, dass sie einen weiten Bereich von Erscheinungen, die jenseits der zu erklärenden „subjektiven" Erscheinung liegen, bereits auf ihr Welt-Sein ausgelegt hat. In ihrer Untersuchung der auf ihr Welt-Sein noch unausgelegten Erscheinung, – der Erscheinung, von der wir sagen, dass sie „mir" und „dir" erscheint, – nimmt die Wissenschaft einen Standort – oder eine Vielheit von Standorten – ein, die gleichsam *ausserhalb* dieser in Frage stehenden Erscheinung liegen. Es sind dies Standorte, denen ganz andere Erscheinungsbereiche entsprechen und die für ganz andere Welterfahrung die Voraussetzung sind. Wenn die Wissenschaft das Problem der auf Welt-Sein noch nicht ausgelegten Erscheinung in Angriff nimmt, dann hat sie sich einen weiten Bereich von Welterkenntnis schon geschaffen, – als den Rahmen, in den die Auslegung dieses besondern Phänomens eingeordnet werden kann. – Worin besteht der Rahmen, auf den sie sich so zurückbezieht?

‹15. *Widersprüchliches in der von der physikalischen Wissenschaft*
   vorausgesetzten Polarität von Wahrnehmung und
   wahrgenommenen Gegenstand
   Aufdeckung des innerkosmischen Charakters dieser Beziehung›

Die physikalische Wissenschaft untersucht die *„sinnliche Wahrnehmung"*, indem sie ihrer Erklärung das Gegenüber von *„Gegenstand"* und *„erkennendem Subjekt"* zugrundelegt. Womit wir meinen: die Gegenstellung eines sinnlich wahrnehmbaren Körpers gegen die physiologische Apparatur (das Auge usf.), die die „subjektive" Voraussetzung des Erscheinens von Erscheinung darzustellen scheint. Aus den zwischen diesen beiden Komplexen der Welterfahrung bestehenden mathematischen und physikalischen Relationen wird das Erscheinen von Erscheinung im So-und-so seiner Bestimmtheit mathematisch konstruiert und physikalisch verständlich gemacht. – Es liegt am Tage, dass die mathematisch-physikalische Erklärung der Wahrnehmung *nicht* das *Erscheinen* von *Erscheinung als solches* zu *erklären* vermag. Denn in der Statuierung des „subjektiven" und „objektiven" Daseins-Komplexes bezieht sie sich ja bereits auf Erscheinung, sodass der Versuch jener Erklärung in sich widerspruchsvoll werden müsste. Indem die wissenschaftliche Untersuchung die sinnliche Wahrnehmung nach streng mathematischer Methode nachzukonstruieren unternimmt, hat sie bereits jene beiden Erscheinungsbereiche auf ihr Welt-Sein hin ausgelegt. Im Hinblick auf diese Auslegung muss etwas nunmehr Naheliegendes immerhin ausgesprochen werden: Dass der *subjektiv-physiologische Pol* des *Wahrnehmungsaktes*, d. h. die ihm entsprechende menschliche Erkenntnisapparatur, nicht weniger als wie ihr „objektives" Gegenstück, der wahrgenommene „Gegenstand", als ein *Ausschnitt aus dem Welt-Sein* zu verstehen ist. Das Auge und seine Struktur liegt nicht weniger in der Ebene „kosmischen" Seins als wie sein Gegenüber: die „von ihm wahrgenommene" Lichtquelle. In der von der Wissenschaft vollzogenen Konstruktion des „Wahrnehmungsvorganges" handelt es sich um die Nachzeichnung einer Beziehung, die eindeutig einen *innerkosmischen Charakter* hat und bei der die Seite der physiologischen Apparatur in keinem Sinne zum Welt-Sein in einem Gegensatze steht. Für die wissenschaftliche Betrachtungsweise gibt es kein Problem des „erkennenden Subjektes"; soweit es dieser Forschungsweise möglich ist, vollzieht sie die *Einordnung* des *erkennenden Menschen* in das *kosmische Sein*. Wie denn auch die zwischen beiden Polen bestehende Relation als eine eindeutig *kosmische Beziehung* aufgewiesen wird! Von „Lichtstrahlen", die von einer Lichtquelle ausgehend „das Auge treffen", kann nur in einem Zusammenhange die Rede sein, in dem diese ganze Relation mit samt ihren beidseitigen Beziehungspunkten *„von aussen"* betrachtet und mit Einschluss ihres anthropologischen Beziehungspunktes zu einem kosmischen Probleme geworden ist.

Der phänomenale Zusammenhang der Wahrnehmungsrelation wird wie ein anderer Konnex von Erscheinungen auf sein „Da-Sein" oder sein „Welt-Sein" hin ausgelegt. Dabei ist im Auge zu behalten, dass wir zwar *vorläufig* von einem „Gegenstande" reden dürfen, dass uns aber dieses „Welt-Sein", sei es das Weltsein dessen, was wahrgenommen wird, oder dessen, was wahrnimmt, nicht in einem strengen Sinne „gegenständlich" werden darf. Es geht nicht um einen „Gegenstand", sondern um *„kosmisches Sein"*.

‹16. Rettung der „Subjektivität"
    durch das Nicht-ausgelegt-sein der Erscheinung auf das Weltsein›

Wenn wir uns darüber verständigt haben, dass die wissenschaftlich-physikalische Erklärung des Wahrnehmungsvorganges zu einer Statuierung von kosmischen Relationen führt, in deren Beziehungsbereich die physiologische Apparatur der sinnlichen Erkenntnis eingeschlossen ist, dann *scheint* zunächst derjenige Aspekt der Wahrnehmung, der uns unter dem Begriffe des *„Subjektiven"* gegenwärtig zu sein pflegt, in *Ausfall* zu geraten. Dieses Ergebnis müsste uns aber beunruhigen. Denn es kann uns nicht entgehen, dass mit der „Subjektivität" der sinnlichen Erkenntnis etwas gemeint ist, das in keinem Falle in „Weltsein" aufgehoben und aufgelöst werden kann. Dass es so etwas wie eine „subjektive" Sicht des Weltseins gibt, werden wir nicht in Abrede zu stellen wagen. Und so sehen wir uns denn noch einmal vor die Frage gestellt, worin wir die wahre und kritisch haltbare Bedeutung des „Subjektiven" zu erkennen haben. Diese Frage stellt sich auch dann, wenn wir am Ende darauf verzichten, in diesem Zusammenhange am Terminus des „Subjektiven" festzuhalten, – und dies aus dem Grunde, weil das „Subjektive" unvermeidlich das Gegenüber des „objektiven" Seins zu fordern scheint.

„Subjektive" Bedeutung hat *nicht* etwa das auf der *Netzhaut* entstehende *Bild* derjenigen Welt, die wir als „Aussenwelt" aufzufassen gewohnt sind. Das Bild der Dinge auf der Netzhaut ist uns nach dem Gesagten einsichtig geworden als ein *Element* des *kosmischen Seins*. Dieses Bild hat nicht minder kosmische Bedeutung als wie irgend ein Element des Weltseins, auf dessen Dasein wir irgendwelche Erscheinung ausgelegt haben. Dass es die Auslegung des Wahrnehmungsvorgangs selbst ist, die uns auf die Feststellung des Netzhautbildes führt, macht im Hinblick auf die kosmische Bedeutung dieses Phänomens keinen Unterschied.

Eines aber steht zum Weltsein, auf das wir Erscheinung auslegen, in einem grundsätzlichen Gegensatz, der in keinem Falle seinerseits in Weltsein aufgehoben wird: Es ist die *Erscheinung*, sofern sie auf Dasein oder auf Weltsein *nicht* (oder noch nicht) *ausgelegt ist*. Wir meinen die erscheinende Erscheinung der unmittelbaren sinnlichen Erfahrung, für die eine Auslegung auf Weltsein, wie sie von der Wissenschaft vollzogen wird, *noch offen steht*. Wenn das „Subjektive" der sinnlichen Erkenntnis je eine aktuelle und unverlierbare Bedeutung bewahren soll, dann kann sie nur in diesem *„Nicht-ausgelegt-sein"* der Erscheinung auf Weltsein gesucht werden. – Die uns in unmittelbarer sinnlicher Erfahrung erscheinende Erscheinung ist wohlverstanden *nicht schlechthin unausgelegte* Erscheinung. Denn wir kennen keine Erscheinung, die nicht Erscheinung von Sein bedeuten müsste und in der nicht eine vorläufig disponierende Auslegung bereits am Werke wäre. Erscheinung wird uns – auf visuellem Gebiete – auf einem Sehfeld gegenwärtig, auf dem sich bestimmte Figuren in bestimmter Qualität abzeichnen, – dieselbe Figuration, die wir dann rückblickend als Projektion des kosmischen Seins der Erscheinung auslegen werden. Die Disposition unserer Sicht im Sehfelde, die uns die Erscheinung in eindeutigen geometrischen Relationen gegenwärtig macht, – die uns die Dinge in ihrer „Perspektive" sehen lässt –, ist nicht Auslegung der Erscheinung auf ihr Weltsein. Sie ist aber „Auslegung". Sobald wir sie als „perspektivisch" aufzufassen vermögen, heben wir sie ab von der Erscheinung, sofern sie auf Weltsein ausgelegt ist. Eben dadurch wird diese erste, zweidimensional orientierte Auslegung in ihrem *„Nicht-ausgelegt-haben"* und die ihr entsprechende Erscheinung in ihrem *„Nicht-ausgelegt-sein"* erkennbar.

Wenn das „Subjektive" der Wahrnehmung eine Bedeutung bewahren soll, dann kann sie sich nur auf dieses *relative „Nicht-ausgelegt-sein"* der Erscheinung beziehen, das die Auslegung der Erscheinung auf Weltsein vermissen lässt, – relativ vermissen lässt! Denn wir wagen es nicht, irgendwelcher Auslegung der Erscheinung eine Bezogenheit auf Weltsein in einem absoluten Sinne abzuerkennen. So wird uns die „Subjektivität" nicht zu einem besondern Gebiete, sondern zu einem Gesichtspunkt, unter dem Erscheinung ins Auge gefasst werden kann. Sie hat *„subjektive"* Bedeutung, *sofern sie auf Weltsein nicht ausgelegt* ist. – Statt von „Subjektivität" zu reden, sagen wir besser: Wir haben zu rechnen mit Auslegung der Erscheinung, der wir eine *„perspektivische"* Bedeutung zuschreiben. An Stelle des *„Subjektiven"* und *„Objektiven"* gewinnen wir also folgenden Gegensatz: Auslegung der Erscheinung ist zu unterscheiden nach ihrer *„perspektivischen"* und ihrer *„kosmischen"* Bedeutung.

‹17. Präzisierungen zur Aktualität perspektivisch ausgelegter Erscheinung›

In sachlicher und terminologischer Hinsicht bedarf das Gesagte der weitern Präzisierung, (indem besonders die *Terminologie* zu einer Abklärung gelangen soll).

Erscheinung als „Erscheinung von Sein" hat „kosmische" Bedeutung, sofern Sein in seinem Welt-Sein oder seinem Dasein erscheint. Der Erscheinung von Sein steht gegenüber „Erscheinung in ihrem Erscheinen". Damit ist das bezeichnet, was gemeinhin als der „subjektive Akt" der Erkenntnis von Weltsein im Blickpunkte steht. Das „Erscheinen der Erscheinung" ist identisch mit dem Akte der Perzeption, mit der „Wahrnehmung". Die Unterscheidung von „Wahrnehmen" und „Wahrgenommenwerden" kann in einer endgiltigen Formulierung nicht aufrechterhalten werden, indem „Erscheinen der Erscheinung" gegenüber „Activum" und „Passivum" neutral ist. Der Terminus des *„Subjektiven"* wird in einer endgiltigen Terminologie am besten *ausgeschaltet*. Statt von Erscheinung in „subjektiver" Bedeutung reden wir von Erscheinung in „aktueller" Bedeutung. Mit ihr ist gemeint Erscheinung, sofern sie sich *in der Zeit aktualisiert*. In dieser Aktualisierung oder: in der „aktuellen Erscheinung" ist das konstituiert, was uns in der Konkretion des individuellen Erkenntnissubjektes gegenwärtig ist. Wir formulieren das *„Subjektive"* der Erkenntnis als ihre *„Aktualität"*.

Auch die *„perspektivische"* Auslegung möchten wir – wie gesagt – nicht mehr mit dem Terminus des „Subjektiven" belegen. Sofern Erscheinung „perspektivisch" ausgelegt wird, lässt sich diese Auslegung unter zwei Gesichtspunkten betrachten, die je auf die kosmische und auf die aktuelle Bedeutung der Erscheinung bezogen sind. – *Perspektivisch* ausgelegte Erscheinung wurde bestimmt als Erscheinung, sofern sie *relativ*, aber eben damit nicht integral auf *Weltsein ausgelegt* ist. Sie ist perspektivisch in ihrem Nicht-ausgelegt-sein. *Soweit* sie *Auslegung* bedeutet, soweit sie also nach der Seite ihres *positiven* Auslegungsgehaltes in Rücksicht gezogen wird, hat die perspektivisch ausgelegte Erscheinung *kosmische* Bedeutung. – Auch die perspektivische Sicht ist – wenn wir so sagen dürfen – ein *kosmischer* Sachverhalt. Dass „etwas" in der und der Perspektive gesehen wird, kann als naturwissenschaftlicher Tatbestand ins Auge gefasst werden. Und dieser Tatbestand ist der wissenschaftlichen Erklärung, und bei gegebenen Bedingungen der wissenschaftlichen Konstruktion zugänglich. Die perspektivisch ausgelegte Erscheinung lässt sich grundsätzlich in den Zusammenhang kosmischer Relationen einordnen und wird unter diesem Aspekte zu einem Momente des kosmischen Seins, – sofern ein solches überhaupt der Wissenschaft erreichbar werden kann. – Wir sind nun aber davon ausgegangen, dass alle Perspektive von der geläufigen Auslegung mit dem „Subjektiven" in unmittelbaren Zusammenhang gebracht wird und geradezu als „subjektiv" bezeichnet zu werden pflegt. Indem angenommen werden darf, dass diese Beziehung auf das „Subjektive" eines sachlichen Grundes nicht entbehrt, stellt sich die Frage, worin wir diese „Subjektivität" der Perspektive zu erkennen haben und wie wir ihr in einer präziseren Formulierung gerecht werden. – Perspektivisch ausgelegte Erscheinung kann nicht nur nach der Seite ihrer kosmischen Bedeutung ins Auge gefasst werden, sondern auch nach der andern Seite: nach der diese Erscheinung die *Aktualisierung* eines bestimmten *Erscheinens* von *Erscheinung* bedeutet. Alle Perspektive ist bezogen auf *„aktuelle"* Erscheinung, d. h. auf Erscheinung, sofern sie in ihrem Erscheinen individuelles Erkennen des Kosmos begründet. Damit wird zum Ausdruck gebracht, was gemeinhin dahin ausgesprochen wird, dass sich Perspektive auf *„mein"* und *„dein"* phänomenales Welterkennen bezieht. Perspektivische Auslegung wird also hier unter dem Gesichtspunkte als „perspektivisch" charakterisiert, dass sie auf aktuelle Erscheinung in bestimmter Aktualisierung bezogen ist. – In dieser Bezogenheit auf individuelle Aktualisierung ist aber die *Schranke* der perspektivischen Auslegung begründet. Erscheinung von Sein kann nur in der *Individualisierung* des *aktuellen Erscheinens* aktuell werden, – in einer Individualisierung, die unendlich vielen andern Individualisierungen Raum lässt, und darum wesensmässig im Zeichen der Begrenztheit und der Schranke steht. Der individuell-aktuellen Erscheinung – oder dem Sachverhalte, dass Weltsein nur in bestimmter, begrenzter Sicht erscheinen kann – kann nur ein *individuell begrenzter Vollzug* der *Auslegung* der Erscheinung entsprechen. Von daher ist es zu verstehen, dass bestimmte kosmische Sachverhalte – z.B. „das Fallgesetz Galileis" – unbeschadet ihrer kosmischen Bedeutung zu Individuen in Beziehung gesetzt werden. Ihre Erkenntnis ist perspektivisch. Deren positiver Gehalt hat kosmische Bedeutung. Ihre Begrenztheit weist zurück auf die Grenze aller Aktualisierung und damit auf die Besonderung alles individuellen Erkennens.

(Fortsetzung, begonnen am 9. April 1952)

‹18. *Integrale Auslegung kosmischer Erscheinung in Absehung von*
  willkürlichen Restriktionen auf ein subjektives „Gegenüber"›

Wenn im Vorhergehenden von einer *„kosmischen"* Bedeutung der Erscheinung die Rede ist, und wenn mit ihr das Sein in seinem Dasein bezeichnet werden soll, dann sollte in dieser Formulierung zum Ausdruck kommen, dass der gewohnte

Begriff des „Gegenstandes" durch eine angemessenere Begriffsbildung ersetzt werden muss. Die *Schranke* des *Gegenstandsbegriffes* wird nun immer deutlicher erkennbar; und es geht im Folgenden darum, sie in entscheidender Hinsicht aufzuweisen. Sie liegt nicht nur in der dem Terminus zu entnehmenden, gemeinhin kritiklos vorausgesetzten Gegenstellung gegen ein erkennendes Subjekt. Wir können sie nunmehr noch schärfer und durchschlagender aufweisen, indem wir Folgendes zu voller Klarheit bringen: Was gemeinhin unter *„Gegenstand"* verstanden wird, deckt sich keineswegs mit dem, was wir unter „Erscheinung von Sein" oder „Erscheinung in kosmischer Bedeutung" verstehen. „Erscheinung von Sein" hat einen weitern Bereich, als was denjenigen phänomenalen Sachverhalten entspricht, die mit dem „Gegenstande" gemeint sein dürften. Dem *„Gegenstande"* dürfte dasjenige phänomenale Sein entsprechen, von dem wir annehmen, dass es *„auf unsere Sinne einwirkt"*, – durch die Aussendung von Lichtstrahlen, Schallwellen usf. –, und eben in dieser Einwirkung als das *uns gegenüberliegende* Sein erkennbar wird. Es liegt aber am Tage, dass damit aus dem Sein des „Gegenstandes" eben diejenigen *physikalischen Phänomene* ausgeschlossen bleiben, von denen angenommen wird, dass sie *„uns"* die *Erkenntnis* des in jener Weise vorausgesetzten Gegenstandes *vermitteln*. Es ist aber *nicht* einzusehen, wieso diesen Phänomenen eine *Sonderstellung* zugeschrieben werden dürfte, durch die sie mehr oder weniger eindeutig vom Da-Sein oder Welt-Sein unterschieden würden. – Wir können dies auch so formulieren: Die Erscheinung, wie sie aktuell erscheint, wird dann noch keine adaequate Auslegung gefunden haben, wenn sie sich darauf beschränkt, die Ausgangspunkte derjenigen energetischen Prozesse, die unsere „Sinnesempfindungen" zu bewirken scheinen, wissenschaftlich zu bestimmen. Solche Beschränkung liegt zwar ohne Weiteres nahe und ist in praktischer Hinsicht völlig einwandfrei. Wer ein Gestirn beobachtet, wird sich darauf beschränken, die Lichtquelle der sein Auge treffenden Lichtstrahlen wissenschaftlich zu bestimmen. Wenn er aber die integrale Auslegung der in diesem Falle erscheinenden Erscheinung vollziehen will, dann darf er nicht darauf verzichten, auch die Lichtstrahlen, mit samt den von ihnen erfahrenen Brechungen usf., in seine Auslegung einzubeziehen. Denn nur so wird er der „Erscheinung" wissenschaftlich gerecht.

Es gibt somit im Bereich der Erscheinung *kein „Gegenüber"*, das sich etwa einem *„subjektiven"* Sachverhalte, der dann „nur uns etwas angeht", *entgegenstellen* liesse. Es liegt am Tage, dass alle die Brechungen, die das Licht „auf seinem Wege vom Gegenstande zu uns" erfährt, dem Sein der Erscheinung so gut zugehören, wie die in ihnen wirksame Energiequelle selbst. Indem der zur „Empfindung" führende energetische Prozess in seinem vollen Umfange dem Sein der Erscheinung zugehört, wird es *grundsätzlich unmöglich*, etwa von *„subjektiven Sinnestäuschungen"* zu reden, wie wenn Spiegelungen, Reflexe, atmosphärisch bedingte Tönungen und Deformationen, ja selbst Phänomene, die durch die natürliche oder künstliche Erkenntnisapparatur bedingt sind, nicht Erscheinungen im vollen Sinne des Wortes wären! – Wenn wissenschaftliche Erkenntnis darauf ausgerichtet ist, Erscheinung auf ihr Sein hin auszulegen, dann ist es zwar wohl verständlich, dass in der Genese der wissenschaftlichen Erkenntnis die Lösung dieser Aufgabe zunächst in der Bestimmung jenes „Gegenüber" besteht, von dem wir sinnliche Erfahrung gewinnen, indem es uns gleichsam durch Aussendung bestimmter physischer Elemente von seinem Sein Kunde gibt. Eine *ausschliesslich* auf dieses Gegenüber bezogene Auslegung bedeutet aber am Ende deren *willkürliche Restriktion*. Denn wie dürfte uns endgiltig gestattet sein, die Elemente jener „Aussendung" aus dem Sein der Erscheinung auszuschalten? Die zu ihrem Ziele gelangte Auslegung muss dadurch bestimmt sein, dass sie den gesamten physischen Prozess, der einer bestimmten „Sinnesempfindung" entspricht, nicht von einem „Gegenstande" abgrenzt, sondern in sich schliesst.

So wie die Erscheinung den Charakter des streng Einmaligen hat und eben damit die Einmaligkeit des individuellen Erkennens begründet, so hat streng genommen auch die Auslegung der Erscheinung auf ihr Sein ein je *besonderes* Ergebnis. Was als Auslegung der Erscheinung auf ihr Sein herausspringt, bleibt auch bei wissenschaftlicher Präzision dieser Auslegung bezogen nicht auf „Erscheinung überhaupt" (die es nicht gibt), sondern auf diese und jene „*deine*" und „*meine*" Erscheinung. Erscheinung und ihre Auslegung trägt also den Charakter strenger Besonderung; nicht einmal in dem, wovon man sagt, dass es „von Allen" gesehen und gehört wird, gibt es eine Übereinstimmung der Erscheinung im strengen Sinne. Das „Objekt" X erscheint A anders als B. Wobei aber beizufügen ist, dass die Auslegungen von A und B in einer *eindeutig fassbaren Relation* zueinander stehen! In der grundsätzlichen Möglichkeit, die Auslegungen der je besondern Erscheinung aufeinander zu beziehen, ist die Möglichkeit begründet, dass es eine *einzige Wissenschaft* gibt, die sich die Erkenntnis der Erscheinungen zur Aufgabe macht. Doch soll diese Linie der Problematik noch nicht weiterverfolgt werden.

‹19. Destruktion der „Realität der Dinge"
als dem Zugänglichen in der allgemeinen Erfahrung›

Zunächst fassen wir Folgendes ins Auge: Was für ein unkritisches Denken „*Gegenstand*" bedeutet, indem ihm eine mehr als nur „subjektive" Seinsweise zugeschrieben wird, beruht imgrunde nur darauf, dass es Vielen in *übereinstimmender Erscheinung* zu erscheinen scheint. Wobei der Faktor unberücksichtigt bleibt, dass eine strenge Übereinstimmung dessen, was „mir" und „dir" erscheint, ja von vornherein nicht denkbar ist! Was dem unkritischen Bewusstsein als die „Realität der Dinge" oder als die „objektive Wirklichkeit" vorschwebt, dürfte kaum etwas Anderes sein als das, was der *allgemeinen Erfahrung* zugänglich ist und im einfachen, eindeutigen „Gegenüber" seine feste Realität zu besitzen scheint, – im Gegenüber zu der Vielheit der „Beobachter", denen der „Gegenstand" durch Licht- und Schallwellen vermittelt wird. Was ausserhalb dieser approximativen

Gemeinsamkeit der Erscheinung liegt, was nur dem Einen oder dem Andern erscheint, – wie z. B. die Modifikation der Erscheinung von etwas durch ein getrübtes Glas, das in die Beobachtung eingeschaltet wird –, liegt für das allgemeine Bewusstsein ausserhalb des Gegenstandes; indem es der „Realität der Dinge" nicht zugehört, wird es der Seite des „nur Subjektiven" und nur relativ Wirklichen zugewiesen. – Diese Heraushebung eines gemeinsam erfahrenen Gegenstandes, samt seiner latenten ontologischen Auszeichnung, muss natürlich gründlich *destruiert* werden, wenn wir dem Probleme der Erscheinung und ihrer Auslegung gerecht werden sollen. Die Besonderung der Erscheinung, die Besonderung der Aspekte, in denen dies und das sinnlich erfahren wird, darf nicht auf das Konto einer hier festzustellenden „Subjektivität" der sinnlichen Erkenntnis gesetzt werden.

Die Voraussetzung eines uns gegenüberliegenden Seienden, in dem wir den Inbegriff der „Realität der Dinge" zu erblicken hätten, entspricht demjenigen Stande der physikalischen Wissenschaft, der durch das *Vorherrschen* der *Mechanik* bezeichnet ist. Die klassische Physik lässt zwar Raum für die optischen, akustischen, elektrodynamischen Erkenntnisse. Ihr ist aber für die physikalische Realität prototypisch der im *„an sich"* des *Gegenüber* liegende Gegenstand der Mechanik; und der mechanische Vorgang ist ihr das exemplarische Naturgeschehen. Bei ihrer *makrophysischen* Betrachtungsweise ist es ihr möglich, in der Auslegung der Erscheinung von demjenigen Prozesse zu abstrahieren, der sich zwischen dem Gegenstand und dem Sinnesorgan des Betrachters vollzieht, – ohne das sich aus dieser Abstraktion eine Fehlerquelle ergäbe. Denn für die Dynamik der bewegten Massen bedeutet es soz. nichts, ob sie sinnlich erfahren werden oder nicht. Der Prozess der „Vermittlung zwischen Objekt und Subjekt" kann vom Gegenstande der Mechanik abgelöst werden, ohne dass dieser Gegenstand eine merkliche Veränderung erfährt. – *Anders* steht es – wie man weiss – bei den *mikrophysischen* Voraussetzungen. Was dort noch so etwas wie „Gegenstand" bedeutet, ist von gleicher physikalischer Ordnung wie diejenigen physischen Elemente, auf die der Prozess der Übertragung vom „Gegenstande" auf das „erkennende Subjekt" zurückgeführt wird. Es liegt am Tage, dass bei dieser Sachlage weder der unkritisch supponierte Gegenstandsbegriff noch der der klassischen Physik festgehalten werden kann.

Wenn von einem *„Dass"* und von einem *„Was"* der Erscheinung die Rede ist, dann werden damit nicht zwei Ordnungen der Erscheinung zur Sprache gebracht. Es gibt nur *„die"* Erscheinung, nicht etwa die beiden Formen der „gegenständlichen" und der „subjektiven" Erscheinung. „Erscheinung" ist zwar nicht durch Definition auf etwas ausser ihr Liegendes zurückzuführen. Doch ist sie in ihrer Unsagbarkeit eindeutig, indem mit „Erscheinung" nur Eines gemeint sein kann. Nichtsdestoweniger kann sie in ihrem „Dass" und in ihrem „Was" in Betracht gezogen werden. Wobei „Dass" und „Was" der Erscheinung wesensmässig *nicht aufeinander zurückgeführt* werden können: „Dass" Erscheinung in der Zeit erscheint, kann nicht dem Bereiche der Bestimmungen der Erscheinung eingefügt werden. Diese Bestimmungen sind Explikationen des „Seins" der Erscheinung. In ihnen hat Erscheinung in der Bedeutung des „Erscheinens" keinen Raum; und es kann keinen Weg der „Erklärung" geben, auf dem die eine Bedeutung der Erscheinung aus der andern je abgeleitet würde.

‹20. Vorausgesetztheit des Erscheinens der Erscheinung
in der ganzen wissenschaftlichen Auslegung
Aufweis der Fehlerquellen an den Beispielen von Schall und Licht›

Es wurde im Vorhergehenden dargelegt, dass die Auslegung der Erscheinung auf ihr Sein sich nicht durch den „Gegenstand" eine Schranke setzen lassen darf. In dem „*Was*" der *Erscheinung*, auf das hin sie ausgelegt wird, ist nicht nur ein mir gegenüberliegendes Etwas beschlossen, sondern ein *physikalischer Prozess*, dessen *Anfangs-* und *Endpunkt* freilich von besonderer Bedeutung ist. – „Schall" wird ausgelegt als eine Erschütterung der Luft durch einen bestimmten physischen Vorgang, die in der Erschütterung des Trommelfells ihren Endpunkt findet. Beim Schall, wie bei den tiefer liegenden „Sinnesempfindungen" liegt es am Tage, dass das „Dass" der Erscheinung nicht auf das „Was" ihrer Bestimmung zurückgeführt werden kann. Denn sonst müsste behauptet werden, dass Lufterschütterungen Schall seien oder dass aus ihnen der Schall erklärt werden könne, – was nicht haltbar ist; denn wie sollte je aus Lufterschütterungen Schall hervorgehen? Nur dies kann gesagt werden, dass im Hinblick auf Schall die Was-Bestimmung vollzogen werden kann und dass diese Bestimmung auf vielen Umwegen zur Feststellung jenes genannten Prozesses führt.

Dass die Was-Bestimmung der Erscheinung neben ihrer räumlichen Festlegung zur Erkenntnis eines *zeitlichen Prozesses* führt, wird auch an der *visuellen Erscheinung* deutlich, – gerade an ihr, bei der sich die Zeitlichkeit des „Was" der Erscheinung nicht so sehr aufdrängt wie bei der Auslegung des Schalles. Nichtsdestoweniger müssen wir uns auf dem optischen Gebiete grundsätzlich klar machen, dass das *Licht*, diese eminenteste Weise der Erscheinung, nicht nur in räumlichen, sondern von vornherein auch in zeitlichen Bestimmungen ausgelegt werden muss. Denn im Bereiche dieser Auslegung liegt ja nicht nur der „sichtbare Gegenstand", sondern nicht minder der Prozess des *Strahlens* von Licht, der von einem Anfangs- zu einem Endpunkt führt: von der Lichtquelle bis zum Bilde auf der Netzhaut des Auges. – Auf welchen Umwegen es zu dieser physikalischen Auslegung der optischen Erscheinung kommt, braucht auch hier nicht berücksichtigt zu werden.

Der naheliegende und gewöhnliche *Fehler* im Verständnis des Vorgangs sinnlicher Erkenntnis besteht darin, dass das „Dass" der Erscheinung als letztes Glied in denjenigen Prozess eingegliedert wird, der in der Auslegung des „Was" der Erscheinung erkennbar wird. Von einem „Gegenstande" lässt man Lichtstrahlen ausgehen, die – nach einem in der Zeit sich vollziehenden Prozesse des

Strahlens – an einer Stelle im Raume „das Auge treffen". Vom Auge wird dieser Prozess in das Gehirn weitergeleitet, um dann – in einer dunklen Umsetzung in eine andere Seinsordnung – „zum Bewusstsein zu gelangen". Der Fehler dieser Vorstellungsweise besteht in dem *Weiterführen* der *Was-Bestimmung* der Erscheinung *über den Bereich ihrer Möglichkeiten* hinaus. Hier wird offenbar noch immer vorausgesetzt, dass Erscheinung in ihrem Erscheinen aus einem Konnexe von Was-Bestimmungen einsichtig gemacht werden könne. Aller Anschein spricht freilich für die Anerkennung des sich uns natürlicherweise aufdrängenden Problembildes, demzufolge nur dies die Frage ist, wie denn der „auf uns" einwirkende physische Prozess imstande sei, „in uns" „Empfindungen hervorzurufen". Dieses Problembild muss aber der Erkenntnis Raum geben, dass die ganze wissenschaftliche Auslegung auch der optischen Erscheinung ein Erscheinen von Erscheinung schon voraussetzt und darum nicht in die Lage kommen kann, in der Verfolgung dieser Auslegung Erscheinung in ihrem Erscheinen einsichtig zu machen.

Die Autorin und die Autoren

HELGA BLASCHEK-HAHN studierte Philosophie und Germanistik in Würzburg und Wien und promovierte bei Heinrich Rombach in Würzburg. Lehraufträge für Philosophie an der Universität Würzburg und der Karls-Universität Prag. Lektorin für Deutsch am Goethe-Institut Prag und im Rahmen der tschechischen Jan Patočka-Ausgabe Mitarbeiterin der Tschechischen Akademie der Wissenschaften. – *F:* Phänomenologie (bes. Heidegger, Patočka, Rombach); Literaturanalyse; Sprachphilosophie. – *P: Übergänge und Abgründe. Phänomenologische Betrachtungen zu Heimito von Doderers Roman „Die Wasserfälle von Slunj",* Würzburg 1988; *György Sebesten. Leben und Werk. Biographische und phänomenologische Studien,* Graz/Wien/Köln 1990. Als Hg.in: (mit K. Novotný) *Jan Patočka: Vom Erscheinen als solchem. Texte aus dem Nachlaß (Orbis Phaenomenologicus Quellen,* Bd. 3), Freiburg/München 2000; (mit V. Schifferová): *Jan Patočka, Klaus Schaller, Dmitrij Tschižewskij: Philosophische Korrespondenz 1936-1977 (Orbis Phaenomenologicus Quellen N. F.,* Bd. 5), Würzburg 2010; (mit H. R. Sepp): *Heinrich Rombach. Strukturontologie – Bildphilosophie – Hermetik (Orbis Phaenomenologicus Perspektiven N. F.,* Bd. 2), Würzburg 2010.

JAKUB ČAPEK promovierte im Jahr 2001 im Fach Philosophie an der Karls-Universität Prag und der Universität Paris-X Nanterre mit der Arbeit „Le temps dans la décision – la décision dans le temps: le problème de la décision chez Bergson, Heidegger, Sartre et Ricoeur". Er arbeitet an der Karls-Universität Prag sowie am Prager Zentrum für Phänomenologische Forschung. – *F:* Deutsche und französische Philosophie des 20. Jahrhunderts; Phänomenologie; Hermeneutik. – *P: Jednání a situace,* [Versuch einer phänomenologisch angesetzten Handlungstheorie], Praha 2007; Artikel über Heidegger, Derrida, Fink, Bergson. Er übersetzte zudem Werke von Fink, Waldenfels, Gadamer, Bergson, Sartre und Ricoeur ins Tschechische.

CHRISTIAN GRAF studierte Philosophie, Neuere deutsche Literaturwissenschaft sowie Musikwissenschaft an der Universität Basel (Lizentiat 2003, Promotion im Fach Philosophie 2007). Er ist seit 2008 Präsident der Heinrich Barth-Gesellschaft in Basel. – *P: Heinrich Barths „Erkenntnis der Existenz" im Kontext heutigen Denkens,* Regensburg 2004; „Dialektische oder undialektische Existenzauffassung. Heinrich Barths Existenzbegriff, entwickelt anhand seiner frühen Heideggerkritik", in: H. Schwaetzer u. Ch. Graf (Hg.): *Existenz. Facetten, Genese und Umfeld eines zentralen Begriffs bei Heinrich Barth,* Regensburg 2007, 123-138; *Ursprung und Krisis – Heinrich Barths existential-gnoseologischer Grundansatz in seiner Herausbildung und im Kontext neuerer Debatten,* Basel 2008. Editionen von Werken Heinrich Barths: (mit A. Loos u. H. Schwaetzer) *Philosophie der theoretischen Erkenntnis. Epistemologie,* Regensburg 2005; (m. C. Müller u. H. Schwaetzer) *Philosophie des Aesthetischen,* Regensburg 2006; (mit C. Müller u. H. Schwaetzer) *Grundriss einer Philosophie der Existenz,* Regensburg 2007.

GUY VAN KERCKHOVEN ist Professor für Philosophie am Hoger Architectuurinstituut Brüssel (Assoz. Katholieke Universiteit Leuven) und Alexander von Humboldt-Fellow (Dilthey-Forschungsstelle am Institut für Philosophie der Ruhr-Universität Bochum). – *F:* Editionen und Forschungsarbeiten auf den Gebieten der Phänomenologie und Hermeneutik. – *P: Mundanisierung und Individuation bei E. Husserl und E. Fink. Die VI. Cartesianische Meditation und ihr ‚Einsatz'* (*Orbis Phaenomenologicus Studien,* Bd. 2), Würzburg 2003 (die italienische Ausgabe erschien bei Il Melangolo in Genova); „L'attachement au réel. Rencontres phénoménologiques avec W. Dilthey et ‚le cercle de Göttingen' (G. Misch, H. Lipps)", in: *Mémoires des Annales de Phénoménologie,* VII, Amiens 2007; (m. H.-U. Lessing u. A. Ossenkop von Baudessin:) *W. Dilthey. Leben und Werk in Bildern,* Freiburg 2008. – Editionen: (m. H. Ebeling u. J. Holl) E. Fink: *VI. Cartesianische Meditation* sowie E. Fink: *Ergänzungsband zur VI. Cartesianischen Meditation* (*Husserliana Dokumente,* Bde. II/1 u. 2); (m. H.-U. Lessing) W. Dilthey: *Psychologie als Erfahrungswissenschaft. Erster Teil. Vorlesungen zur Psychologie und Anthropologie. Zweiter Teil. Manuskripte zur Genese der deskriptiven Psychologie* (*Gesammelte Schriften W. Diltheys,* Bde. XXI u. XXII). In Vorb.: E. Finks Auslegungen von Kants *Kritik der reinen Vernunft* (*Eugen Fink Gesamtausgabe,* Bd. 13, 1-3).

KAREL NOVOTNÝ ist Assistent an der Fakultät für Humanwissenschaften der Karls-Universität Prag und Wissenschaftlicher Mitarbeiter am Philosophischen Institut der Akademie der Wissenschaften der Tschechischen Republik. Gemeinsam mit Hans Rainer Sepp gründete und leitet er an der Fakultät für Humanwissenschaften das Mitteleuropäische Institut für Philosophie – *Středoevropský institut pro filosofii* (SIF). Er koordiniert zudem an der Karls-Universität das Erasmus Master Mundus-Programm „Deutsche und französische Philosophie in Europa" (www.europhilosophie.eu). – *F:* Deutsche und französische Phänomenologie; Hermeneutik. – *P:* Aufsätze zur Philosophie Jan Patočkas und zur neueren Phänomenologie. Als Hg.: (mit H. Blaschek-Hahn) Jan Patočka: *Vom Erscheinen als solchem. Texte aus dem Nachlaß* (*Orbis Phaenomenologicus Quellen,* Bd. 3), Freiburg/München 2000; Ludwig Landgrebe: *Der Begriff des Erlebens. In Beitrag zur Kritik unseres Selbstverständnisses und zum Problem der seelischen Ganzheit* (*Orbis Phaenomenologicus Quellen N. F.,* Bd. 2), Würzburg 2010.

CHRISTIAN RABANUS (geb. 1970) studierte Philosophie und Physik in Göttingen, Wien, Heidelberg und Mainz. Er legte das Erste Examen mit einer Studie zu Karl Jaspers ab und promovierte 2000 mit einer Arbeit über Husserl und Patočka an der Universität Mainz. Er ist Mitglied des Mitteleuropäischen Instituts für Philosophie in Prag und philosophischer Praktiker. Lebt in Wiesbaden. – *F:* Praktische Philosophie (Ethik, Handlungstheorie, Politische Philosophie, Ästhetik und Medientheorie) aus einer von der Analytischen Philosophie beeinflussten Perspektive der Phänomenologie; Phänomenologie (Husserl, Heidegger, Patočka), Platon, Kant. – *P: Praktische Phänomenologie. Jan Patočkas Revision der Phänomenologie Edmund Husserls,* Frankfurt/M. et al. 2002; *Jan Patočkas Phänomenologie interkulturell gelesen,* Nordhausen 2006. Als Hg.: *Primärbibliographie der Schriften Karl Japsers',* Tübingen/Basel 2001. Mit-Hg.: *Borderline – Strategien und Taktiken für Kunst und soziale Praxis,* hg. v. d. AG Borderline-Kongress, 2002.

HARALD SCHWAETZER ist Inhaber der Stiftungsdozentur für Cusanus-Forschung am Institut für Cusanus-Forschung an der Universität und der Theologischen Fakultät Trier. Herausgeber der Reihen *Philosophie interdisziplinär* und *Texte zum frühen Neukantianismus.* – *F:* Anthropologie und Wissenschaft in der frühen Neuzeit (Cusanus, Kepler),

Schelling, Neukantianismus und Spätidealismus. – *P:* „*Si nulla esset in Terra Anima*" – *Johannes Keplers Seelenlehre als Grundlage seines Wissenschaftsverständnisses. Ein Beitrag zum vierten Buch der Harmonice Mundi*, Hildesheim/Zürich/New York 1997; *Aequalitas. Erkenntnistheoretische und soziale Implikationen eines christologischen Begriffs bei Nikolaus von Kues. Eine Studie zu seiner Schrift „De aequalitate"*, Hildesheim et al. 2000, 2. Aufl. 2004. Als Hg.: „*Eine Religion in philosophischer Form auf naturwissenschaftlicher Grundlage": Gideon Spickers Religionsphilosophie im Kontext seines Lebens, seines Werkes, seiner Zeit*, Hildesheim et al. 2002; *Nicolaus Cusanus. Perspektiven seiner Geistphilosophie*, Regensburg 2003; Mit-Hg. von Bänden zur Philosophie Heinrich Barths (s. o. Vita von Chr. Graf). Editionen von Werken Gideon Spickers (*Am Wendepunkt der christlichen Weltperiode*), Otto Liebmanns (*Die Klimax der Theorien*), Eduard von Hartmanns (*Das Ding an sich und seine Beschaffenheit*) u. Johannes Volkelts (*Erfahrung und Denken*); als Mit-Hg.: *Nicolai de Cusa Opera omnia* XIX,3: Sermones: CCXXII-CCXLV, Hamburg 2002 und *Opera omnia* XVIII,3: Sermones: CLXI – CCLXXV, Hamburg 2003.

HANS RAINER SEPP lehrt Philosophie an der Humanwissenschaftlichen Fakultät der Karls-Universität Prag. Er ist, gemeinsam mit Karel Novotný, Direktor des dortigen Mitteleuropäischen Instituts für Philosophie (*Středoevropský institut pro filosofii* – SIF) sowie Direktor des Eugen Fink-Archivs Freiburg und fungiert im Executive Committee von O.P.O. (*Organization of Phenomenological Organizations*). Er gibt die Buchreihe *libri nigri* (2010 ff.) heraus und ist Mitherausgeber der Reihen *Orbis Phaenomenologicus* (1993 ff.) und *Philosophische Anthropologie – Themen und Positionen* (2008 ff.) sowie der *Eugen Fink Gesamtausgabe* (2006 ff.). – *F:* Phänomenologie; Ethik; Ästhetik und Philosophie der Kunst; Interkulturelle Philosophie; Philosophische Anthropologie; Philosophie des 19. und 20. Jahrhunderts. – *P: Neueste Buchpublikationen: Über die Grenze. Prolegomena zu einer Theorie der Transkulturalität*, 2010; *Bild. Phänomenologie der Epoché I*, 2010. Als Hg.: (m. L. Embree) *Handbook of Phenomenological Aesthetics*, 2010; (m. H. Blaschek-Hahn) *Heinrich Rombach. Strukturontologie – Bildphilosophie – Hermetik* (*Orbis Phaenomenologicus Perspektiven N. F.*, Bd. 2), 2010; (m. C. Nielsen) *Welt denken. Annäherungen an die Kosmologie Eugen Finks*, 2010; *Bildung und Politik im Spiegel der Phänomenologie*, 2010; *Nietzsche und die Phänomenologie*, 2010; (m. H.-B. Gerl-Falkovitz u. R. Kaufmann) *Europa und seine Anderen. Edith Stein – Emmanuel Levinas – Józef Tischner*, 2010.

JENS SOENTGEN (geb. 1967), Studium der Chemie und Philosophie; Promotion im Fach Philosophie mit einer Arbeit über den Stoffbegriff. Lehraufträge an verschiedenen Universitäten in Deutschland; zweimal als Gastprofessor für Philosophie in Brasilien. Seit 2002 leitet er das Wissenschaftszentrum Umwelt der Universität Augsburg. – *F:* Phänomenologie, Naturphilosophie, Rhetorik. – *P: Das Unscheinbare. Phänomenologische Beschreibungen von Stoffen, Dingen und fraktalen Gebilden*, Berlin 1997; *Die verdeckte Wirklichkeit – die Neue Phänomenologie des Hermann Schmitz*, Bonn 1998; *Selbstdenken! 20 Praktiken der Philosophie*, Wuppertal 2003 (7. Auflage 2009); *Die Sterne und der Tau*, Wuppertal 2010. Er gibt zudem in einem Münchner Verlag die Buchreihe *Stoffgeschichten* heraus, in der bisher Bände zu Aluminium, Staub, Kaffee, CO_2, Erde und Holz erschienen sind.

ARMIN WILDERMUTH promovierte an der Universität Basel bei Karl Jaspers und Heinrich Barth. Von 1973 bis 1995 war er Ordinarius für Philosophie an der Universität St. Gallen und von 1989 bis 1997 Beirat am angegliederten Institut für Wirtschaftsethik. Er war Gründungspräsident der Heinrich Barth-Gesellschaft und ist heute im Kuratorium der

Stiftung Lucerna als wissenschaftlicher Berater tätig. – *F:* Seine Publikationen und Forschungsgebiete betreffen Themen der Sozialphilosophie, Phänomenologie, Ästhetik und Kunst der Gegenwart. – *P:* Bezüglich Heinrich Barth: *Die Entdeckung der Phänomene. Dokumente einer Philosophie der sinnlichen Erkenntnis.*, hg. zus. m. H. R. Schweizer, Basel 1981; *In Erscheinung Treten. Heinrich Barths Philosophie des Ästhetischen*, hg. zus. m. G. Hauff u. H. R. Schweizer, Basel 1990; „Phänomenologie als Lehre vom Erscheinen", Rezension von: Jan Patočka: *Vom Erscheinen als solchem. Texte aus dem Nachlaß (Orbis Phaenomenologicus Quellen*, Bd. 3), hg. v. H. Blaschek-Hahn u. K. Novotný, Freiburg/München 2000, in: *Bulletin der Heinrich Barth-Gesellschaft*, Nr. 7 / Mai, Basel 2002, 7-13.

F = Forschungsschwerpunkte. P = Wichtigste Publikationen.

Orbis Phaenomenologicus
Perspektiven - Quellen - Studien

Herausgegeben von
Kah Kyung Cho (Buffalo), Yoshihiro Nitta (Tokyo) und Hans Rainer Sepp (Prag)

Die Reihe präsentiert Denkansätze und Erträge der Phänomenologie und bestimmt ihre Positionen im Kontext anderer philosophischer Strömungen. Sie diskutiert Aporien des phänomenologischen Denkens und fördert die weiterführende phänomenologische Sachforschung. Die **Perspektiven** widmen sich phänomenologischen Sachthemen, behandeln das Werk wichtiger Autoren und zeichnen ein lebendiges Bild bedeutender Forschungszentren der Phänomenologie. Die **Quellen** versammeln Primärtexte und erschließen dokumentarisches Material zur internationalen Phänomenologischen Bewegung. Die **Studien** legen aktuelle Forschungsergebnisse vor.

Beate Beckmann
Phänomenologie des religiösen Erlebnisses
Studien 1, 332 Seiten. ISBN 3-8260-2504-0

Michael Staudigl
Grenzen der Intentionalität
Studien 4, 207 Seiten. ISBN 3-8260-2590-3

Rolf Kühn / Michael Staudigl (Hrsg.)
Epoché und Reduktion
Perspektiven, Neue Folge 3, 309 Seiten. ISBN 3-8260-2589-X

Cathrin Nielsen
Die entzogene Mitte
Studien 3, 198 Seiten. ISBN 3-8260-2593-8

Beate Beckmann / Hanna-Barbara Gerl-Falkovitz (Hrsg.)
Edith Stein
Perspektiven, Neue Folge 1, 318 Seiten. ISBN 3-8260-2476-1

Guy van Kerckhoven
Mundanisierung und Individuation bei Edmund Husserl und Eugen Fink
Studien 2, 510 Seiten. ISBN 3-8260-2551-2

Takako Shikaya
Logos und Zeit
Studien 6, 154 Seiten. ISBN 3-8260-2661-7

Dean Komel (Hrsg.)
Kunst und Sein

Perspektiven, Neue Folge 4, 250 Seiten. ISBN 3-8260-2852-X
Karl-Heinz Lembeck (Hrsg.)

Studien zur Geschichtenphänomenologie Wilhelm Schapps
Perspektiven, Neue Folge 7, 139 Seiten. ISBN 3-8260-2861-9

Sandra Lehmann
Der Horizont der Freiheit
Studien 9, 114 Seiten. ISBN 3-8260-2961-5

Silvia Stoller / Veronica Vasterling / Linda Fisher (Hrsg.)
Feministische Phänomenologie und Hermeneutik
Perspektiven, Neue Folge 9, 306 Seiten. ISBN 3-8260-3032-X

Rolf Kühn
Innere Gewissheit und lebendiges Selbst
Studien 11, 132 Seiten. ISBN 3-8260-2960-7

Pavel Kouba
Sinn der Endlichkeit
Studien 7, 240 Seiten. ISBN 3-8260-3121-0

Alexandra Pfeiffer
Hedwig Conrad-Martius
Studien 5, 232 Seiten. ISBN 3-8260-2762-0

Dean Komel
Tradition und Vermittlung
Studien 10, 138 Seiten. ISBN 3-8260-2973-9

Madalina Diaconu
Tasten, Riechen, Schmecken
Studien 12, 500 Seiten. ISBN 3-8260-3068-0

Harun Maye / Hans Rainer Sepp (Hrsg.)
Phänomenologie und Gewalt
Perspektiven, Neue Folge 6, 284 Seiten. ISBN 3-8260-2850-3

Javier San Martín (Hrsg.)
Phänomenologie in Spanien
Perspektiven, Neue Folge 10, 340 Seiten. ISBN 3-8260-3132-6

Daniel Tyradellis
Untiefen
Studien 14, 196 Seiten. ISBN 3-8260-3276-4

Anselm Böhmer (Hrsg.)
Eugen Fink
Perspektiven, Neue Folge 12, 356 Seiten. ISBN 3-8260-3216-0

Urbano Ferrer
Welt und Praxis
Studien 13, 196 Seiten. ISBN 3-8260-3131-8

Ludger Hagedorn (Hrsg.)
Jan Patočka – Andere Wege in die Moderne
Quellen. Neue Folge 1,1, 484 Seiten. ISBN 3-8260-2846-5

Julia Jonas / Karl-Heinz Lembeck (Hrsg.)
Mensch – Leben – Technik
Perspektiven, Neue Folge 11, 388 Seiten. ISBN 3-8260-2902-X

Hans Rainer Sepp / Ichiro Yamaguchi (Hrsg.)
Leben als Phänomen
Perspektiven, Neue Folge 13, 332 Seiten. ISBN 3-8260-3213-6

Jaromir Brejdak / Reinhold Esterbauer / Sonja Rinofner-Kreidl / Hans Rainer Sepp (Hrsg.)
Phänomenologie und Systemtheorie
Perspektiven, Neue Folge 8, 172 Seiten. ISBN 3-8260-3143-1

Ludger Hagedorn / Hans Rainer Sepp (Hrsg.)
Andere Wege in die Moderne
Quellen. Neue Folge 1,2, 228 Seiten. ISBN 3-8260-2847-3

Heribert Boeder
Die Installationen der Submoderne
Studien 15, 449 Seiten. ISBN 3-8260-3356-6

Pierfrancesco Stagi
Der faktische Gott
Studien 16, 324 Seiten. ISBN 978-3-8260-3446-6

Giovanni Leghissa / Michael Staudigl (Hrsg.)
Lebenswelt und Politik
Perspektiven 17, 294 Seiten. ISBN 978-3-8260-3586-9

Cathrin Nielsen / Michael Steinmann / Frank Töpfer (Hrsg.)
Das Leib-Seele-Problem und die Phänomenologie
Perspektiven, Neue Folge 15, 332 Seiten. ISBN 978-3-8260-3708-5

Dietrich Gottstein / Hans Rainer Sepp (Hrsg.)
Polis und Kosmos
Perspektiven, Neue Folge 16, 356 Seiten. ISBN 978-3-8260-3498-8

Dimitri Ginev (Hrsg.)
Aspekte der phänomenologischen Theorie der Wissenschaft
Perspektiven, Neue Folge 21, 228 Seiten. ISBN 978-3-8260-3721-4

Anselm Böhmer / Annette Hilt (Hrsg.)
Das Elementale
Perspektiven, Neue Folge 20, 180 Seiten. ISBN 978-3-8260-3631-6

Ludger Hagedorn / Michael Staudigl (Hrsg.)
Über Zivilisation und Differenz
Perspektiven, Neue Folge 18, 312 Seiten. ISBN 978-3-8260-3585-2

Radomír Rozbroj
Gespräch
Studien 20, 320 Seiten. ISBN 978-3-8260-3794-8

Filip Karfík
Unendlichwerden durch die Endlichkeit
Studien 8, 216 Seiten. ISBN 978-3-8260-2866-3

Dimitri Ginev
Transformationen der Hermeneutik
Studien 17, 144 Seiten. ISBN 978-3-8260-3959-1

Mette Lebech
On the Problem of Human Dignity
Studien 18, 336 Seiten. ISBN 978-3-8260-3815-0

Dean Komel
Intermundus
Studien 19, 112 Seiten. ISBN 978-3-8260-4015-3

Edmundo Johnson
Der Weg zum Leib
Studien 21, 208 Seiten. ISBN 978-3-8260-4126-6

Matthias Flatscher / Sophie Loidolt (Hg.)
Das Fremde im Selbst – Das Andere im Selben
Perspektiven, Neue Folge 19, 320 Seiten. ISBN 978-3-8260-4312-3

Pol Vandevelde (Ed.)
Phenomenology and Literature
Perspektiven, Neue Folge 24, 284 Seiten. ISBN 978-3-8260-4284-3

Karel Novotný (Hg.)
Ludwig Landgrebe: Der Begriff des Erlebens

Helga Blaschek-Hahn / Věra Schifferová (Hg.)
Jan Patočka – Klaus Schaller – Dmitrij Tschižewskij.
Philosophische Korrespondenz 1936-1977
Quellen. Neue Folge 5, 188 Seiten. ISBN 978-3-8260-4317-8

Helga Blaschek-Hahn / Hans Rainer Sepp (Hg.)
Heinrich Rombach. Strukturontologie – Bildphilosophie – Hermetik
Perspektiven, Neue Folge 2, 264 Seiten. ISBN 978-3-8260-4055-9

Hans Rainer Sepp / Armin Wildermuth(Hg.)
Konzepte des Phänomenalen
Perspektiven, Neue Folge 22, 232 Seiten. ISBN 978-3-8260-3900-3